プライマリケア漢方

第2版

著
喜多敏明
辻仲病院柏の葉 漢方未病治療センター センター長

第2版 序文

『新装版プライマリケア漢方』の第1版が発行されてから約8年が経過した。その間に，プライマリケア領域における漢方の果たす役割はさらに大きくなっており，漢方医学を本格的に学んで日常の診療に活かしたいと考える医療者も増えてきている。

そのような時代のニーズに応えてきた本書は，漢方医学の診断・治療プロセスを初級レベル（**step1**）から中級レベル（**step2**），上級レベル（**step3**）へと無理なく理解できる構成になっており，付録の講演動画（約18時間）を視聴することでその学習がいっそう容易になるように工夫されている。

しかし，臨床の現場で実際に漢方薬を処方するとなると，さらに実践的なスキルが必要となる。そこで今回の改訂第2版では，漢方臨床の実践（初診時と再診後）において直面する様々な疑問を解決するためのヒント集と，漢方治療の効果を最大限に発揮するために必要な養生支援のヒント集を**step4**として追加することにした。

本書を読みながら漢方薬を処方する経験を積み重ねるだけで，プライマリケア漢方の実力を継続的に伸ばしていくことができるようになっている。

漢方医学は，プライマリケアで遭遇するありふれた疾患の治療において西洋医学の足りないところを補完するだけでなく，検査をしても異常がない不健康な状態（未病）を効果的に治療することで，疾患を予防することにも貢献できる。また，心身一如の視点で病人全体をとらえる漢方医学のアプローチは，プライマリケアで重視される全人的医療の実践においても有用な手段となる。

そのような観点から，プライマリケアの臨床現場で本書を役立てて頂ければ幸いである。

2023年12月　　喜多敏明

第1版 序文

Primary care noteシリーズの1冊として，2007年11月に『プライマリケア漢方』の初版が発行されてから約8年が経過した。その間に，プライマリケア領域における漢方の果たす役割の大きさが広く認識されるようになり，本書の役割もまた特別な意味を持つようになってきた。そこで本書をPrimary care noteシリーズから独立させて，新装版として発刊することとなった。今回は必要に応じて文献を新しいものに入れ替えたり，内容的に書き改めたりした部分も一部あるが，全体としての構成は初版とほぼ同じままとした。

新装版において特筆すべき点は，筆者の講演動画とリンクさせて学習できるように便宜を図ったことである。2013年4月から6月にかけて開催された合計6日間（約18時間）の講演内容を動画として視聴することによって，本書の内容をより深く理解できるであろう（**付録, 343頁**）。

講演動画の中には「実技で学ぶ脈・舌・腹診の実際（**step2-3**）」が含まれており，漢方医学独特の診察手技についても学習できるようにした。さらに，各stepの最後にある「症例演習で学ぶ漢方診療の秘訣」というタイトルの動画では，処方選択のプロセスをより実践的な知識として伝えている。

近年，日本の医師の多くが漢方薬の有用性を理解し，様々な疾患に漢方薬を応用するようになったことは喜ばしいことであるが，漢方薬を処方する際には漢方医学の診断・治療プロセスについても理解しておく必要がある。その必要性をわかっている読者が，本書を読みながら講演動画を視聴することで，漢方医学の診断・治療プロセスをステップ・バイ・ステップで無理なく学習・理解できるように構成を工夫した。特にプライマリケア領域で全人的医療を実践する際に，本書を役立てて頂ければ幸いである。

2015年10月　　喜多敏明

プライマリケア漢方とは

プライマリケア漢方の一般目標

筆者は，これまでセミナーや講習会において，プライマリケアに関わる医師の「漢方を使えるようになりたい」という期待に応えるように様々な工夫をしてきたが，本書はそのような経験を集大成したものである。

セミナーや講習会に出席する参加者と話をしてみると，既に漢方エキス製剤を使ったことのある医師のほとんどが，漢方医学の考え方やその特質をよく理解した上で，漢方治療を日常の臨床に取り入れていきたいと希望するようになってきていることが実感できる。

また，全国の医学部・医科大学において漢方医学教育が実施されるようになってきたことを受けて，卒業したばかりの研修医や若手の医師の中でも，漢方に関するより実践的な理解を深めたいというニーズが高まってきている。

本書の読者は，プライマリケアの現場で実際に漢方を使えるようになることを期待して本書を読み始めているはずである。それでは，プライマリケアの現場で実際に漢方を使えるようになると，その結果としてどのようなことが可能になるのであろうか。

1) 漢方医学の考え方を理解することにより，プライマリケアの視野を広げることができる。

2) 漢方薬を適切に使用することによって，患者中心の全人的医療を実践することができる。

本書で提唱する「プライマリケア漢方」は，これら2つのことを一般目標にしている。

プライマリケア漢方の到達目標

漢方を修得するためには，知識だけでなく経験が重要であるとよく言われる。このことは，スポーツや芸事を修得するプロセスを思い浮かべればわかりやすいかもしれない。

筆者は高校時代にテニスクラブに所属していた。テニスに昇級試験はないが，初級者と中級者と上級者では強さがまったく違う。テニスでは残念ながら初級者から中級者への昇級がやっとであった。おそらくテニスの習得方法を体系化せず，闇雲に練習していたからであろう。

プライマリケア漢方にも初級レベル（**step1**）と中級レベル（**step2**）と上級レベル（**step3**）がある。それぞれのレベルに合わせた到達目標を設定することにより，以下に述べるようなステップアップが可能になる。

その際に，知識と経験は車の両輪である。各レベルに応じた知識を修得すると同時に，実際に方剤を使ってみる経験を通して，修得した知識を自分のものにすることができる。改訂第2版では，そのための実践ヒント集（**step4**）を追加した。

プライマリケア漢方の**step1**（初級レベル）では，「気・血・水の不足病態」を取り扱うことになる。気・血・水の働きとそれぞれの不足病態（＝虚）について理解し，臨床的・基礎的なエビデンスのある方剤を使えるようになることが到達目標である。このステップでは，臨床疫学的・基礎実験的なエビデンスのある方剤を実際に使ってみることで，気・血・水の働きについての理解が深まり，「不足を補う」という漢方が得意とする基本的な考え方を身につけることができる。さらに引き続き，陽気の働きとその不足病態（＝寒）について理解し，**step1**を終えることになる。

プライマリケア漢方の**step2**（中級レベル）では，「虚実・寒熱の病態差異」を取り扱うことになる。**step1**で修得した虚と寒の病態生理をふまえながら，プライマリケアで日常的に遭遇する疾患や症状に対して，虚実・寒熱の個人差に応じて方剤を使えるようになることが到達目標である。このステップでは，病態のバリエーション（＝差異）に対応しながら方剤のレパートリーを広げて実際に使ってみることで，虚実・寒熱の病態についての理解が深まり，「差異を重視」した漢方独自の視点を身につけることができる。

プライマリケア漢方のstep3（上級レベル）では，「気・血・水の失調病態」を取り扱うことになる。気・血・水の流れが失調した病態について理解し，ストレスに関係する疾患に適応となる方剤を使えるようになることが到達目標である。このステップでは，ホルモンや自律神経のバランス異常が関与する婦人科疾患，不定愁訴や自律神経失調症，精神科疾患などに適応となる方剤を実際に使ってみることで，気・血・水の失調についての理解が深まり，「バランスを重視」した漢方特有の治療スタイルを身につけることができる。

本書は，最終的にプライマリケア漢方の上級者になるための道筋を初めて体系的に示したものである。プライマリケアの視野を広げ，患者中心の全人的医療を実践しながら，初級から中級，そして上級へとステップアップしていく際の座右の書になることをめざした。ステップアップするにつれて，漢方を知り，漢方が好きになり，漢方を楽しむことができるようになれば幸いである。

目次

step 2

step 3

step 4

step 1

- プライマリケア漢方の**step 1**（初級レベル）では，「気・血・水の不足病態」を中心に取り扱う。気・血・水の働きとそれぞれの不足病態（気虚・血虚・津虚）について理解し，臨床的・基礎的なエビデンスのある方剤を使えるようにする。このステップでは，エビデンスのある方剤を使うことで，「不足を補う」という漢方の基本的な考え方を身につけることがポイントになる。
- 最後に，陽気の不足した寒の病態についても解説を加える。

step 1

概要

漢方医学の専門的な診察技能（腹診や舌診など）を修得する以前の初級レベルでも使いこなせる処方はいくつかある。

1-1で紹介するのは，プライマリケアの現場で知っていれば役に立つだけでなく，漢方の初級者でも比較的使いやすい六君子湯，芍薬甘草湯，麦門冬湯の3方剤である。

1-2～**1-3**の病態解説を熟読すれば，これら3方剤を使いながら，プライマリケア漢方において最も基本となる気・血・水の働きと3つの不足病態（気虚・血虚・津虚）についても，その本質を理解できるように工夫されている。ちなみに，六君子湯は気虚の病態を，芍薬甘草湯は血虚の病態を，麦門冬湯は津虚の病態をそれぞれ改善する代表的な方剤である。

さらに，**1-3**の病態解説では，3つの不足病態（気虚・血虚・津虚）それぞれに対する代表的な適応方剤と典型的な症例が紹介されている。また**1-4**で，陽気の不足した寒の病態についても解説を加え，代表的な適応方剤と鑑別のためのフローチャートが示されている。

1 エビデンス重視の処方解説

▶本章では，六君子湯（りっくんしとう），芍薬甘草湯（しゃくやくかんぞうとう），麦門冬湯（ばくもんどうとう）の臨床疫学的なエビデンスと基礎実験的なエビデンスを中心に紹介する。これら3方剤は，いわゆる病名治療によって60～70％の有効率を期待できる方剤であり，漢方医学に関する知識や経験がない読者にとっても抵抗なく読み進めることができるであろう。

1 六君子湯（りっくんしとう）

1．機能性ディスペプシアに六君子湯

プライマリケアにおいて食欲不振や胃もたれは最もよく遭遇する症状の1つであろう。上部消化管の検査で器質的疾患が原因となっていることがはっきりすれば，その疾患に対して適応となる西洋医学的治療を優先することになる。

しかし，西洋医学的に治療しても，その効果が十分でなかった場合には，漢方による治療が適応になる。また，食欲不振や胃もたれを説明するだけの検査異常がはっきりしないケースでは，機能性ディスペプシアの運動不全型と診断されることが多いが，そのような場合には六君子湯（りっくんしとう）による漢方治療が良い適応になる。

以下に述べる六君子湯（りっくんしとう）の臨床疫学的エビデンスと基礎実験的エビデンスを確認し，六君子湯（りっくんしとう）は本当に効果があるのか，六君子湯（りっくんしとう）はなぜ効くのかといった疑問を解消した上で，六君子湯（りっくんしとう）の代表的症例を参考にしながら実際に使ってみることを勧める。

六君子湯(りっくんしとう)の臨床疫学的エビデンス

研究方法：低用量群との二重盲検ランダム化比較試験

対象患者：運動不全型の上腹部不定愁訴を2つ以上有する患者235例（男性70例，女性165例，平均年齢53歳）。ただし，漢方医学的な証を考慮した選択・除外基準を設定した（虚証(きょしょう)の患者を選択し，実証(じっしょう)の患者を除外）

薬物投与：実薬群は六君子湯(りっくんしとう)エキス（3包/日）を2週間投与。低用量群は常用量の2.5%の六君子湯(りっくんしとう)を含んだ対照薬を投与

結果：最終全般改善度で評価した有効率（改善以上）は実薬群60.2%で，低容量群の41.0%に比べて有意に優れていた

【文献】

原澤　茂，他：医学のあゆみ．1998；187(3)：207-29．

【注意】

本書で言及した漢方薬の臨床疫学的エビデンスについては，主として『EBM漢方 第2版』（寺澤捷年，喜多敏明，関矢信康　編，医歯薬出版）を参考にした。

六君子湯(りっくんしとう)の基礎実験的エビデンス1

対象動物：単離モルモット胃

薬物投与：六君子湯(りっくんしとう)エキス100mg/mL（*in vitro*）

測定項目：胃適応弛緩反応

結果：NO合成阻害薬（N^G-nitro-L-arginine；L-NNA）投与により，胃内圧上昇に伴う胃内容量の急激な増加反応（適応性弛緩反応）が抑制されるが，六君子湯(りっくんしとう)はL-NNA非投与のコントロール値まで完全に適応性弛緩反応を回復させた。六君子湯(りっくんしとう)に含まれるのと等量のL-arginine（0.9mg/mL）は適応性弛緩反応を部分的に回復させるのみであった

考察：胃の運動が正常に機能するためには，胃貯留能と胃排出能という2つの働きが重要である。食べるとすぐにお腹が張ってくる早期膨満感

は，胃適応性弛緩反応の低下による胃貯留能の障害が原因である。いつまでも胃がもたれた感じがして食欲が減退するのは，胃排出能の障害が原因である。六君子湯(りっくんしとう)はここで示された胃貯留能の改善作用だけでなく，胃排出能の改善作用も併せもっているので，運動不全型の機能性ディスペプシアに対する有効性が高い

【文献】

Hayakawa T, et al：Drugs Exp Clin Res. 1999；25(5)：211-8.

コラム 胃の受容性弛緩と適応性弛緩

運動不全型の機能性ディスペプシアの一部は，胃貯留能の障害で説明できる。胃の貯留能は大きく2つの異なる機序が，少し時相をずらして機能している。まず，食物が咀嚼されて咽頭・食道を通過するときの刺激により胃底部の弛緩が生じる。これが「受容性弛緩」である。そして，食物が胃底部内に入ると，その圧刺激によりさらに同部が弛緩し，より多くの食物を受け入れることができるようになる。これが「適応性弛緩」で，受容性弛緩と区別される。

受容性弛緩は迷走神経刺激により惹起され，非アドレナリン非コリン作動性神経が関与している。また，受容性弛緩反応の最終伝達物質はNOであることが想定されている。一方，適応性弛緩反応は胃に存在する圧受容体から神経反射で筋層に信号が伝えられて生じる。胃壁外神経や神経節をブロックしても影響を受けないことから，胃壁内神経叢を介する神経反射と考えられる。また，適応性弛緩反応の最終伝達物質もNOであるが，カプサイシン感受性神経がNOを放出するところが受容性弛緩反応と異なっている。

【文献】

荒川哲男，他：Progress in Medicine. 1999；19(4)：829-33.

対象動物：シスプラチン2mg/kgの腹腔内投与で食欲不振にさせたSDラット

薬物投与：六君子湯(りっくんしとう)エキス500mg/kgあるいは1,000mg/kgを3日間経口投与

測定項目：摂食量，体重，血中グレリン濃度（活性型・不活性型）

結果：六君子湯(りっくんしとう)は，シスプラチンで減少した摂食量と活性型グレリン濃度を用量依存的に増加させた

考察：六君子湯(りっくんしとう)はグレリンの増加によって食欲不振を改善させることが示唆された

【文献】

Takeda H, et al：Gastroenterology. 2008；134(7)：2004-13.

コラム　グレリンと食欲

グレリンは最初，アミノ酸28個からなる成長ホルモン分泌促進ペプチドとして胃から発見されたが，その後，中枢性に強力な摂食促進作用をもつことが明らかにされた。グレリンをラットの脳室内に投与すると，摂食が促進されて体重が増加したのである。逆にグレリン抗体を投与すると，摂食が強く抑制された。また，グレリンはレプチンで誘発される摂食低下を抑えることから，グレリンとレプチンが摂食行動に関して拮抗的に作用することも明らかにされた。さらに，ヒトでの概日リズムの研究により，グレリンが各食前に増加することも確認されており，グレリンは末梢から脳へ空腹情報を伝える液性因子であると考えられている。

【文献】

Nakazato M, et al：Nature. 2001；409(6817)：194-8.
Shiiya T, et al：J Clin Endocrinol Metab. 2002；87(1)：240-4.

六君子湯(りっくんしとう)の代表的症例

症例：54歳，女性

主訴：胃もたれ，食欲不振，全身倦怠感

現病歴：もともと胃腸は虚弱な体質であったが，2カ月前から胃がもたれて，食欲がなくなってきた。その上，全身がだるくて疲れやすい。1カ月前に近医で血液検査と上部消化管内視鏡検査を施行し，軽い胃炎があると言われた。胃炎の西洋薬を処方されたが，相変わらず，だるくて食欲がない

現症：身長158.5cm，体重51.2kg，体温35.4℃，血圧116/58mmHg，脈拍数72rpm

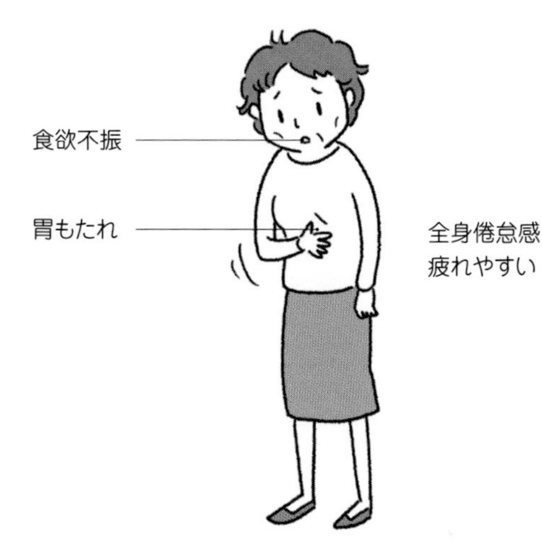

六君子湯症例

経過：全身倦怠感，疲れやすい，食欲不振といった症候から「気虚」の病態と診断し，六君子湯(りっくんしとう)エキス(3包/日)を2週間投与したところ，胃がすっきりして食べられるようになった。さらに4週間投与したところ，すっかり元気になって，家事も休まずにできるようになった

※気虚の病態については**1-3 (30頁)**を参照。

2. 局所の異常と全体の不調の悪循環

前述の症例のように，西洋医学は局所の異常を疾患（胃炎など）として診断・治療するのに対して，漢方医学は全体の不調を気・血・水の異常（気の不足＝気虚など）として診断・治療する。

図1に示したように，局所の異常と全体の不調は悪循環を呈することが多い。この悪循環を断ち切ることができれば，患者の病状は順調に改善する。前述の患者に対しては，胃炎の西洋薬による治療ではこの悪循環を断ち切れなかったということになる。

要するに，西洋医学と漢方医学とでは患者を診る視点がまったく違う。局所の異常を診る西洋医学と全体の不調を診る漢方医学はそれぞれ，患者を診る視点がまったく違うからこそ相互に補完しあえる関係にあるのだともいえる。

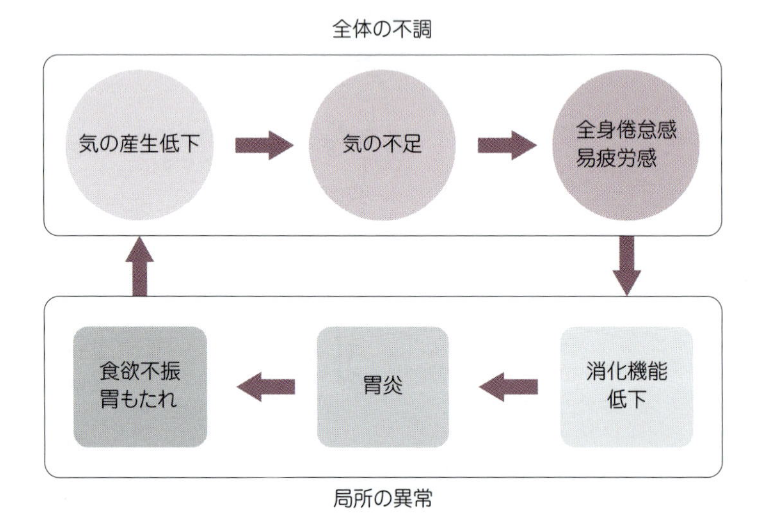

図1　局所の異常と全体の不調の悪循環

3. 機能性ディスペプシアの漢方治療で知っておきたい他の方剤

六君子湯は，食欲不振・胃もたれのような運動不全型症状だけでなく，胸焼け・げっぷのような逆流型症状に対しても効果がある[1)]。これは，六君子湯によって胃運動機能が改善すれば，その結果として胃酸の逆流も起こしにくくなるためだと考えられる。

しかし，胃酸の分泌が多いために胸焼けやげっぷを起こしているタイプであれば，六君子湯よりも半夏瀉心湯のほうが良い適応となる。半夏瀉心湯には，胃粘膜の炎症を改善する作用も期待できるという報告がある。

【文献】

1) 山口武人，他：Medical Science Digest. 2007；33(3)：748-52.

半夏瀉心湯の臨床疫学的エビデンス

研究方法：多施設症例集積研究

対象患者：胃内視鏡検査で発赤・びらんなどの急性炎症所見を有する急性胃炎もしくは慢性胃炎の急性増悪期の患者32例（男性15例，女性17例，平均年齢46±17歳）

薬物投与：半夏瀉心湯エキス（3包/日）を4週間投与

結果：自覚症状が4週間以内に消失した割合は，嘔気62%，嘔吐80%，食欲不振75%，心窩部痛91%，腹部膨満感81%，胸焼け90%，げっぷ80%であった。内視鏡で中等度以上改善した割合は，出血67%，びらん79%，発赤63%，浮腫71%であった。副作用や臨床検査値異常はみられなかった

【文献】

三好秋馬，他：Progress in Medicine. 1993；13(8)：1627-32.

2 芍薬甘草湯（しゃくやくかんぞうとう）

1. 有痛性筋痙攣に芍薬甘草湯（しゃくやくかんぞうとう）

筋肉は収縮と弛緩を繰り返すことによって初めて，正常な運動機能を発現することが可能となる。有痛性の筋痙攣では，筋肉が強く収縮したままの状態が持続して，弛緩することができないのであるが，その原因はよくわかっていない。

肝硬変や血液透析中の患者に腓腹筋痙攣（こむら返り）がよく出現することから，肝臓や腎臓によってその恒常性が維持されている血液中の様々な物質の過不足や細胞外液の不足が複合的に関与しているのではないかと考えられる。

有痛性筋痙攣やこむら返りに対して漢方を使う場合には，芍薬甘草湯（しゃくやくかんぞうとう）がファーストチョイスになる。以下に芍薬甘草湯（しゃくやくかんぞうとう）の臨床疫学的エビデンスと基礎実験的エビデンスを紹介するが，芍薬甘草湯（しゃくやくかんぞうとう）を使用する際には，その副作用に注意する必要がある。

芍薬甘草湯（しゃくやくかんぞうとう）の臨床疫学的エビデンス1

研究方法：プラセボとの二重盲検ランダム化比較試験

対象患者：肝硬変と診断され，週2回以上のこむら返りを有する患者101例。実薬群（52例）は男性21例，女性31例，平均年齢59.9±8.4歳，肝硬変罹病期間は平均72.7カ月。プラセボ群（49例）は男性26例，女性23例，平均年齢60.3±8.3歳，肝硬変罹病期間は平均47.0カ月

薬物投与：実薬群には芍薬甘草湯（しゃくやくかんぞうとう）エキス（3包/日）を2週間投与

結果：最終全般改善度で評価した有効率（改善以上）は実薬群69.2％で，プラセボ群の28.6％に比べて有意に優れていた

【文献】

熊田　卓，他：臨床医薬．1999；15(3)：499-523.

芍薬甘草湯(しゃくやくかんぞうとう)の臨床疫学的エビデンス2

研究方法：症例集積研究

対象患者：透析中に筋痙攣を起こした血液透析患者23例。男性10例，女性13例，糖尿病3例，非糖尿病20例，平均年齢57.2±9.0歳，透析歴8.2±6.6年

薬物投与：筋痙攣を訴えた直後に芍薬甘草湯(しゃくやくかんぞうとう)エキス1包を頓服

結果：筋痙攣61エピソード中54エピソード（88.5%）で消失効果があり，その平均時間は5.3±3.9分で芍薬甘草湯(しゃくやくかんぞうとう)の即時効果が確認された

【文献】
Hyodo T, et al：Nephron Clin Pract. 2006；104(1)：c28-32.

芍薬甘草湯(しゃくやくかんぞうとう)の基礎実験的エビデンス

対象動物：マウスの摘出横隔膜－神経筋標本

薬物投与：芍薬(しゃくやく)に含まれるペオニフロリン400・600μMと，甘草(かんぞう)に含まれるグリチルリチン酸100・150μMを混合（*in vitro*）

測定項目：間接刺激（0.2Hz，2.5msec）して得られる収縮反応をレコーダー記録し，各種電位を細胞内ガラス電極法によって記録

結果：単独では作用を示さない濃度でペオニフロリンとグリチルリチン酸を組み合わせた場合，神経筋接合部遮断作用が出現した。作用機構については，ペオニフロリンがCaイオンの細胞内流入を抑制し，グリチルリチン酸はKイオンの流出を促進する。両者のブレンド効果により，神経筋接合部のアセチルコリン受容体に作用し，筋弛緩作用を発現する

【文献】
木村正康，他：The Proceedings of Symposium on WAKAN-YAKU. 1982；15：157-161.

芍薬甘草湯(しゃくやくかんぞうとう)の代表的症例

症例：72歳，男性

主訴：腓腹筋痙攣（こむら返り）

現病歴：半年前から夜間にこむら返りが出現して目が覚めるようになった。痙攣の頻度が徐々に増加し，1カ月前からは毎日のように出現している

現症：身長167.9cm，体重63.5kg，体温35.9℃，血圧124/80mmHg，脈拍数60rpm

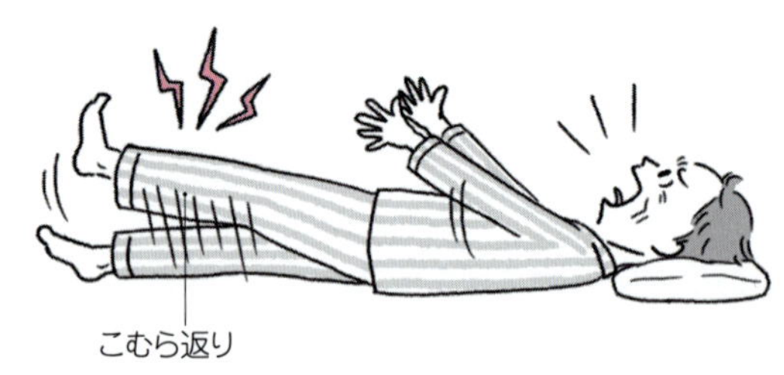

芍薬甘草湯症例

経過：筋肉（骨格筋）における「血虚」の病態と診断し，芍薬甘草湯(しゃくやくかんぞうとう)エキス（3包/日）を投与したところ，開始した日の夜からこむら返りが出現しなくなり，その後は歩きすぎた日の夜にたまに出現するだけとなった。2カ月後に血液検査を実施したところ，血清カリウム値が3.2mEq/L（初診時4.1mEq/L）と低値であったため芍薬甘草湯(しゃくやくかんぞうとう)エキスの定期服用を中止した。その時点で，浮腫や血圧上昇はなかった。そこで，よく歩いた日の眠前に頓服で服用するようにしたところこむら返りは出現せず，血清カリウム値も正常範囲を維持した

※血虚の病態については**1-3（38頁）**を参照。

2. 漢方薬の副作用

漢方薬にも副作用はある（**表1**）。漢方薬を構成する生薬の中で，甘草による偽アルドステロン症は臨床的に最も重要な副作用の1つである。浮腫・血圧上昇・低カリウム血症のトリアスがすべて同時に出現することは少なく，そのうちの1つでも出現すれば甘草による副作用を疑って，中止して経過をみる。中止して短期間に改善すれば，甘草による副作用であると確認できる。非常に多くの漢方薬に甘草が含まれているので，漢方薬を投与する際には，血圧と血液生化学検査の定期的なチェックを心がける必要がある。

麻黄・附子・大黄は薬理作用の強い成分を含んでおり，麻黄の交感神経刺激作用や中枢興奮作用，附子の新陳代謝促進作用，大黄の瀉下作用が強く出すぎると**表1**に示したような副作用として出現する。麻黄・附子・大黄を含有する方剤を使用する際には，それぞれの適応病態をよく確認し，少量から投与する慎重さが必要である。

漢方薬による薬疹もときどきみられる副作用である。原因となる生薬を特定できないことが多いが，**表1**に示した桂皮によるアレルギー性の発疹・瘙痒・蕁麻疹は有名である。シナモンやニッキの匂いや味が苦手な人の中には，桂皮アレルギーの人がいるので注意すると良い。

漢方薬による肝機能障害も多数報告されているが，その多くは黄芩

表1　漢方薬の副作用

生薬	副作用
甘草	浮腫・血圧上昇・低カリウム血症・ミオパシー
麻黄	不眠・動悸・血圧上昇・発汗過多・排尿障害
附子	舌のしびれ・動悸・のぼせ・悪心・不整脈
大黄	下痢・腹痛
桂皮	発疹・瘙痒・蕁麻疹
黄芩	肝機能障害

を含む方剤が原因である。黄芩(おうごん)を含まない方剤が原因で肝機能障害を起こす例は少ないが，薬物投与の経過と肝機能の推移から疑わしければ投与を中止すべきである。薬剤リンパ球刺激試験（DLST）は，生薬に含まれる細胞分裂刺激物質の影響で偽陽性になることが多いので，漢方薬の評価には使えない。

3. こむら返りの漢方治療で知っておきたい他の方剤

「こむら返りと言えば芍薬甘草湯(しゃくやくかんぞうとう)」と言われるように，芍薬甘草湯(しゃくやくかんぞうとう)はこむら返りの特効薬のように思われている。しかし，前述の肝硬変に伴うこむら返りに対する芍薬甘草湯(しゃくやくかんぞうとう)の臨床研究では，52例中，著明改善4例，改善31例，不変14例，悪化3例という成績であった。すなわち，17例（32.7％）には効果がなかったのである。肝硬変に伴うこむら返りに対しては，芍薬甘草湯(しゃくやくかんぞうとう)よりも八味地黄丸(はちみじおうがん)のほうが優れているという報告がある。

八味地黄丸(はちみじおうがん)の臨床疫学的エビデンス

研究方法：症例集積研究

対象患者：週に1回以上こむら返りを繰り返す肝硬変症患者31例（男性17例，女性14例，平均年齢61.8歳）

薬物投与：八味地黄丸(はちみじおうがん)エキス（2包あるいは3包/日）を4週間投与

結果：こむら返りが消失したものが54.5％，改善したものが45.5％であり，100％の有効率であった。一方，芍薬甘草湯(しゃくやくかんぞうとう)では消失したものが45.5％，改善したものが9.1％であった

【文献】

高森成之，他：日東洋医誌．1994；45(1)：151-7.

3 麦門冬湯(ばくもんどうとう)

1. 慢性の乾性咳嗽に麦門冬湯(ばくもんどうとう)

呼吸器領域のプライマリケアでは，慢性の咳嗽が問題になるケースが少なくない。咳嗽の原因疾患としては，感冒，急性気管支炎，慢性気管支炎，気管支喘息，肺気腫などがあり，その西洋医学的な病態は非常に多様である。

咳嗽は，異物や不要な老廃物を気道内から体外へと排出するための重要な反応である。したがって，咳嗽には痰の排出を伴うことが多く，一般には湿性咳嗽と呼ばれる症状となる。気道粘膜における炎症反応に際して形成された老廃物とともに，気道内に分泌された体液が痰であり，痰の存在は生体防衛反応が正常に機能していることの証拠でもある。

それに対して，痰を伴わない乾性咳嗽を呈する患者は，気道における体液の分泌に何らかの問題を抱えており，そのために正常な生体防衛反応を営むことができず，症状も遷延化してしまっているのではないかと考えられる。冷たい空気や，煙，ほこりなどに対して過敏に反応して咳が出ることも多い。

慢性の乾性咳嗽に対して漢方を使う場合には，麦門冬湯(ばくもんどうとう)がファーストチョイスになる。以下に麦門冬湯(ばくもんどうとう)の臨床疫学的エビデンスと基礎実験的エビデンスを紹介する。

麦門冬湯(ばくもんどうとう)の臨床疫学的エビデンス1

研究方法：症例集積研究

対象患者：カプサイシン咳感受性試験の咳閾値が3.9μM以下で咳感受性の亢進している気管支喘息患者21例(男性7例，女性14例，年齢24～65歳)と非喘息患者22例(男性9例，女性13例，年齢24～75歳)。非喘息患者の診断の内訳は肺気腫3例，慢性気管支炎3例，咳喘息1例，

アトピー咳嗽2例，心因性咳嗽3例，ACE阻害薬1例，診断未定9例

薬物投与：麦門冬湯エキス（3包/日）を2カ月間以上投与

結果：気管支喘息患者群に対する咳閾値の改善率は76.2%，非喘息患者群では81.8%であった

【文献】

渡邉直人，他：日本呼吸器学会雑誌．2004；42(1)：49-55.

麦門冬湯の基礎実験的エビデンス

対象動物：1週間のSO_2吸入で亜急性の気管支炎を惹起させたモルモット

薬物投与：麦門冬湯エキス500mg/kgあるいは1,000mg/kgを1週間連日経口投与

測定項目：キニン類の分解酵素であるneutral endopeptidase（NEP）活性

結果：気管支炎モルモットでは気道のNEP活性が正常モルモットの1/8～1/9に低下し，C-線維の自発放電が著しく増大した。麦門冬湯を投与されたモルモットでは，気道のNEP活性が正常の80%まで回復し，自発放電の増大も起こらなかった

考察：麦門冬湯とオフィオポゴニン（麦門冬の成分）の鎮咳作用は，C線維終末において咳嗽誘発にかかわるキニン類への拮抗作用であり，そのメカニズムとして低下したNEP活性の賦活を介していることが示された。宮田らの研究によって，麦門冬湯はC線維抑制作用以外にも，気管支拡張，抗炎症，粘液分泌抑制，粘液線毛輸送促進，サーファクタント分泌促進作用などの総合的作用によって，気道系の消炎，鎮咳，去痰効果を発現することが明らかになっている

【文献】

宮田　健，他：漢方と免疫・アレルギー．1992；6：29-37.

麦門冬湯(ばくもんどうとう)の臨床疫学的エビデンス2

研究方法：多施設症例集積研究

対象患者：口腔・咽頭の乾燥を訴える患者258例(男性113例，女性145例，年齢28～86歳)。診断の内訳は口腔咽頭乾燥症161例，放射線性口腔乾燥症56例，慢性咽頭炎22例，シェーグレン症候群7例，その他11例

薬物投与：麦門冬湯(ばくもんどうとう)エキス(3包/日)を4週間投与

結果：全般改善度は著明改善11%，改善31%，やや改善35%，不変23%，悪化1%であった。疾患別有効率(改善以上)は，慢性咽頭炎68%，口腔咽頭乾燥症42%，放射線性口腔乾燥症30%，シェーグレン症候群14%であった。症状別有効率(やや改善以上)が60%以上の項目は，口腔のカラカラ感，ネバリ感，口腔内の疼痛，粘膜乾燥であった。効果発現時期の累積率は，1週目で15%，2週目で74%，3週目で78%，4週目で100%となった

考察：麦門冬湯(ばくもんどうとう)には気道粘膜の異常に起因する乾性咳嗽だけでなく，口腔・咽頭粘膜の乾燥症状を改善する効果も期待できることが示された

【文献】

菅野澄雄，他：耳鼻咽喉科臨床．1995；88(7)：961-6．

step 1

麦門冬湯(ばくもんどうとう)の代表的症例

症例：58歳，女性

主訴：遷延する咳嗽

現病歴：2週間前に風邪をひいてから，咳がまだ続いていると訴えて来院した。痰はほとんど出ない。喉がイガイガして，咳は出だすとなかなか止まらない

現症：身長153.4cm，体重48.8kg，体温36.1℃，血圧108/74mmHg，脈拍数86rpm

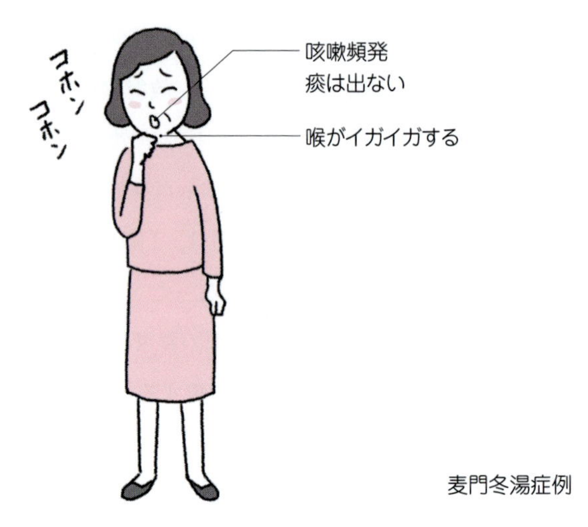

麦門冬湯症例

経過：気道における「津虚」の病態と診断し，麦門冬湯(ばくもんどうとう)エキス（3包/日）を投与したところ，3日間の服用で咳はすっかり出なくなった。この患者は，咳は治ったが引き続き同じ漢方薬を飲みたいと希望した。理由を聞いてみると，麦門冬湯(ばくもんどうとう)エキスを服用していると唾液が以前よりもよく出るようになり，口の中の乾燥感が楽になるからだという

※津虚の病態については**1-3（44頁）**を参照

2. 慢性咳嗽の漢方治療で知っておきたい他の方剤

乾性の慢性咳嗽に対するファーストチョイスが麦門冬湯(ばくもんどうとう)だとすれば，粘性の喀痰を伴う慢性咳嗽（湿性）に対するファーストチョイスは清肺湯(せいはいとう)である。慢性咳嗽の漢方治療では，麦門冬湯(ばくもんどうとう)と清肺湯(せいはいとう)をうまく使い分けることである程度の効果をあげることができる。

プライマリケアにおいて慢性の咳と痰で最も問題となる疾患は，慢性気管支炎と肺気腫であろう。慢性気管支炎患者では，清肺湯(せいはいとう)の去痰作用が報告されており，早期の肺気腫患者では，禁煙と清肺湯(せいはいとう)の併用投与が有効だという報告がある。

清肺湯(せいはいとう)の臨床疫学的エビデンス1

研究方法：多施設症例集積研究

対象患者：痰の喀出困難を訴える慢性呼吸器疾患患者65例（男性37例，女性28例，年齢30～90歳）。診断の内訳は慢性気管支炎56例，肺気腫3例，気管支拡張症4例，びまん性汎細気管支炎2例

薬物投与：清肺湯(せいはいとう)エキス（33例には2包/日，32例には3包/日）を2週間投与

結果：自覚的な全般改善度（軽度改善以上）は1日2回投与群で54.5%，1日3回投与群で71.9%であった。1日3回投与群の症状別有効率（1段階改善以上）は，痰の切れ68.8%，咳の強度37.5%，咳の頻度43.8%であった。また，痰の量は53.1%で減少，流動速度（粘稠度と逆相関）は61.3%で上昇，降伏値（流動に要する外力）は61.3%で低下，粘着性は58.1%で低下，応力緩和時間は64.5%で減少，粘液性線維は61.3%で減少した

考察：清肺湯(せいはいとう)は痰の物理化学的構造を変化させて粘稠度を低下させる「粘液溶解剤」としての去痰作用を示す薬剤であることが示された

【文献】

長岡　滋，他：基礎と臨床．1983；17(11)：3608-21.

清肺湯の臨床疫学的エビデンス2

研究方法：非併用群とのランダム化比較試験

対象患者：1カ月以上の禁煙でも咳・痰が消失しないCOPD患者31例。画像検査（胸部X線とCTスキャン）で肺気腫像を全例に認める

薬物投与：清肺湯エキス（3包/日）を2年間投与

結果：禁煙だけで経過観察した非併用群（15例）では臨床症状が3カ月後に軽度改善し，6カ月で改善をみたのに対し，清肺湯併用群（16例）では1カ月で臨床症状の改善が得られた。画像所見（肺気腫像，器質化性肺炎像，喀痰による気管支閉塞像）は，清肺湯併用群で6カ月後からやや改善がみられ，2年後には非併用群と比べて有意な改善を認めた

【文献】

加藤士郎，他：漢方と免疫・アレルギー. 2006；19：26-35.

2 気・血・水の働き

▶本章では，気・血・水の生理的な働きについて整理するが，その前に，現代科学が明らかにした細胞レベルの生命活動について紹介する。なぜなら，細胞レベルの生命活動に注目することで，気・血・水の働きとその不足病態について理解することが容易になるからである。

1 細胞レベルの生命活動

1. 生命活動の実質は化学反応のサイクル（図1）

現代科学が明らかにしたところによると，生命活動の実質は化学反応のサイクルであり，その中心にあるのがTCAサイクルである。細胞内における多様な化学反応過程はすべて，TCAサイクルが産生するATPによって維持されており，その結果として細胞は機能を発現し，構造を形成することができる。

生命体が機能と構造を維持するためには，内部に高エネルギー・低エントロピー状態を作り出すことが必要である。そのために，生命体は外部から水と食物を摂取し，廃熱と老廃物を外部に排泄する開放系になっている。地球全体も宇宙に対しては開放系になっており，太陽光のエネルギーを植物が利用し，水の循環によって廃熱を宇宙空間に捨てている。

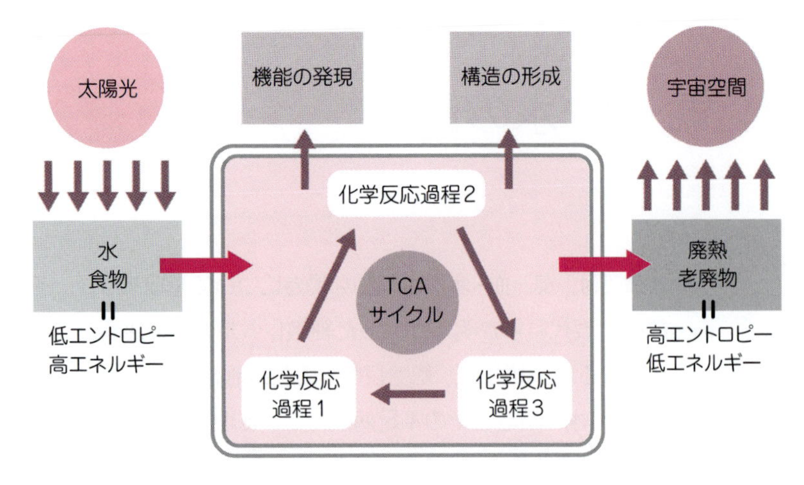

図1　生命活動の実質は化学反応のサイクル

（参考図書：田中　博：生命と複雑系，培風館，2002.）

コラム　水とエントロピー

熱力学第二法則によると，閉鎖孤立系における活動においてはエントロピーが増大することが知られており，エントロピーの増大は最終的に系内の活動を阻害する要因となる。特に，高エントロピーの熱（これを「廃熱」と呼ぶ）が産生されることが問題であり，この廃熱を処理する機構を備えていることが活動を継続させるための必要条件となる。

人のような生命システムが，系内における活動を継続させるために開放系になっているのは，活動に必要なエネルギーを獲得するためだけではなく，それと同時にエントロピーを低い状態に保つためでもある。そのために，エントロピーの低い水を系の内部に取り込み，エントロピーの高い水蒸気として廃熱とともに外部に排泄する機構を人は備えている。水は生体が低エントロピー状態を維持するためにも重要な役割を演じているのである。

【参考図書】

勝木　渥：物理学に基づく環境の基礎理論－冷却・循環・エントロピー．海鳴社，1999.

2. 細胞の生命活動を維持する環境（図2）

前述の化学反応のサイクルは，細胞の生命活動における「代謝の流れ」という重要な側面を示しているが，細胞の生命活動には遺伝子を中心とする「情報の流れ」という側面もある。

遺伝子は，細胞内情報伝達系から情報を受け取ることによって，そのプログラムを発現する。その後，RNAによって遺伝情報はタンパク質の構造へと変換され，産生された酵素が細胞内における化学反応過程を制御することになる。これが，細胞内における情報の流れの概要である。

要するに，細胞内における代謝と情報の流れによって，生体は機能を発現し，構造を維持しているのだと言える。それでは，細胞内における代謝と情報の流れは何によって維持されているのであろうか。その答えは，細胞を取り巻く環境によってということになる。

細胞を取り巻く環境とは，細胞内の化学反応に必要な栄養素やミネラルを豊富に含んだ細胞外液であり，そこには細胞の活動を刺激するホルモンや情報伝達物質なども含まれている。西洋医学が，病気というものを細胞内における生命活動の異常として理解する細胞病理学説をベースに体系化されているのに対して，次に述べる漢方医学の気・血・水理論は，細胞を取り巻く環境の異常として病気を理解するところに特質がある。

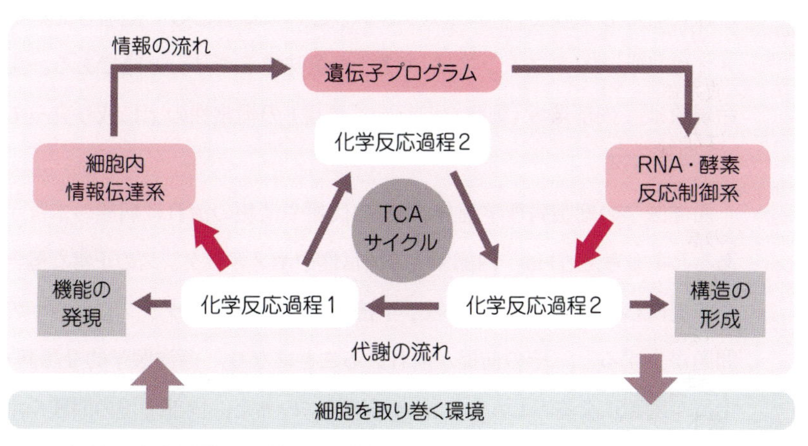

図2　細胞の生命活動を維持する環境

コラム 内部環境とホメオスタシス

フランスの生理学者クロード・ベルナールは，細胞を取り巻く細胞外液の状態を「内部環境」と呼んだ。細胞外液の物理的・科学的な性質（電解質組成，ガス組成，pH，浸透圧，温度など）は驚くほど一定に保たれている。

米国の生理学者ウォルター・B・キャノンは，生体の内部環境が安定に保たれるしくみを「ホメオスタシス」という概念として提唱した。ホメオは「同一の」，スタシスは「状態」を意味するギリシャ語である。生命現象は，内部環境（細胞を取り巻く環境）の恒常性の上に成り立っているのである。

西洋医学の細胞病理学説（細胞内の代謝や情報の流れに病態の本質があるとする考え方）は，内部環境の恒常性やホメオスタシスの正常な働きを前提にしている。したがって，内部環境やホメオスタシスに何らかの問題が生ずると，その前提が崩れ去ることになり，西洋医学的な診断・治療が困難になる。しかし，漢方医学的にみると，内部環境の問題やホメオスタシスの破綻を気・血・水の異常として診断・治療できるのである。

2 環境としての気・血・水

1. 細胞の環境を構成する3要素：気・血・水

気・血・水とは，細胞を取り巻く環境を構成する3要素であり，共同して生命活動を維持する役割を担っている。その働きは多彩であるが，ここでは先に要点だけを整理しておく。

人体を構成する60兆個の細胞が機能を発現する際に必要なエネルギーを供給するのが気の働きであり，構造を形成する際に必要な構成素材（有機物と無機物）を供給するのが血と水の働きである。

気には，細胞の活動を活性化する働き（後述）や，熱を産生して体温を維持する働きもある。

血や水には，細胞の活動によって発生した老廃物や毒素を肝臓に運んで解毒・排泄したり，腎臓に運んで浄化・排泄したりする働きもある。

したがって，環境としての気・血・水の働きに何か異常が生じると，その影響は60兆個の細胞を介して全身に及ぶことになる。

気・血・水の異常には不足の病態と，失調の病態とがある。気・血・水が不足した病態については次の**1-3**で，気・血・水の流れやバランスが失調した病態については**step3**で それぞれ詳しく述べることにする。

2. 細胞の活動を活性化する気のパワー

気には，細胞の活動を活性化するパワーがある。活性化される活動の種類によって気のパワーは，大きく4つのタイプに分けて論じられてきた。そして，それぞれ胃気（いき）・神気（しんき）・衛気（えき）・精気（せいき）といった名称で呼ばれてきた。これら4タイプの気について，現代科学が明らかにした細胞レベルの生命活動と対応させると，以下のように整理することができる。

1) 胃気

胃気は，消化器官を構成する細胞に指令を与えて消化・吸収活動を活性化する。これは腸神経系の働きに対応する。腸神経系は自律神経系に含まれるが，交感神経系や副交感神経系とは異なる第三の神経系である。また，末梢神経系でありながら，中枢神経系とは独立して機能することからセカンドブレイン（**下記コラム**参照）とも呼ばれている。

2）神気

神気は，運動器官を構成する細胞に指令を与えて，随意的な精神・運動活動を活性化するが，これは感覚情報入力系と中枢情報処理系と運動情報出力系の総合的な働きに対応する。胃気と神気の働きは陰と陽の関係にあり，自律神経系によって両者のバランスとリズムが制御されている。すなわち，副交感神経系が胃気の働きを促進し，神気の働きを抑制するのに対して，交感神経系は逆に神気の働きを促進し，胃気の働きを抑制する。

コラム **セカンドブレイン**

腸管の蠕動反射は，脳や脊髄から腸管に伸びている神経をすべて切断しても影響を受けない。このことから，腸管壁に内在する神経（筋層間神経叢や粘膜下神経叢など）が蠕動反射を支配しているのだとわかる。内臓の中で腸だけが中枢神経系のインプットを必要とせずに反射を起こすことができるのである。

人の腸には1億個以上の神経細胞が存在するが，脳と腸管を連絡している迷走神経には約2000本の節前線維しか含まれていない。腸神経系は解剖学的にも機能的にも脳脊髄から独立しているという点で，交感神経や副交感神経系とは違うのである。現在でも十分に認識されていないのだが，腸神経系は自律神経系の3番目の系統なのである。

腸神経系にはセロトニンを伝達物質とする介在ニューロンが存在するため，受け取った情報を調節したり処理したりできる。また，神経同士をつなぎ合わせる働きをしているのが，他の末梢神経系のようにコラーゲンではなく，脳と同じように神経膠細胞であるというのもユニークな点である。マイケル・D・ガーションはこれらの特徴を備えている

3) 衛気

衛気は，異物や病原体を解体・処理する細胞に指令を与えて，解体・防衛活動を活性化するが，これは体表バリア系と自然免疫系と獲得免疫系の総合的な働きに対応する。マクロファージの活動をみればわかるように，自己の細胞であっても，損傷を受けたものやがん化したものについては異物（非自己）として解体・処理されるような機構になっている。

4) 精気

精気は，生体を構築する細胞に指令を与えて，成長・生殖活動を活性化するが，これは成長ホルモンと性ホルモンを中心とする内分泌系の総合的な働きに対応する。成長ホルモンと性ホルモンは抗加齢（アンチエ

ことから，腸神経系をセカンドブレインと呼んでいる。

解剖学的に，十二指腸と胃の一部の筋層間神経叢の神経細胞は，膵臓の神経節を支配している。そして機能的には，十二指腸が刺激されると，膵臓で神経細胞の興奮が起こるだけでなく，膵臓から消化酵素も分泌される。このように腸神経系は腸管の運動だけでなく，外分泌腺の活動も制御しているのである。

腸管の粘膜で分泌されたセロトニンは，腸内で蠕動反射や分泌反射を起こすシグナルとして働くだけでなく，腸から脳へのメッセージ伝達にも使われている。迷走神経内の感覚神経線維が5-HT_3受容体を介して活性化されると，腸から脳にメッセージが送られて，むかついたり，気分が悪くなったり，吐きそうになったりする。選択的セロトニン再取り込み阻害薬（SSRI）の服用初期に，副作用として吐き気が出現するのもこのためである。

【参考図書】

マイケル・D・ガーション：セカンドブレイン—腸にも脳がある！. 小学館，2000.

イジング）にも関与しており，女性が閉経後に骨粗鬆症になるのは，エストロゲンによる造骨促進のシグナルが途絶えるためである。骨のリモデリングは，造骨細胞による構築作業だけでなく，破骨細胞（マクロファージと同じ単球系）による解体作業とのバランスによって成立している。このことは精気と衛気の働きが陰と陽の関係にあることを示している。

3. 西洋医学と漢方医学の生命観

ここで，西洋医学の生命観と漢方医学の生命観の根本的な違いについて指摘しておきたい。

西洋医学の生命観では「特定の臓器を構成する特定の構造と機能をもった細胞に注目し，その細胞内の代謝や情報の流れを解明する」ことによって生命現象を理解することができる。たとえば，特定の構造と機能をもった細胞は，その細胞固有の代謝に必要なタンパク質を合成し，そのタンパク質合成に必要な固有の遺伝子を発現する。したがって，構造と機能が異なる他の細胞については，個別に代謝や情報の流れを解明する必要がある。

それに対して，漢方医学の生命観では「全身のあらゆる細胞が共有している環境というものに注目し，その環境の働きを気・血・水という3つの要素に分けること」によって生命現象を理解することができる（図3）。

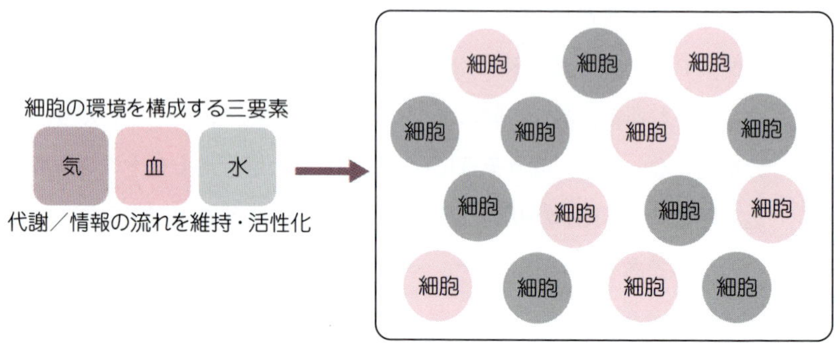

図3　細胞の環境を構成する気・血・水

プライマリケア漢方を修得するためには，この漢方医学独自の生命観を頭の中に叩き込まなければならないが，その際に西洋医学の生命観を否定するのではなく，両医学の生命観をうまく使い分ける器用さを身につけることが大切である。

現代医療は，西洋医学がこれまで準拠してきた「特定病因論」や「要素還元論」だけでは解決できない問題に直面している。単一の病因を特定できる急性疾患から，複合的な要因が想定される慢性疾患へと疾病構造が変化し，加齢やストレスによって病態がさらに複雑に修飾されている患者に対して，総合的でシステム論的なアプローチが必要とされているのである。言い換えれば，西洋医学と漢方医学という二分法を超えた生命観を身につけることによって，現代医療が直面している問題を解決することが求められているのである。

3 気・血・水の不足病態

▶気・血・水の異常には，「不足病態」と「失調病態」がある。

▶全身の細胞を取り巻く気・血・水の働きが不足した病態が，それぞれ「気虚」「血虚」「津虚」の病態である。一方，全身を循環している気・血・水の流れが障害されると失調病態を呈する。本章では，不足病態を中心に解説し，失調病態についてはstep3で述べることにする。

1 気虚の病態

1．気虚の病態とは

全身の細胞を取り巻いている気には様々な働きがあり，気虚の病態では生命活動が全般的に低下する。そこで，既に述べた胃気・神気・衛気・精気という4つの気に分けて考えると，気虚による生命活動低下の病態を理解しやすくなる。

胃気不足，神気不足，衛気不足，精気不足の病態において，それぞれ特徴的な症候を**表1**にまとめて示した。一般に，胃気・神気・衛気が不足した病態を「気虚」と呼び，精気が不足した病態を特別に「腎虚（じんきょ）」と呼ぶことが多い。

胃気のパワーが不足すると，消化管における蠕動運動や消化液の分泌，小腸における栄養素の吸収，大腸における水分の吸収といった消化吸収活動が全般的に低下する。

神気のパワーが不足すると，視聴覚器官を介した外界情報の収集，大脳における情報処理と指令発信，骨格筋運動による四肢の動作や発話といった覚醒時の精神・運動活動が全般的に低下する。

表1　気虚の病態分類とその症候

病態分類	症候
胃気不足	食欲の低下，胃もたれ，消化不良，軟便傾向，冷たいものや油っこいものを食べると下痢する
神気不足	眼光・音声が無力，全身倦怠感，易疲労，脱力，眼精疲労，思考力低下，日中の眠気，無気力
衛気不足	風邪をひきやすい，風邪をひくと治りにくい，創傷が治りにくい，汗をかきやすい，寝汗
精気不足	精力の減退，不妊症，陰萎，夜尿症，尿失禁，排尿困難，骨の退行性変化，耳鳴り，白内障

衛気のパワーが不足すると，皮膚や粘膜におけるバリア機能，好中球やマクロファージを中心とする異物や病原体の解体・処理や炎症反応，リンパ球を中心とする特異的免疫反応といった解体・防衛活動が全般的に低下する。

精気のパワーが不足すると，性ホルモンの指令による生殖機能の発現が低下するだけでなく，成長ホルモンの指令によって生体を構築する活動が全般的に低下し，加齢現象が進行する。

コラム　精気は腎に宿る

漢方医学の五臓論（ごぞうろん）という考え方では，精気は腎に宿るとされている。五臓の腎に関係する生命活動には，腎臓の活動だけでなく，成長・発育や生殖活動，再生活動なども含まれている。したがって，精気が担っている成長ホルモンや性ホルモンの働きは，腎の働きに相当するのだと理解することができる。また，腎は水を浄化し，浄化された水（＝津液（しんえき））を全身の細胞に供給する働きも担っている。人体が成長・発育し，生殖活動や再生活動を営む際には細胞が盛んに分裂・増殖するのだが，この際に浄化された水が必要不可欠であるという事実からも，腎の働きが精気の働きと密接に関係していると言える。精気が不足した病態を腎虚と呼ぶのはこのためである。

2. 気虚に適応となる代表的方剤

不足した気のパワーを補う方剤を「補気剤（ほき）」というが，精気のパワーを補う方剤は特別に「補腎剤（ほじん）」という。

代表的な補気剤として，1-1で紹介した六君子湯（りっくんしとう）以外に，補中益気湯（ほちゅうえっきとう）や黄耆建中湯（おうぎけんちゅうとう），八味地黄丸（はちみじおうがん）などがある。それぞれの方剤は，適応となる疾患が少しずつ違っている（**表2**）。

六君子湯（りっくんしとう）は胃気を中心に神気と衛気も補うのに対して，補中益気湯（ほちゅうえっきとう）は神気を中心に衛気と胃気も補うという違いがある。また，黄耆建中湯（おうぎけんちゅうとう）は衛気を中心に胃気と神気も補う。一方，八味地黄丸（はちみじおうがん）は精気を補う働きに特に優れている。

表2　気虚の代表的方剤とその適応疾患

方剤	適応疾患
六君子湯	急性・慢性胃炎，胃潰瘍，胃下垂，消化不良，食欲不振，胃腸虚弱，嘔吐，術後の胃腸障害，つわり，胃腸型感冒，老人患者の体力補強
補中益気湯	病後の体力低下，虚弱体質，易疲労，夏やせ，慢性気管支炎，慢性肝炎，食欲不振，胃下垂，子宮下垂，痔，脱肛，陰萎，多汗症，感冒
黄耆建中湯	虚弱体質，体力低下，疲労・倦怠感，寝汗，腹痛，食欲不振，息切れ，湿疹，皮膚潰瘍，びらん，創傷治癒の遷延化，慢性中耳炎
八味地黄丸	糖尿病，精力減退，前立腺肥大，排尿困難，頻尿，夜間尿，高血圧症，坐骨神経痛，腰痛，下肢痛，しびれ，白内障，老人性皮膚瘙痒症

六君子湯(りっくんしとう)の代表的症例

六君子湯(りっくんしとう)の代表的症例は**1-1 (7頁)** を参照。本症例は「胃気不足を中心とした気虚」の病態を呈していた。

補中益気湯(ほちゅうえっきとう)の代表的症例

症例：68歳，女性

主訴：疲労・倦怠感，めまい

現病歴：幼小児期より体力的に弱かった。12年前に孫の世話をしていて回転性めまいを自覚したが，耳鼻科では特に異常を指摘されなかった。8年前に退職後，気が抜けたようになって不安感が増強。気力のない状態が持続し，疲労が強くなるとめまいが出現する

現症：身長158.7cm，体重54.7kg，体温36.3℃，血圧117/70mmHg，脈拍数98rpm

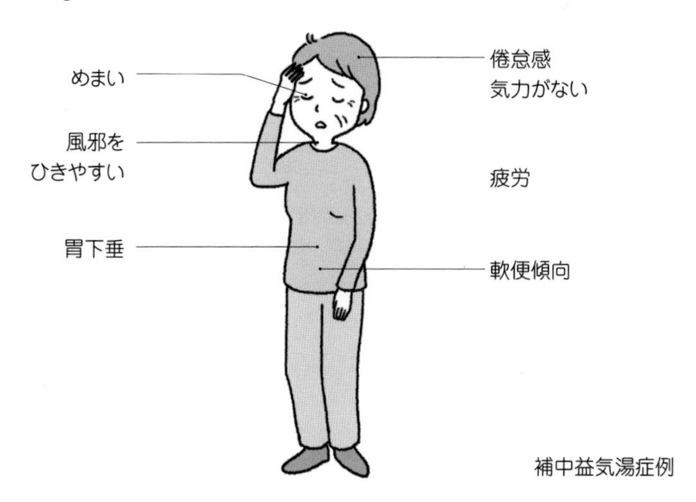

補中益気湯症例

経過：気力がない，疲労・倦怠感，風邪をひきやすい，胃下垂，軟便傾向といった症候から「神気不足を中心とした気虚」の病態と診断し，

補中益気湯(ほちゅうえっきとう)(煎じ薬)を開始したところ，2週間後には気力が出て，少し元気になってきた。6週間後，だるさは軽快し，気分もいい。頭もすっきりして，やる気も出てきた。3カ月後，疲労倦怠感は消失し，めまいも半減した。5カ月後，めまいや耳鳴り，呼吸苦も消失した。6カ月後からは補中益気湯(ほちゅうえっきとう)をエキスに変更して継続し，調子は安定

考察：補中益気湯(ほちゅうえっきとう)の応用範囲は幅が広く，**表3**に示すような多様な疾患に対する臨床疫学的エビデンスが報告されている

表3　補中益気湯の臨床疫学的エビデンス

対象疾患	研究デザイン	エビデンスの概要
睡眠呼吸障害	症例集積研究	いびき，昼間の眠気，不眠などの自覚症状が70%で改善した(n=10)
慢性閉塞性肺疾患	比較臨床試験	冬季の感冒罹患頻度が，非投与群に比較して有意に減少した(n=11/n=25)
胃下垂に伴う消化器症状	症例集積研究	全般改善度で評価した有効率(改善以上)は72.7%であった(n=22)
乏精子症・精子無力症	ランダム化比較試験	精子濃度と精子運動率が有意に改善した(n=20/n=29)
慢性疲労症候群	症例集積研究	Performance statusで評価した全身状態が，41.4%で改善した(n=29)
うつ病	症例集積研究	全般改善度で評価した有効率(やや改善以上)は66.0%であった(n=53)
アトピー性皮膚炎	多施設症例集積研究	全般改善度で評価した有効率(軽度改善以上)は80.1%であった(n=156)
帯状疱疹後神経痛	ランダム化比較試験	投与前後のVAS比率は0.20で，非併用群の0.42より有意に優れていた(n=42/n=15)
小児起立性調節障害	多施設症例集積研究	総合評価による有効率(改善以上)は69.7%であった(n=33)
術後化学療法による副作用	症例集積研究	全般改善度で評価した有効率(軽度改善以上)は83.3%であった(n=30)

(参考図書：寺澤捷年，喜多敏明，関矢信康編：EBM漢方，第2版，医歯薬出版，2007.)

黄耆建中湯の代表的症例

症例：44歳，女性

主訴：風邪をひくと喘息になる，鼻水

現病歴：1年半前に乳がん全摘術を施行後，全身の調子がおかしくなった。手術の3週間後に左突発性難聴出現し，ステロイド点滴治療するも症状は不変。9カ月前に感冒様症状が持続した際に喘息と診断され，5カ月間ステロイド吸入を継続したが，左脇腹に湿疹が出現したため中止した。4カ月前から鼻水と鼻声が持続しているが，耳鼻科では鼻中隔彎曲と言われ，アレルギー性鼻炎ではないと言われた

現症：身長169.5cm，体重64.0kg，体温36.3℃，血圧136/70mmHg，脈拍数80rpm

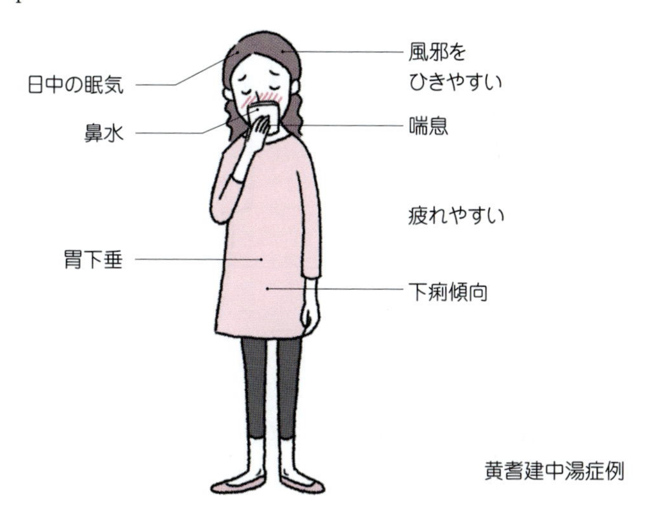

黄耆建中湯症例

経過：風邪をひきやすい，胃下垂，下痢傾向，疲れやすい，日中の眠気といった症候から「衛気不足を中心とした気虚」の病態と診断し，黄耆建中湯（煎じ薬）を開始した。2週間後には胃がすっきりして，鼻水と日中の眠気，下痢が減り，2カ月後，だいぶ元気になってきた。3カ月後，風邪をひいたが喘息は出なかった。6カ月後，疲れも感じにくくなった

step 1

八味地黄丸(はちみじおうがん)の代表的症例

症例：73歳，女性

主訴：目がかすむ，疲れやすい

現病歴：6年前に糖尿病を指摘され，　カロリー制限とグリクラジド20mg/日で加療中。昨年，視力の低下に気づき眼科受診，両白内障で手術を勧められた。手術をしないで漢方で対応できないかと思い来院した。夕方になると疲労感が出現する

現症：身長144.5cm，体重53.0kg，体温35.0℃，血圧154/80mmHg，脈拍数54rpm

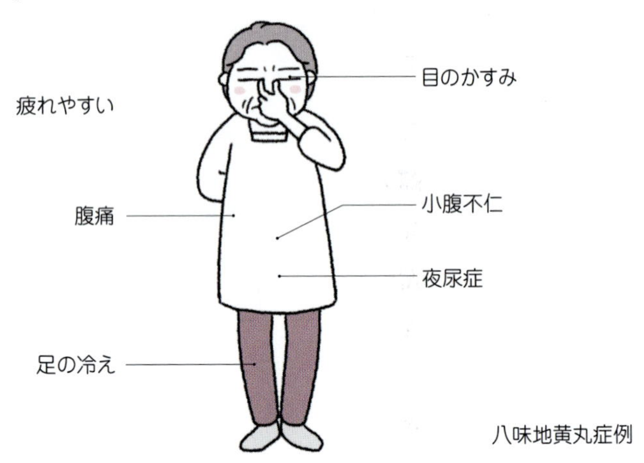

八味地黄丸症例

経過：目のかすみ，腰痛，夜間尿，足の冷え，小腹不仁(しょうふくふじん)（下腹部の腹壁が軟弱），疲れやすい，目に力がない，といった症候から「精気不足を中心とした腎虚」の病態と診断し，八味地黄丸(はちみじおうがん)（煎じ薬）を開始した。1カ月後，暑さのひどい夏であったが，例年に比べ元気に過ごせた。3カ月後，かすみ目はときどきあるが，眼科にて「進行していないので大丈夫」と言われた。6カ月後，夕方の疲労感も感じない日が多くなった

考察：八味地黄丸(はちみじおうがん)の応用範囲は幅が広く，**表4**に示すような多様な疾患に対する臨床疫学的エビデンスが報告されている

表4　八味地黄丸の臨床疫学的エビデンス

対象疾患	研究デザイン	エビデンスの概要
肝硬変に伴うこむら返り	症例集積研究	こむら返りが消失54.5%，改善45.5%で，有効率は100%であった（*n*=31）
前立腺肥大	症例集積研究	総合改善判定で評価した有効率（やや改善以上）は77.1%であった（*n*=35）
認知症	二重盲検ランダム化比較試験	認知機能（MMSE）と日常生活動作（BI）が有意に改善した（n=33）
脳血管障害・高血圧	Cross over 二重盲検法	随伴症状に対する全般改善度（軽度改善以上）は70.0%で有意に高かった（n=103）
統合失調症	症例集積研究	精神症状に対する有効率（軽度改善以上）は83.3%であった（n=12）
腰部脊柱管狭窄症	ランダム化比較試験	最終全般改善度（改善以上）は68.4%でNSAIDsより有意に優れていた（n=19/n=8）
老人性皮膚瘙痒症	Cross over 比較試験	総合判定で評価した有効率（有効以上）は78.0%であった（n=23）
更年期障害	症例集積研究	簡易更年期指数が投与前58.8±4.8から，8週後28.6±3.3と有意に改善した（n=17）

（参考図書：寺澤捷年，喜多敏明，関矢信康編：EBM漢方，第2版，医歯薬出版，2007.）

2 血虚の病態

1. 血虚の病態とは

全身の細胞を取り巻いている血には，細胞が構造を形成する際に必要な構成素材としての有機物を供給する働きがある。この血の働きと最も密接な関係をもっているのが，肝臓と筋肉である。

代謝器官としての肝臓は，人体内で化学工場のような働きをしている。小腸から吸収された栄養素を素材にしながら，必要に応じて様々な物質を作り出している。たとえば，生体が構造を形成するために必要なアミノ酸やタンパク質は肝臓の細胞によって作り出されるのである。したがって，この肝臓の働きによって，血の働きは支えられているのだといえる。

運動器官としての筋肉もまた，新陳代謝の非常に激しい化学工場である。運動によって損傷を受けた筋肉の細胞は，肝臓で作り出されたアミノ酸やタンパク質を構成素材にして常に再生されている。したがって，この筋肉の働きは，肝臓と血の働きによって支えられているのだといえる。

以上のことから，肝硬変患者におけるこむら返りは，血虚の典型的な病態を示していることがわかる。飢餓状態や低栄養状態においても，血虚と類似した病態をみることができる。肝硬変症や飢餓状態，低栄養状態をイメージすると，**表5**に示した血虚の症候を理解しやすくなるであろう。

2. 血虚に適応となる代表的方剤

不足した血の働きを補う方剤を「**養血剤**（ようけつ）」という。

代表的な養血剤として，**1-1**で紹介した芍薬甘草湯（しゃくやくかんぞうとう）以外に，疎経活血湯（そけいかっけつとう）や温清飲（うんせいいん），十全大補湯（じゅうぜんたいほとう）などがある。それぞれの方剤は，適応となる疾患が少しずつ違っている（**表6**）。その理由は，芍薬甘草湯（しゃくやくかんぞうとう）は筋肉（骨格筋・平滑筋）の血虚を，疎経活血湯（そけいかっけつとう）は四肢・関節の血虚を，

表5　血虚の病態を示唆する症候

部位	症候
全身	疲れやすい，体がだるい，体重減少，貧血
精神	物忘れ，集中力の低下，不眠，眠りが浅い
頭部	顔色が悪い，抜け毛，白髪，かすみ目，疲れ目，めまい感，口が乾く，舌の色が白っぽい
四肢	皮膚の荒れとカサカサ，爪が薄くて割れやすい，筋肉の痙攣，こむら返り，手足のしびれ
その他	動悸，息切れ，過少月経

表6　血虚の代表的方剤とその適応疾患

方剤	適応疾患
芍薬甘草湯	腹部疝痛，胆石症，尿管結石，こむら返り，寝ちがえ，四肢・筋肉・関節痛，坐骨神経痛，急性腰痛，ギックリ腰，月経困難症
疎経活血湯	関節痛，神経痛，筋肉痛，坐骨神経痛，腰痛，変形性膝関節症，痛風，血栓性静脈炎の疼痛，関節リウマチ，脳卒中後遺症
温清飲	慢性湿疹，皮膚瘙痒症，蕁麻疹，乾癬，皮膚炎，にきび，肝斑，口内炎，更年期障害，月経異常，ベーチェット病，神経症，高血圧
十全大補湯	病後・術後または産後の全身衰弱・体力低下，貧血，虚弱体質，疲労・倦怠感，体重減少，寝汗，食欲不振，慢性化膿性炎症，冷え

温清飲(うんせいいん)は皮膚の血虚をそれぞれ補い，十全大補湯(じゅうぜんたいほとう)は血虚だけでなく気虚も同時に補うからである。

ところで，骨髄における赤血球の産生を活性化するのは気の働きである。したがって，貧血の漢方治療においては，養血剤よりもむしろ補気剤を使用するか，補気と養血の両作用を併せもった十全大補湯(じゅうぜんたいほとう)などを使用することが多い。

芍薬甘草湯の代表的症例

芍薬甘草湯の代表的症例は，**1-1（12頁）**を参照。

疎経活血湯の代表的症例

症例：75歳，女性

主訴：腰痛，左下肢の痛みとしびれ

現病歴：2年以上前から腰痛と両膝痛，左下肢のしびれがある。整形外科に受診して，坐骨神経痛と診断され加療を続けている。今は腰痛と左下肢の痛みと軽いしびれがある

現症：身長150.0cm，体重58.3kg，体温35.6℃，血圧155/84mmHg，脈拍数74rpm

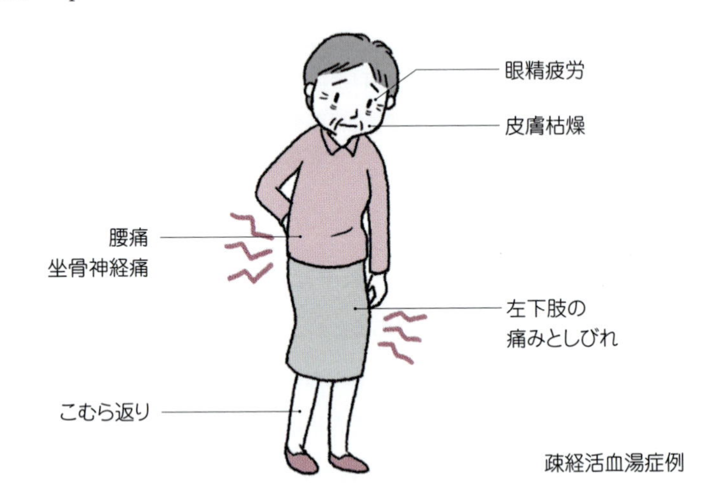

疎経活血湯症例

経過：皮膚枯燥，眼精疲労，こむら返りといった症候から，四肢・関節における「血虚」の病態と診断し，疎経活血湯（煎じ薬）を開始したところ，3週間後には坐骨神経痛が良くなってきた。2カ月後，足を伸ばした際の筋肉の突っ張り感がなくなった。痛み止めを忘れても痛くないこ

とが多い。4カ月後，腰痛や坐骨神経痛は楽になったので痛み止めを減量している。正座もできて具合が良い

温清飲(うんせいいん)の代表的症例

症例：65歳，女性

主訴：全身の痒み，体重減少

現病歴：45歳でA型肝炎になったとき， 全身に痒みが出たが完治し，その後痒みが出ることはなかった。1カ月前，突然両足首に痒みが出て，掻くと皮膚乾燥と発赤がみられた。どんどん上に上がってきて現在は全身に痒みが広がった。最近また急に4kgもやせてきた

現症：身長156.4cm，体重61.0kg，体温35.9℃，血圧137/79mmHg，脈拍数84rpm

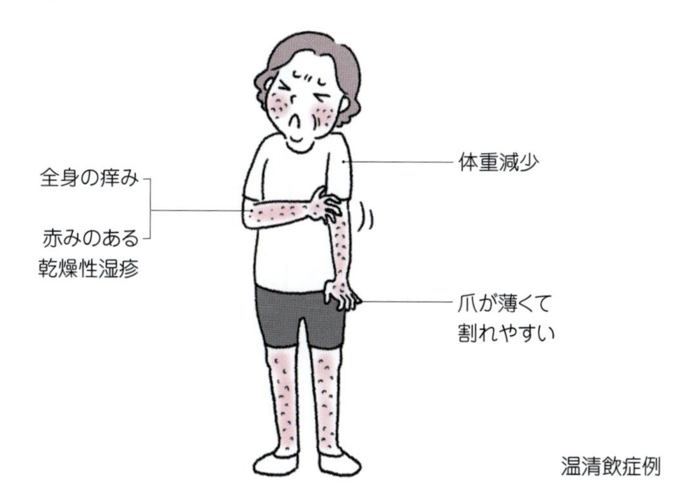

温清飲症例

経過：赤みのある乾燥性の湿疹と，爪が薄くて割れやすいことから，皮膚における「血虚」の病態と診断した。温清飲(うんせいいん)（煎じ薬）を開始したところ，2週後には全身の痒みがやや治まってきた。膝から下の皮膚は入浴後に乾燥するが，他の部位は潤っている。5週後には，皮膚症状はほと

んど気にならないところまで改善。以後は，温清飲(うんせいいん)をエキスに変更して経過良好

十全大補湯(じゅうぜんたいほとう)の代表的症例

症例：55歳，女性

主訴：風邪をひきやすい，花粉症

現病歴：45歳頃から花粉症を発症し，3月～4月初旬まで症状が出現する。47歳時に右乳がん全摘術を施行。50歳を過ぎた頃から季節の変わり目に鼻風邪をひきやすい。今年も2～3回ひいて，1回は長びいた。慢性的な肩こりと腰痛があり，老眼で目が疲れる

現症：身長159.7cm，体重57.9kg，体温36.6℃，血圧108/72mmHg，脈拍数79rpm

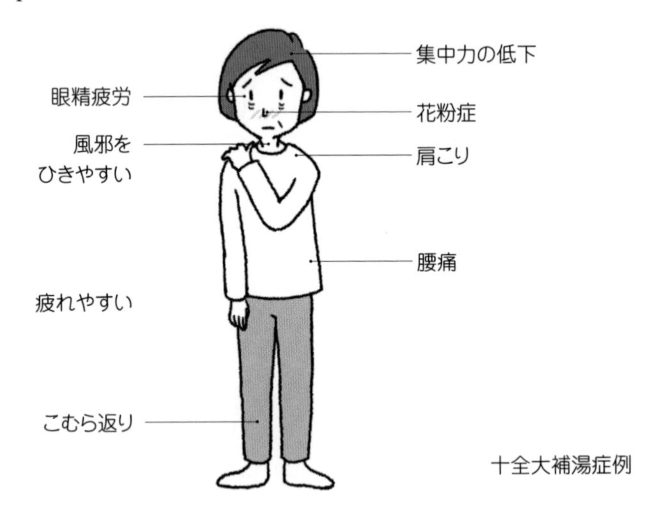

十全大補湯症例

経過：疲れやすい，風邪をひきやすい，眼精疲労，集中力の低下，こむら返りといった症候から「気虚＋血虚」の病態と診断し，十全大補湯(じゅうぜんたいほとう)エキス（3包/日）を開始したところ，2週間後には疲れが軽減した。2カ月後，肩こりと腰痛は気にならなくなった。5カ月後，たまに咽頭痛が

出現するが，桂麻各半湯(けいまかくはんとう)エキスを服用すると症状が治まってひどくならない。6カ月後，易疲労も感じなくなった。翌年の春，花粉症は軽く，マスクもしないですんだ

考察：十全大補湯(じゅうぜんたいほとう)には，**表7**に示すような疾患や副作用に対する臨床疫学的エビデンスが報告されている

表7　十全大補湯の臨床疫学的エビデンス

対象疾患	研究デザイン	エビデンスの概要
C型慢性肝炎・肝硬変症	症例集積研究	GPT値の改善が慢性肝炎の33.3%，肝硬変症の41.7%でみられた（n=21）
肝硬変からの肝がん移行	ランダム化比較試験	肝がん発生率の抑制と生存率の増加が非併用群より有意に優れていた（n=24/n=28）
術前自己血貯血	ランダム化比較試験	貯血前後のヘモグロビン増加量は非併用群より有意に高値であった（n=52/n=51）
乳児肛門周囲膿瘍・痔瘻	比較臨床試験	切開排膿しない治癒率は77.4%で，非投与群より有意に優れていた（n=65/n=28）
リバビリンによる貧血	比較臨床試験	ヘモグロビン濃度低下量は，非投与群より有意に少なかった（n=32/n=35）
抗がん剤による食欲不振	症例集積研究	食欲不振に対する有効率（有効以上）は83.0%であった（n=88）
術後化学療法の副作用	比較臨床試験	抗がん剤による血球減少を，非投与群より有意に抑制した（n=30クール/n=30クール）

（参考図書：寺澤捷年，喜多敏明，関矢信康編：EBM漢方，第2版，医歯薬出版，2007.）

step 1

3 津虚の病態

1. 津虚の病態とは

全身の細胞を取り巻いている水には，生体，特に外界と接する皮膚や粘膜を潤す働きがあり，特別に「津液」と呼ばれている。この津液の働きと最も密接な関係をもっているのが，肺と皮膚である。

呼吸器官としての肺は，酸素と二酸化炭素を交換するという生命維持にとって最も重要な働きをしているが，呼吸をすることによって生体を冷却する働きも同時に担っている。肺と皮膚から1日に900mLの水が不感蒸泄によって排泄されるが，その際に体内で発生した「高エントロピーの廃熱」が気化熱として体外に捨てられている。閉鎖系においては，エントロピー増大の法則が支配しているが，生体は水を利用することによって低エントロピー状態を維持しているのである（**22頁コラム**「水とエントロピー」を参照）。

潤った皮膚はしっとりとして，つやがあり，見た目に美しいだけではなく，バリア機能にも優れている。潤いのないカサカサした皮膚は，外界からの様々な刺激に対して抵抗力が弱く，傷つきやすい。粘膜は皮膚以上に傷つきやすいため，常に潤った状態を保持している必要がある。涙の分泌が低下すると，角膜が乾燥してその表面は傷だらけになる。唾液の分泌が低下すると，口腔粘膜は潤いを失い，虫歯や歯槽膿漏になりやすい。鼻腔から咽喉頭粘膜の潤いは，呼吸とともに侵入する病原体に対するバリアとして重要な役割を演じている。

先に述べた血虚の病態でも皮膚の乾燥症状がみられるが，津虚の病態とは少し違っている。血虚の病態で皮膚がカサカサに乾燥するのは，構成素材を供給する働きが低下するためである。具体的には，表皮を構成している細胞のターンオーバーが障害され，角質細胞の層構造が乱れたり，真皮を構成している膠原線維（コラーゲンが主成分）の形成が障害されたりして，皮膚に潤いを保持する働きが低下するのである。ここで述べる津虚の病態では，津液の供給そのものが不足しているために皮膚に潤いがなくなり，カサカサに乾燥してしまうのである（**表8**）。

2. 津虚に適応となる代表的方剤

不足した津液の働きを補う方剤を「生津剤（滋陰剤）」という。

代表的な生津剤として，1-1で紹介した麦門冬湯以外に，清暑益気湯，温経湯，人参養栄湯などがある。それぞれの方剤は，適応となる疾患が少しずつ違っている（**表9**）。麦門冬湯は気道の津液を補う作用をもっていることから，主として呼吸器疾患に適応がある。また，清暑益気湯は補中益気湯と似ているが，気虚だけでなく津虚も同時に改善する作用があり，暑さによる脱水に対して全身的に津液を補う作用を

表8　津虚の病態を示唆する症候

部位	症候
全身	熱っぽく感じる，夕方以降の微熱，寝汗
精神	そわそわ，イライラ感，眠りが浅い，神経過敏
頭部	顔色が赤い，のぼせ・ほてりがある，目が乾く，耳鳴りがする，口が乾く，舌は赤く苔がない
四肢	皮膚のカサカサと乾燥，関節が動かしづらい，疲労時や夜間に手足がほてる
その他	空咳，動悸，便秘（コロコロ），尿量が少ない

表9　津虚の代表的方剤とその適応疾患

方剤	適応疾患
麦門冬湯	痰の切れにくい咳，咽喉の乾燥感や違和感，気管支炎・肺炎の解熱後の咳，妊娠時の咳，慢性気管支炎，気管支喘息，咽頭炎，嗄声
清暑益気湯	暑気あたり，夏まけによる食欲不振，下痢，全身倦怠感，夏やせ，尿量減少，自然発汗，食後の倦怠感・眠気
温経湯	月経不順，月経困難症，不妊症，不正出血，更年期障害，不眠症，神経症，冷え，ほてり，唇の乾燥，肌荒れ，湿疹，進行性手掌角皮症
人参養栄湯	病後・術後または産後の全身衰弱・体力低下，貧血，虚弱体質，疲労・倦怠感，体重減少，寝汗，咳，シェーグレン症候群，冷え

もっている。温経湯（うんけいとう）は温清飲（うんせいいん）と似ているが，血虚だけでなく津虚も同時に改善する作用があり，乾燥症状を伴う婦人科疾患や皮膚疾患に適応がある。人参養栄湯（にんじんようえいとう）は十全大補湯（じゅうぜんたいほとう）と似ているが，気虚・血虚だけでなく津虚も同時に改善する作用があり，気道や粘膜の津液を補うことから，呼吸器疾患やシェーグレン症候群にも適応がある。

飲食物に含まれる水分を大腸から吸収するのは，胃気の働きによる。体内の水分量バランスを調節するのは腎臓の働きであるが，腎臓はアウトプットの制御機関であり，インプットの部分で制御する大腸の働きも重要である。特に，津液が不足した病態においては，大腸から水を吸収する胃気の働きが治療の要点になる。したがって，津虚による脱水傾向の漢方治療においては，胃気を賦活する人参などの生薬を配合することが多いのである。

コラム 陰虚と津虚

陰虚には2つの意味があり，日本漢方では「陰証」で「虚証」の病態を意味するのに対して，中医学では「陰液」の不足した病態を意味する。

陰液とは，陽気と対になった言葉であり，気・血・水を陰陽に分類して生まれた用語である。気は温める作用をもっており，陽に相当することから「陽気」と呼ばれ，水は冷ます作用をもっており，陰に相当することから「陰液」と呼ばれる（血は陰液に含まれる場合と，含まれない場合とがある）。一般に中医学では，「陰液＝水」の不足した病態を「陰虚」と呼んでいるわけである。

このように，陰という言葉は多義的に使われるため，本書では「陰虚」という言葉は使わず，「水」の不足した病態を「津虚」と呼ぶようにしている。

それでは，日本漢方では水（＝陰液・津液）の不足した病態をどのように認識しているのであろうか。一般に日本漢方では，血虚と津虚の病態を区別せずに，両者を「血虚」の病態として理解している場合が多い。血虚の病態の中に津虚の病態を含めて認識しているのである。あるいは，「燥」や「虚熱」の病態として水（＝陰液・津液）の不足を説明している場合もある。いずれにしても，津虚の病態に関して用語の使い方が統一されていないので，本コラムを参考にして混乱することのないように注意する必要がある。

麦門冬湯(ばくもんどうとう)の代表的症例

麦門冬湯(ばくもんどうとう)の代表的症例は**1-1 (18頁)** を参照。

清暑益気湯(せいしょえっきとう)の代表的症例

症例：66歳，女性

主訴：微熱，不整脈，全身倦怠感

現病歴：3週間前から微熱(36.4～36.9℃，平熱は35.8℃前後)傾向になった。特に感冒症状はないが，全身がだるい。夜，寝ていると口腔内が乾燥する。頭に汗をかく。夜中の2時頃，ときどき不整脈(結滞あり)を自覚，特に体全体に熱がこもってほてっているときに出現する。ホルター心電図では心配のないものだと言われている

現症：身長150.7cm，体重49.5kg，体温36.4℃，血圧118/71mmHg，脈拍数79rpm

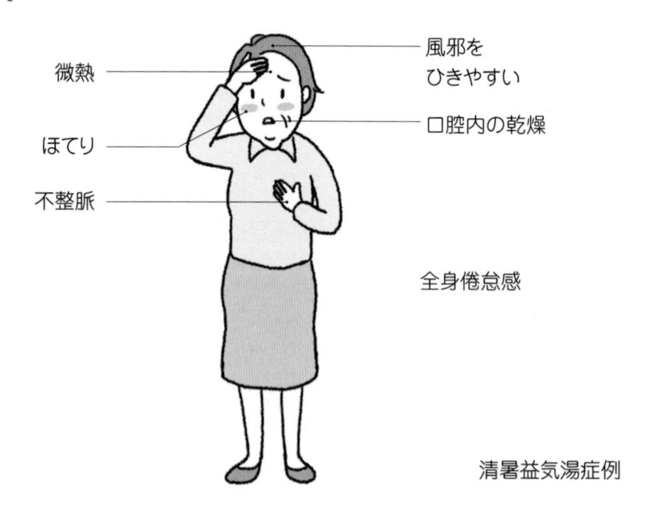

清暑益気湯症例

経過：全身倦怠感，風邪をひきやすい，ほてり，口腔内の乾燥といった症候から「気虚＋津虚」の病態と診断し，清暑益気湯(せいしょえっきとう)エキス(3包/日)を

開始したところ，1週間後から体のほてりと全身のだるさが和らいできた。1カ月後には，ほてりはほぼ消失し，それとともに動悸も気にならなくなった。夜，寝ているときの口腔乾燥感は軽減し，よく眠れている。2カ月の服用で廃薬とした

温経湯（うんけいとう）の代表的症例

症例：77歳，女性

主訴：冷え，不眠

現病歴：若いときから冷え症だったが，55歳時から水泳をして冷えは改善していた。1年前に気管支炎に罹患後，下腿（膝から足首まで）の冷えが強くなった。夏でもハイソックスやカイロを使用する。顔はほてる。2～3年前から不眠で，寝付きが悪い

現症：身長151.6cm，体重53.2kg，体温35.5℃，血圧132/66mmHg，脈拍数63rpm

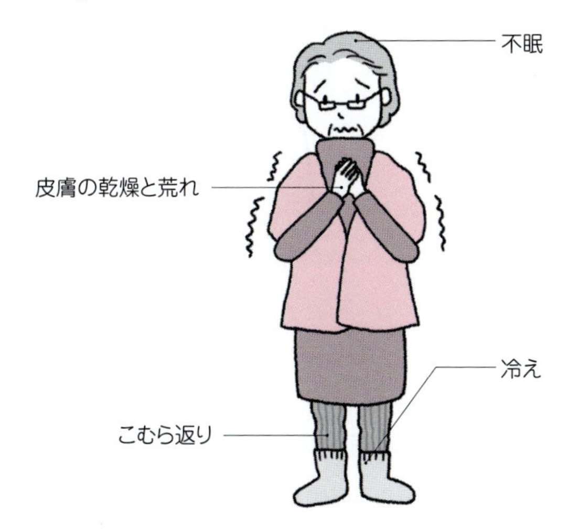

温経湯症例

経過：皮膚の乾燥と荒れ（冬は踵がひび割れる），こむら返り，不眠といった症候から「血虚＋津虚」の病態と診断し，温経湯（うんけいとう）エキス（3包/日）

を開始したところ，6週間後には冷えが改善してよく眠れるようになった。9カ月後には，靴下を脱いで入眠できるくらい冷えがよくなった

人参養栄湯（にんじんようえいとう）の代表的症例

症例：82歳，女性

主訴：労作時の息苦しさ，食欲不振，体重減少

現病歴：3カ月前に近医の胸部X線撮影で，初めて肺線維症と診断された。労作時に息苦しさが軽度あり，酸素飽和度は96%であった。また，以前から食欲が不振で1年間に体重が4kg減少した

現症：身長154.2cm，体重46.0kg，体温36.1℃，血圧130/68mmHg，脈拍数79rpm

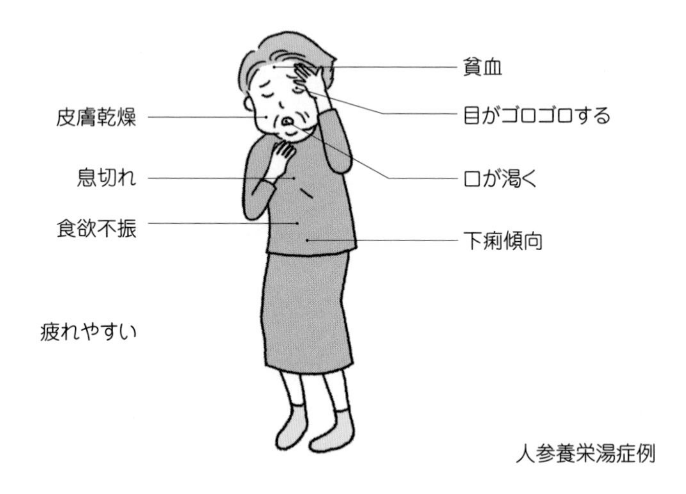

人参養栄湯症例

経過：疲れやすい，食欲不振，下痢傾向，息切れ，体重減少，貧血，口が渇く，目がゴロゴロする，皮膚が乾燥して痒いといった症状から，「気虚＋血虚＋津虚」の病態と診断。人参養栄湯（にんじんようえいとう）エキス（3包/日）を開始したところ，5週間後には息苦しさを自覚しなくなり，酸素飽和度は99%に改善した。食欲も出てきた。3カ月後の体重は初診時に比べる

と2kg増加した

考察：人参養栄湯（にんじんようえいとう）の応用範囲は幅が広く，**表10**に示すような多様な疾患に対する臨床疫学的エビデンスが報告されている

表10　人参養栄湯の臨床疫学的エビデンス

対象疾患	研究デザイン	エビデンスの概要
シェーグレン症候群	多施設症例集積研究	全般改善度で評価した有効率（軽度改善以上）は61.2%であった（n=186）
原因不明のドライアイ	比較臨床試験	自覚症状の有効率（改善以上）は63.3%で，他覚所見も有意に改善した（n=30/n=30）
口腔乾燥症	症例集積研究	口の渇きに対する有効率（やや有効以上）は84.6%であった（n=13）
うつ状態・抑うつ神経症	症例集積研究	意欲低下等の精神症状に対する有効率（軽度改善以上）は84.6%であった（n=13）
混合性結合織病	症例集積研究	レイノー現象に対する有効率（やや改善以上）は73.7%であった（n=19）
肝硬変症	症例集積研究	血小板減少に対する有効率（やや改善以上）は42.9%であった（n=35）
術前自己血貯血	ランダム化比較試験	貯血前後のヘモグロビン増加量は非併用群より有意に高値であった（n=17/n=19）
骨粗鬆症	比較臨床試験	骨密度が非投与群で有意に低下したが，投与群では低下を防いだ（n=23/n=16）
人工膝関節置換術後感染	比較臨床試験	抗菌薬使用期間および術後解熱までに要した期間を有意に短縮した（n=21/n=61）
放射線療法の副作用	ランダム化比較試験	有効率（やや有効以上）は82.1%で，非投与群より有意に優れていた（n=56/n=60）

（参考図書：寺澤捷年，喜多敏明，関矢信康編：EBM漢方．第2版．医歯薬出版．2007．）

4 不足を補う漢方医学

1. 西洋医学の疾患認識

西洋医学的に疾患を診断する際に重視するのは，細胞レベルの病理所見である。胃の粘膜に隆起性病変や潰瘍性病変がみられた場合，それが良性疾患か悪性疾患かを鑑別するためには，病理検査が必要になる。西洋医学が進歩するにつれて，細胞レベルから分子レベル・遺伝子レベルへと病理診断の精度が向上している。

一方，疾患を治療する際に重視されるのは，疾患に特異的な原因である。胃潰瘍の原因がピロリ菌の感染であることを発見した２人の学者がノーベル医学生理学賞を受賞したことは非常に象徴的である。この発見を受けて，胃潰瘍の根本的治療は胃酸の分泌抑制からピロリ菌の除菌へと進歩したわけである。

図1に示したように，疾病の発生プロセスを因果論的に理解する，すなわち「病因→病理」という線形的関係として理解するのが西洋医学の疾患認識である。

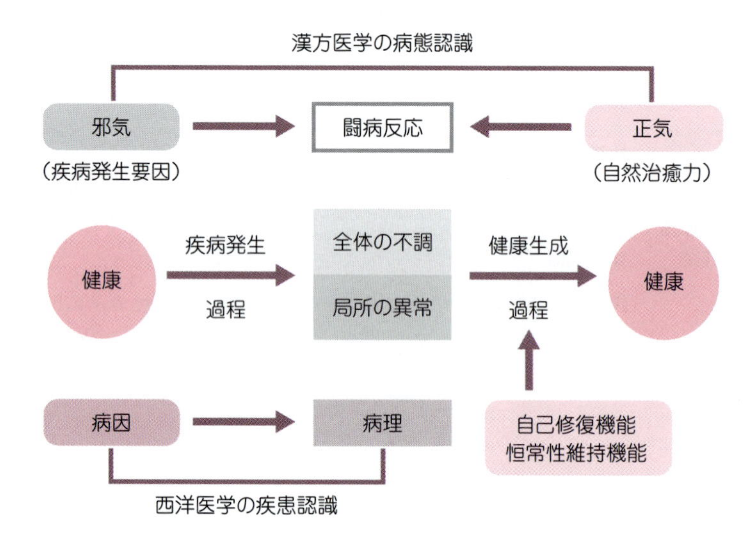

図1　西洋医学の疾患認識と漢方医学の病態認識

2. 漢方医学の病態認識

漢方医学的に病人を診断・治療する際に重視するのは，病人1人ひとりがもっている健康を維持・生成する働きである。自己修復機能や恒常性維持機能，生体防御機能，創傷治癒機能，抗加齢機能などと呼ばれる働きが我々には備わっているのであるが，漢方医学ではそれらの働きを総称して「自然治癒力」あるいは「正気（せいき）」と呼んでいる。

この自然治癒力を支えているのが気・血・水の働きであり，気・血・水の働きが低下すると，健康を維持・生成するプロセスに様々な問題が発生することになる。図1に示したように，疾病発生要因（邪気（じゃき）あるいは毒ともいう）に対する闘病反応も十分に行えず，全体の不調を呈するようになってしまうのである。

3. 不足を補うのが漢方の基本

プライマリケア漢方のstep1（初級レベル）では，疾病発生過程の部分は西洋医学的に診断・治療し，健康生成過程の部分は漢方医学的に気・血・水の不足した虚の病態（気虚・血虚・津虚）や，1-4で述べる陽気の不足した寒の病態（寒証（かんしょう））として診断・治療できるようになることを到達目標にしている。西洋医学的な診断・治療において欠けているのが，健康生成過程に対するアプローチであり，その欠けている部分を漢方医学で補うことができれば，両医学の相互補完的関係を実践することになる。

不足しているもの，欠けているものがあれば，それを補うのが漢方の基本的な考え方であり，基本的な診療スタイルでもある。気虚・血虚・津虚そして寒の病態を実際に診断・治療することを通して，この漢方の基本をマスターすることができた読者は，次のstep2（中級レベル）に進む準備が完了したことになる。

ところで，正気や自然治癒力の不足を補うのが漢方の基本だとすれば，邪気や毒の有余を瀉すのは漢方の極意である。プライマリケア漢方

step
1

で邪気や毒の有余を瀉す治療ができるようになるのは，次の**step2**（中級レベル）に進んでからであるが，その概要については**図1**をみればイメージできるであろう。邪気や毒の有余を瀉すとは，疾病発生過程に関与する様々な要因を取り去るような治療を施すということである。

4 寒の病態と治療

- ▶正気の不足には，気・血・水の働きが不足した虚の病態（気虚・血虚・津虚）と，陽気の働きが不足した寒の病態（寒証）とがある。
- ▶虚の病態については既に述べたので，本章では寒の病態について解説する。寒の病態においても，健康を維持・生成するプロセスに様々な問題が発生するが，西洋医学では「冷え症」は病気として認められていないため，寒の病態に対する認識が不十分であり，漢方医学のはたす役割が大きい領域である。

1 陽気の不足と寒の病態

1．陽気の働きとは

気の４タイプ（胃気・神気・衛気・精気）について既に詳しく解説したが，ここでは５番目のタイプとして「陽気」について紹介する。陽気には，①細胞レベルの代謝や情報の流れを促進して，生体を温める働きと，②末梢組織における血液の流れを促進して，生体を温める働きがある。

たとえば，内分泌器官である甲状腺から分泌される甲状腺ホルモンの働きは陽気の働きに相当する。甲状腺ホルモンは心筋細胞や脂肪細胞に働き，ミトコンドリアにおける酸化的リン酸化を亢進させることによって生体エネルギーの通貨であるATPの産生や熱の産生を促進し，基礎代謝を増大させる。

末梢血管を拡張して局所における組織血流量を増加させるNO（一酸化窒素）やCGRP（カルシトニン遺伝子関連ペプチド）の働きもまた，陽気の働きに相当する。局所の血流量が増大し，組織の温度が上昇すると，その部分における細胞の活動が賦活されることになる。

2. 寒の病態とは

胃気・神気・衛気・精気の働きが不足すると虚の病態（＝虚証）を呈するのに対して，陽気の働きが不足すると寒の病態（＝寒証）を呈する。寒の病態は一般に「冷え症」と呼ばれているが，冷える原因としては代謝の低下と血流の低下がある。

たとえば，甲状腺機能低下症の病態はまさしく寒の病態に相当する。甲状腺の機能が低下すると，体温の低下，心拍数の減少，基礎代謝の低下，精神活動の低下といった病態を呈する。この甲状腺機能低下症を漢方医学的に診断すると寒の病態に相当する（**表1**）。ちなみに，甲状腺機能亢進症を漢方医学的に診断すると熱（ねつ）の病態（＝熱証（ねっしょう））に相当するのだが，熱の病態についてはstep2で述べることにする。

寒冷刺激や精神的緊張により，四肢末端の小動脈が発作性に収縮することによって生じるレイノー現象もまた典型的な寒の病態である。レイノー現象では四肢末梢の血流が低下するのであるが，腹部内臓の血流が低下するタイプの冷え症では消化管の機能が障害されて下痢や便秘といった症状をひき起こすことになる。漢方医学では四肢末梢や体表面の冷えを「表寒（ひょうかん）」，腹部内臓や消化管の冷えを「裏寒（りかん）」と呼んで区別している。

表1　甲状腺機能異常と寒熱の病態

	甲状腺機能低下症	甲状腺機能亢進症
病態	寒の病態	熱の病態
体温	低体温	微熱
脈拍	徐脈	頻脈・動悸
代謝	低下・寒がり	亢進・暑がり
精神	精神鈍麻	イライラ

2 寒の病態に適応となる漢方薬

1. 温熱性の生薬

トウガラシの入った中華料理や，激辛のカレー料理を食べると，身体がカーッと熱くなって汗がたくさん出るであろう。これは，トウガラシやカレーの香辛料に含まれる辛味成分に血管拡張作用や熱産生促進作用があるからである。

味が辛い温熱性の生薬（当帰（とうき）・附子（ぶし）・乾姜（かんきょう）・呉茱萸（ごしゅゆ）・細辛（さいしん）・桂皮（けいひ）など）も，香辛料と同じように血管拡張作用や熱産生促進作用を有するものが多いが，その適応症は多様である。

代表的な温熱性の生薬とその適応症を**表2**にまとめて示した。

表2　温熱性の生薬の適応症

生薬	原料	適応症
当帰	セリ科 トウキの根	頭のふらつき，めまい，目がかすむ，動悸，月経不順，月経痛，腹痛，冷え，打撲外傷による腫脹・疼痛，しびれ，皮膚化膿症，便秘
附子	キンポウゲ科 ヤマトリカブトの塊根	顔面蒼白，チアノーゼ，四肢の冷え，脈が微弱，自汗，腰や膝がだるく無力，頻尿，性機能減退，泥状水様便，腰痛，尿量減少，腹満，関節の腫脹・疼痛，しびれ，悪寒
乾姜	ショウガ科 ショウガの根茎	腹が冷えて痛む，下痢，嘔吐，四肢の冷え，脈が微弱，咳嗽，呼吸困難，多痰
呉茱萸	ミカン科 ゴシュユの果実	頭痛，悪心，嘔吐，上腹痛，四肢の冷え，下腹痛，月経痛，月経周期延長，腹満，下痢，冷え症，霜焼け，口内炎
細辛	ウマノスズクサ科 ウスバサイシンの根	咳嗽，慢性気管支炎，気管支拡張症，頭痛，鼻閉，副鼻腔炎，呼吸困難，身体痛，関節の腫脹・疼痛，歯痛，悪寒，感冒
桂皮	クスノキ科 ケイの樹皮	感冒，神経痛，リウマチ，慢性気管支炎，月経不順，無月経，腹痛，下痢，身体が重だるい

（参考ホームページ：富山大学 和漢医薬学総合研究所 民族薬物資料館：民族薬物データベース
[https://ethmed.toyama-wakan.net/Search]）

2. 寒の病態に適応となる代表的方剤

寒の病態に適応となる代表的方剤を**表3**にまとめて示した。各方剤が当帰・附子・乾姜・呉茱萸・細辛のうちどの生薬を含むのか，また，各方剤が桂皮を含むのかどうかによって分類・整理してあるので，**表2**に示した生薬の適応症と対応させながら，各方剤の特徴についてイメージをつかんでほしい。

1) 当帰を含む方剤

当帰四逆加呉茱萸生姜湯・当帰芍薬散・温経湯・当帰建中湯のように冷え症の婦人科疾患に適応となる方剤と，当帰四逆加呉茱萸生姜湯・五積散・当帰湯・大防風湯のように冷えによって増悪する関節痛を改善する方剤がある。

2) 附子を含む方剤

真武湯や八味地黄丸・牛車腎気丸のように新陳代謝を賦活して，全身の諸機能を活性化する方剤と，桂枝加朮附湯や桂枝芍薬知母湯・大防風

表3　寒の病態に適応となる代表的方剤

含まれる温熱薬	代表的方剤
当帰	当帰芍薬散・大防風湯
当帰・桂皮	当帰建中湯・五積散・当帰湯・当帰四逆加呉茱萸生姜湯・温経湯
附子	真武湯・大防風湯・麻黄附子細辛湯
附子・桂皮	桂枝加朮附湯・桂枝芍薬知母湯・八味地黄丸・牛車腎気丸
乾姜	人参湯・大建中湯・苓姜朮甘湯・大防風湯・半夏白朮天麻湯・苓甘姜味辛夏仁湯
乾姜・桂皮	桂枝人参湯・当帰湯・柴胡桂枝乾姜湯・小青竜湯
呉茱萸	呉茱萸湯
呉茱萸・桂皮	当帰四逆加呉茱萸生姜湯・温経湯
細辛	麻黄附子細辛湯・苓甘姜味辛夏仁湯
細辛・桂皮	当帰四逆加呉茱萸生姜湯・小青竜湯
桂皮	小建中湯・安中散

湯・八味地黄丸・牛車腎気丸のように冷えによって増悪する関節の腫脹・疼痛や四肢のしびれを改善する方剤がある。

3) 乾姜を含む方剤

人参湯・大建中湯・半夏白朮天麻湯・桂枝人参湯のように消化管の機能を活性化する方剤と，苓姜朮甘湯・大防風湯・当帰湯のように四肢の冷えや関節痛を改善する方剤がある。

4) 呉茱萸を含む方剤

呉茱萸湯のように頭痛・悪心・嘔吐を改善する方剤と，当帰四逆加呉茱萸生姜湯や温経湯のように月経不順・月経痛・腹痛・冷えに適応となる方剤がある。

5) 細辛を含む方剤

麻黄附子細辛湯・苓甘姜味辛夏仁湯・小青竜湯のようにアレルギー性鼻炎，慢性気管支炎，感冒などに適応となる方剤と，当帰四逆加呉茱萸生姜湯や麻黄附子細辛湯のように冷え症の身体痛や関節の腫脹・疼痛を改善する方剤がある。

6) 桂皮を含む方剤

小建中湯や安中散のように腹痛や胃の痛みを伴う慢性胃腸疾患に適応となる方剤には，温熱性の生薬として桂皮が含まれている。桂皮には，鎮静・鎮痙作用や末梢血管拡張作用などがあり，上述の当帰・附子・乾姜・呉茱萸・細辛を含む方剤においても，桂皮と組み合わせることで鎮痛作用を期待しているものが多い。

3 寒の病態に対する漢方治療の実際

1. いわゆる冷え症に対する漢方治療の実際

冷え症の定義は難しいが，プライマリケアで手足や身体の冷えを訴えて来院する患者は少なくない。冷えだけでなく，頭痛や肩こり，腰痛，下腹部痛，全身倦怠感，低血圧，立ちくらみ，めまい，むくみ，生理痛，月経不順などを伴っていることが多い。その大半は女性であり，血液の循環を促進しながら身体を温める当帰の入った方剤（当帰四逆加呉茱萸生姜湯・当帰建中湯・当帰芍薬散・温経湯・五積散・加味逍遙散など）が適応になる。

冷え症の第一選択薬は当帰四逆加呉茱萸生姜湯である。冬になると霜焼けができるというのが当帰四逆加呉茱萸生姜湯を使う目標であり，レイノー現象を認めるケースにも効果があるくらいに冷えを温める力が強い。当帰四逆加呉茱萸生姜湯は非常に苦い薬であるが，身体に合っていれば意外に美味しく飲めるようである。

冷え症の患者は一般に虚証の病態を呈することが多いが，実証の病態で冷えを訴えるような患者も少なくない。そのような場合には，**step2**で詳しく解説する桂枝茯苓丸や桃核承気湯といった瘀血を改善する方剤が適応となる。

いわゆる冷え症に対する漢方治療の実際をフローチャートにまとめて**図1**に示した。ここに示した8方剤を，冷えを伴うような女性患者にまず使ってみることで，各方剤の適応病態の微妙な違いを修得すると良い。ただし，冷え症で慢性の胃腸障害を伴うような患者に対しては，本章の後半で解説するような別の適応方剤が用意されているので，そちらを参考にして頂きたい。

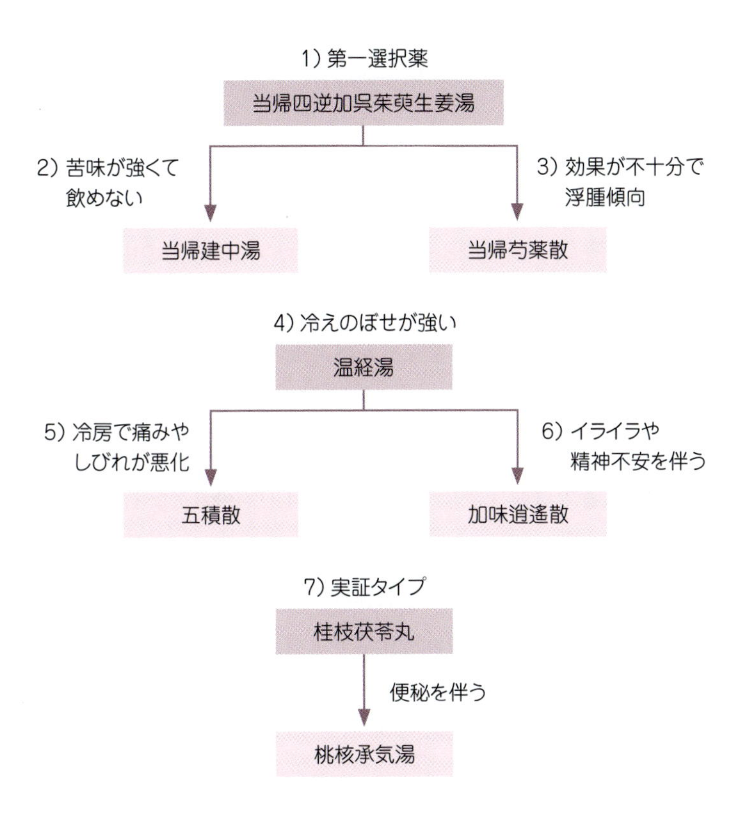

図1　いわゆる冷え症に対する漢方治療の実際

1）冷え症の第一選択薬は当帰四逆加呉茱萸生姜湯である。
2）当帰四逆加呉茱萸生姜湯の苦味が強烈で飲めないと訴える患者に対しては，当帰建中湯を使うと良い。
3）当帰四逆加呉茱萸生姜湯の効果が不十分で，浮腫傾向を認める場合には当帰芍薬散に変更する。夕方になると必ず足がむくんでパンパンに腫れるというのが，当帰芍薬散を使う目標である。
4）下半身は冷えるが，上半身はむしろのぼせるという場合があり，これを「上熱下寒」の病態と呼んでいる。当帰四逆加呉茱萸生姜湯や当帰建中湯が適応になる患者も，上熱下寒の病態を呈することがあるが，その程度は一般に軽い。のぼせの訴えが強い患者に対しては，温経湯が良い適応になる。
5）上熱下寒の病態があり，痛みやしびれが冷房で悪化する患者には五積散を選択する。
6）上熱下寒の病態があり，イライラや精神不安が強い患者には加味逍遙散を選択すると良い。
7）より実証タイプの冷え症に対しては，桂枝茯苓丸や桃核承気湯が適応となる場合もある（実証の病態と桂枝茯苓丸・桃核承気湯についてはstep2で解説する）。

当帰四逆加呉茱萸生姜湯(とうきしぎゃくかごしゅゆしょうきょうとう)の臨床疫学的エビデンス

研究方法：症例集積研究

対象患者：基礎疾患を有しないレイノー病患者のうち，40歳未満の若年患者8例（平均年齢28.9±8.3歳）と，40歳以上の中高年患者11例（平均年齢58.8±7.2歳）

薬物投与：当帰四逆加呉茱萸生姜湯(とうきしぎゃくかごしゅゆしょうきょうとう)エキス（3包/日）を4週間投与

結果：若年患者では臨床評価が平均6.3±0.4点➡4.4±0.9点と有意に低下し，皮膚温は平均27.7±4.2℃➡31.6±3.2℃に有意に上昇した
中高年患者では臨床評価が平均7.2±1.0点➡4.7±1.9点と有意に低下し，皮膚温は平均26.1±3.7℃➡31.2±2.6℃に有意に上昇した
レイノー現象を認める閉塞性動脈硬化症，ビュルガー病，全身性エリテマトーデス，進行性全身性硬化症では有意な改善を示さなかった

【文献】

金内日出男：公立豊岡病院紀要. 1999；11：69-76.

コラム　漢方薬を飲みやすくする工夫

漢方薬の味や匂いにも薬効があるので，できれば漢方薬はお湯に溶かしてそのまま服用するのがよい。しかし，苦味や酸味が苦手で服用できない場合には，オブラートを使って服用することも筆者は許可している。その際，オブラートに包んでそのまま服用するのではなく，水に浸してゼリー状にしてから服用すると飲みやすくなる。

オブラート以外には，チョコクリームやピーナッツクリーム，ハチミツに混ぜるといった服用方法も効果的であると報告されている。ただし，ハチミツは1歳未満の子どもには食べさせてはいけない食品である。

【文献】

甲〆慎二：漢方医. 2010；34(2)：164-6.

当帰四逆加呉茱萸生姜湯(とうきしぎゃくかごしゅゆしょうきょうとう)の代表的症例

症例：59歳，女性

主訴：手足の冷え，こむら返り

現病歴：若い頃から冷え症で，手足がいつも冷たい。冬は冷えが強く，寝るときにはアンカがないと眠れない。以前は，霜焼けになることもあった。1年前から，こむら返りが出現することが多い。便に異常なし

現症：身長151.5cm，体重58.5kg，体温34.8℃，血圧136/72mmHg，脈拍数105rpm

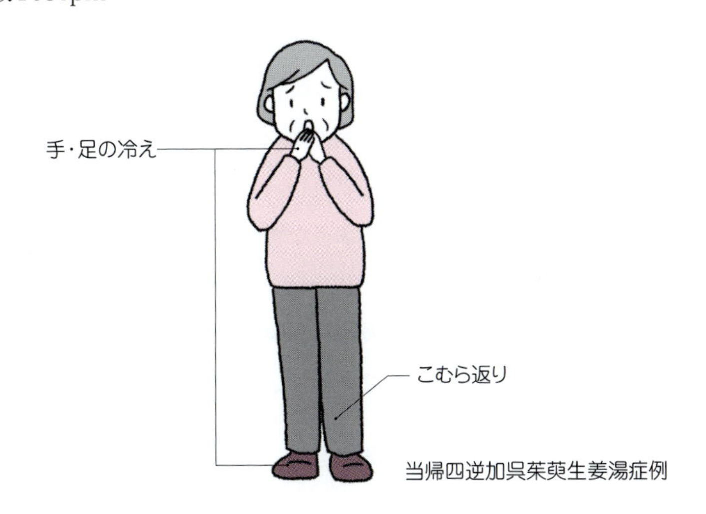

当帰四逆加呉茱萸生姜湯症例

経過：手足の冷え以外に自覚症状に乏しかったため，冷え症の第一選択薬である当帰四逆加呉茱萸生姜湯(とうきしぎゃくかごしゅゆしょうきょうとう)エキス（3包/日）を開始したところ，2カ月の服用で冷えが軽減した。昼に服薬できず，2包/日に減量して継続。半年後の夏には冷えを感じることがなくなり，こむら返りも消失した。1年後の冬は，冷えを感じる程度が軽くなり，夜もアンカなしで眠れるようになった

2. 冷えに伴う慢性胃腸障害に対する漢方治療の実際

冷え症の患者は，食欲不振や下痢，便秘といった消化器症状を訴えて来院することが非常に多い。寒の病態によって消化器官の働きが衰退してしまったために，様々な消化器症状を呈することになる。また，冷えによる消化器症状には頭痛を伴うことが多いのも特徴である。このような消化器症状に対して，乾姜や呉茱萸，附子を含む方剤（人参湯・真武湯・大建中湯・桂枝人参湯・呉茱萸湯・半夏白朮天麻湯など）が良い適応になる。

冷えに伴う慢性胃腸障害の第一選択薬は人参湯である。一般に，慢性胃腸障害に対して六君子湯がよく使われているのであるが，寒証の病態が胃腸の消化・吸収機能の低下をひき起こしている場合，六君子湯を投与しても十分な効果を得られないことがある。そのようなケースに，人参湯をまず使ってみると良い。

冷え症で腹痛を訴えるような慢性胃腸障害の患者も少なくない。そのようなケースには，小建中湯や安中散といった桂皮を含む方剤が適応となる。冷えに伴う慢性胃腸障害に対する漢方治療の実際をフローチャートにまとめて図2に示した。

コラム　冷え症に対する食事療法

身体を冷やす食物の御三家は，生野菜と果物と白砂糖である。冷え症の人には，レタスやキャベツなどを生のままサラダとして食べること，南国産の果物を冷やして毎日のように食べること，白砂糖のたくさん入った菓子類を食べたりジュースを飲んだりすることを控えるように指導する。

また，野菜を食べるなら根菜を中心にすること，スープや煮物といった加熱する調理法を選択すること，調味料としてショウガ，コショウ，サンショウ，トウガラシ，ニンニク，ウイキョウ，ハッカクを使うことなどを勧める。

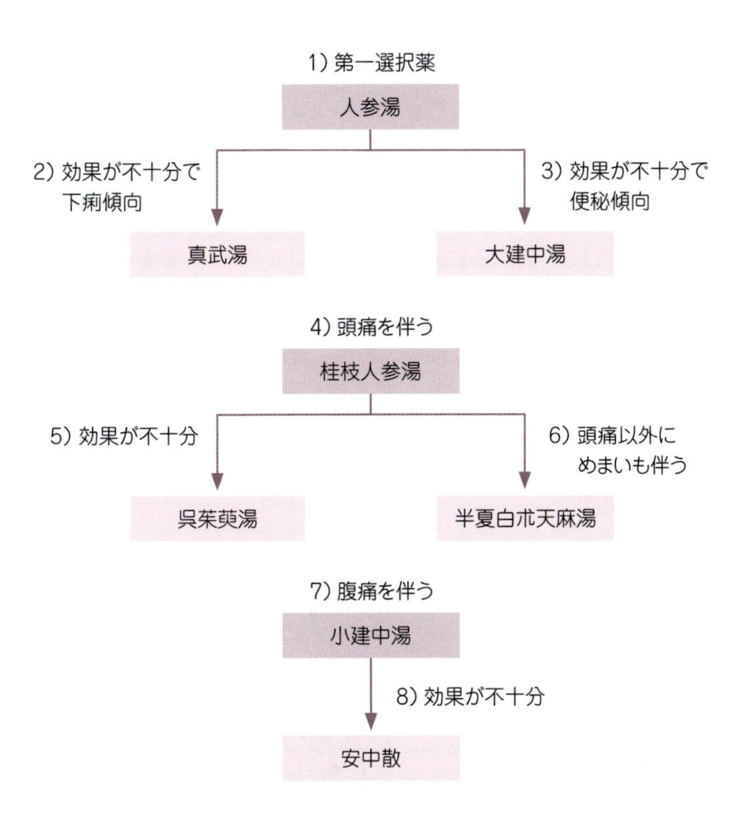

図2　冷えに伴う慢性胃腸障害に対する漢方治療の実際

1）冷えに伴う慢性胃腸障害に対する第一選択薬は人参湯である。
2）人参湯を投与して効果が不十分で，下痢傾向を認める場合には真武湯に変更する。
3）人参湯を投与して効果が不十分で，便秘傾向を認める場合には大建中湯に変更する。
4）慢性の頭痛を伴うケースでは，桂枝人参湯が良い適応になる。
5）桂枝人参湯を投与して効果が不十分であれば，呉茱萸湯を投与すると良い。
6）頭痛にめまいを伴う患者に対しては，半夏白朮天麻湯を使うと良い。
7）冷えに腹痛を伴うような慢性胃腸障害の患者に対応できる方剤は少ないのだが，経験的には温熱性の生薬として桂皮を含む小建中湯が良い適応になる。
8）まずは小建中湯を投与して，効果が不十分であれば安中散を投与すると良い。

step 1

人参湯の代表的症例

症例：72歳，女性

主訴：食欲不振，体重減少，下痢，冷え

現病歴：約15年前から食欲不振が持続しており，体重が40kgから30kgまで徐々に減少してきた。1カ月前から急に水様の下痢が出現し，近医で胃薬と止痢剤を投与されているが，食べると下痢するために，重湯やうどんを少量しか食べられない状態である。寒がりで下半身が冷える

現症：身長153.3cm，体重29.9kg，体温36.6℃，血圧94/50mmHg，脈拍数68rpm

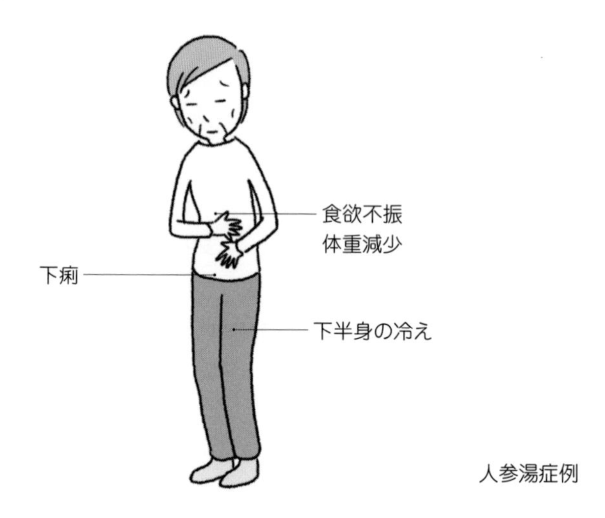

人参湯症例

経過：消化管の機能が極度に衰退した「寒証」の病態と診断。人参湯エキス（3包/日）を開始したところ，1回の服用で下痢が止まり，1週間で固形物を食べられるようになったので西洋薬は中止した。6週間後には食欲は平常に回復し，体重は31.5kgになった。その後も経過は良好で，5カ月後の体重は初診時に比べると4kg増加した

大建中湯の基礎実験的エビデンス

対象動物：麻酔下で開腹したラット

薬物投与：大建中湯エキス（10mg/kg，100mg/kg，300mg/kg）を単独で経腸投与した。次に，各種ペプチド（CGRP，VIP，サブスタンスP）の受容体拮抗薬およびNO合成酵素阻害薬（L-NAME）で前処理した後に大建中湯を投与した

測定項目：腸管血流をvascular conductance（VC；組織血流量/平均動脈血圧）にて評価した。VCは全身の循環動態の影響を除き，局所の微小循環をほぼ正確に評価できる血流指標である

結果：コントロールラットに比較して大建中湯投与群はいずれの濃度でも明らかなVCの改善を示した。また，大建中湯によるVC増加作用はCGRP受容体拮抗薬の前処置でほぼ完全に抑制され，L-NAMEによっても部分的に抑制されたが，他の神経ペプチドの受容体拮抗薬では抑制されなかった

考察：大建中湯には腸管血流増加作用があり，その作用は主にCGRPを介するものであることが示唆された。他の研究において，大建中湯の腸管血流増加作用を担っている構成生薬が乾姜であり，その活性は[6]-shogaolにあることが報告されている

【文献】

河野　透：日臨外会誌．2006；67増刊：259.

step 2

- プライマリケア漢方の**step 2**（中級レベル）では，「虚実・寒熱の病態差異」を中心に取り扱う。プライマリケアで日常的に遭遇する疾患や症状に対して，虚実・寒熱の個人差に応じて方剤を使えるようにする。
- このステップでは，病態のバリエーション（＝差異）に対応しながら方剤のレパートリーを広げて実際に使うことで，「差異を重視」した漢方独自の視点を身につけることがポイントになる。

step 2

概要

step1では，細胞を取り巻く環境の働きを，生命活動を維持・活性化する気・血・水の働きとして理解することができた。これは，環境のプラスの側面である。気・血・水の働きが不足すると，環境のプラスの側面が支障をきたすために，健康を生成するプロセスが損なわれる。そのような病態を漢方医学的には「虚証」や「寒証」として診断するということであった。

細胞を取り巻く環境にはマイナスの側面も存在する。様々な原因によって細胞を取り巻く環境が汚染され，生命活動が障害される場合がそれである。step2では，細胞を取り巻く環境のマイナス面も考慮しながら，「実証」や「熱証」の病態について理解できるようにする。そして，虚実と寒熱の病態をいかにして診断し，どのような治療方剤で対処すればよいのかに焦点を当てながら，様々な疾患や症候に対する漢方治療の実際を解説していきたい。

虚実や寒熱の病態を診断するためには，脈・舌・腹を診察することが不可欠であり，また最も確実な方法である。step1では，あえて漢方医学独自の診察所見に言及せず，自覚症状を中心に診断する方法に重点をおいてきたが，step2では，腹診を重視し，脈診と舌診を参考にする診断方法についても症例を通して学べるようにする。

1 脳血管障害

▶脳血管障害後遺症や脳血管性認知症に対する漢方治療において，第一選択薬を画一的に決めることはできない。患者の漢方医学的な病態が実証であるか虚証であるかによって，適応となる方剤がまったく違うからである。漢方医学的な診断・治療体系においては虚実の病態が違えば，たとえ同一の疾患であったとしても複数の方剤を使い分けるのが原則なのである。

▶しかしながら，虚実という漢方医学独自の概念を，最初から完全に理解しようとするのは無理がある。そこで，脳血管障害に対する漢方治療という具体的なテーマについて解説しながら，少しずつ虚実の病態についてもイメージできるようにしていくことにする。

▶本章の前半では，脳血管障害に対して適応のある代表的な2つの方剤，黄連解毒湯（おうれんげどくとう）と釣藤散（ちょうとうさん）をとりあげて，臨床疫学的エビデンスと薬理的な基礎実験の結果を紹介することにする。そして後半では，実証の病態に適応となる黄連解毒湯（おうれんげどくとう）と，虚証の病態に適応となる釣藤散（ちょうとうさん）を対比しながら，虚実の違いを考慮した脳血管障害に対する漢方治療の実際を解説してみたい。

1 脳血管障害に対する黄連解毒湯（おうれんげどくとう）の効果

黄連解毒湯（おうれんげどくとう）の臨床疫学的エビデンス1（脳梗塞後遺症）

研究方法：非投与群とのランダム化比較試験

対象患者：発症後1カ月以上を経過し，重篤な合併症のない全身状態が安定している脳梗塞後遺症患者108例（男性57例，女性51例）。病型

別は，脳血栓症97例，脳塞栓症6例，病型不明の脳梗塞5例

薬物投与：投与群は黄連解毒湯（おうれんげどくとう）エキス（3包/日）を12週間投与

結果：自覚症状，神経症候，精神症候，日常生活動作の重症度を総合的に評価した結果，有用率（やや有用以上）は投与群67.8%で，非投与群の46.2%に比べて有意に優れていた。自覚症状別の改善度は，頭重，回転性めまい，四肢のしびれ，四肢の冷感，肩こり，のぼせ感において有意に優れていた

【文献】

伊藤栄一，他：Geriatr Med. 1991；29：303-13.

黄連解毒湯（おうれんげどくとう）の臨床疫学的エビデンス2（精神症候を伴う脳血管障害後遺症）

研究方法：多施設症例集積研究

対象患者：精神症候を伴う脳血管障害後遺症患者127例（男性78例，女性49例）。病型別は，脳梗塞後遺症98例，脳出血後遺症20例，鑑別不能の脳卒中後遺症9例

薬物投与：黄連解毒湯（おうれんげどくとう）エキス（3包/日）を12週間投与

結果：全般改善度で評価した有効率（軽度改善以上）は74.6%であった。項目別の有効率は，精神症候71.3%，自覚症状70.9%，神経症候24.7%，日常生活動作障害27.8%であった

【文献】

荒木五郎：Geriatr Med. 1991；29(10)：1587-99.

黄連解毒湯（おうれんげどくとう）の臨床疫学的エビデンス3（脳血管性認知症）

研究方法：多施設症例集積研究

対象患者：脳血管性認知症患者32例（男性15例，女性17例）。原因疾患は，脳梗塞10例，脳出血4例，鑑別不能の脳卒中1例，脳動脈硬化

症17例

薬物投与：黄連解毒湯(おうれんげどくとう)エキス（3包/日）を12週間投与

結果：全般改善度で評価した有効率（軽度改善以上）は39.3%であった。項目別の有効率は，精神症候46.5%，神経症候11.8%，日常生活活動障害50.0%であった。精神症候の中で有効率の高かったのは，行動の異常47.6%，性格障害46.9%（易怒性56.3%，不機嫌47.4%，執着性44.4%，感情失禁36.4%，抑うつ気分33.3%，意欲表現の低下21.7%，深刻味のなさ20.0%）であった。その他の精神症候における有効率は低く，環境反応の低下33.3%，記憶力障害28.6%，見当識障害28.6%であった。日常生活活動障害では，会話の有効率が37.5%と比較的高率であった

備考：易怒性や不機嫌に対する有効率が比較的高く，抑うつ気分や意欲表現の低下に対する有効率があまり高くないという結果が，実証の病態に適応となる黄連解毒湯(おうれんげどくとう)の特徴をよく示している

【文献】

荒木五郎：Ther Res. 1994；15(3)：986-94.

1. 黄連解毒湯(おうれんげどくとう)の薬理作用

以上の臨床疫学的エビデンスや多数の臨床報告から，黄連解毒湯(おうれんげどくとう)が脳血管障害に対して有用な薬剤であると考えられているわけであるが，黄連解毒湯(おうれんげどくとう)の薬理作用を検討した基礎的研究においても，その効果が裏付けられている。

たとえば，黄連解毒湯(おうれんげどくとう)にはヒト眼球結膜の微小循環動態の改善作用や，SPECTを用いた局所脳血流量の増加作用が認められている。動物実験では，脳血流遮断後の血液再開の結果生ずる虚血脳への血流の増加作用，抗動脈硬化作用，血小板凝集抑制作用，血圧降下作用，過酸化脂質形成防御作用，脂質代謝改善作用，脳虚血によって生ずる空間認知障害の改善作用などが報告されている。

黄連解毒湯を構成する4つの生薬（黄連・黄芩・黄柏・山梔子）の薬理作用を**表1**に示したが，黄連解毒湯とその構成生薬は中枢神経系，循環器系，凝固・線溶系，脂質代謝系に対して多彩な作用を有することが明らかとなっている。実際の臨床においても，黄連解毒湯は脳血管障害の後遺症や認知症に対して応用されるだけでなく，脳血管障害を発症する以前の高血圧や脂質異常症といったリスクファクターを改善し，動脈硬化を予防するためにも活用できる方剤として位置づけられている。

【注意】

本書で言及した漢方薬・生薬の薬理作用については文献を紹介しない場合が多いが，主として『モノグラフ　生薬の薬効薬理』（鳥居塚和生，医歯薬出版），『漢方薬の薬能と薬理』（谿　忠人，南山堂），『医療における漢方・生薬学』（久保道徳，編，廣川書店），『生薬ハンドブック』（山田光胤，ツムラ）を参考にした。

表1　黄連解毒湯の構成生薬とその薬理作用

生薬	薬理作用
黄連	中枢抑制作用，鎮静作用，血圧降下作用，脂質異常症改善作用，動脈硬化予防作用，抗血栓作用，血小板凝集抑制作用，抗炎症作用など
黄芩	鎮静作用，血圧降下作用，脂質異常症改善作用，脂質過酸化反応抑制作用，粥状動脈硬化予防作用，抗凝固作用，抗炎症作用など
黄柏	中枢抑制作用，血圧降下作用，血清コレステロール低下作用，抗炎症作用など
山梔子	血圧降下作用，脂質異常症改善作用，血小板凝集抑制作用，抗凝固作用，線溶促進作用など

2 脳血管障害に対する釣藤散(ちょうとうさん)の効果

釣藤散(ちょうとうさん)の臨床疫学的エビデンス1（脳血管障害後遺症・慢性脳循環不全・高血圧症）

研究方法：ジラゼプ塩酸塩とのランダム化比較試験

対象患者：高血圧症9例，脳梗塞後遺症8例，慢性脳循環不全4例，脳卒中後遺症1例，合計22例（男性11例，女性11例，平均年齢69.5歳）

薬物投与：釣藤散(ちょうとうさん)エキス（3包/日）またはジラゼプ塩酸塩150mg（対照薬）を12週間投与

結果：血圧，精神症状と自覚症状の重症度を総合して全般改善度を評価した結果，釣藤散(ちょうとうさん)群は対照群に比べ4週後，8週後，12週後の時点で有意に優れていた。12週後の症状別改善度（頭痛，頭重，めまい，肩こり，うつ状態，不安・焦燥）と血圧改善度は釣藤散(ちょうとうさん)群が有意に優れていた

【文献】

松下　哲，他：Geriatr Med. 1995；33(10)：1333-41.

釣藤散(ちょうとうさん)の臨床疫学的エビデンス2（脳血管障害後の慢性頭痛）

研究方法：症例集積研究

対象患者：脳血管障害慢性期で，慢性の頭痛と頭重感を有する患者60例（男性28例，女性32例，年齢47～86歳）。診断の内訳は脳梗塞後遺症32例，脳出血後遺症20例，多発性脳梗塞8例

薬物投与：釣藤散(ちょうとうさん)エキス（3包/日）を6～20週間投与

結果：頭痛の頻度，頭痛の程度，鎮痛薬・精神安定薬の使用量の変化を総合した効果判定において，著明改善11.7%，改善48.3%，やや改善18.3%で，やや改善以上の有効率は78.3%であった

【文献】

木村　格，他：Geriatr Med. 1989；27(3)：445-9.

釣藤散（ちょうとうさん）の臨床疫学的エビデンス3（脳血管性認知症）

研究方法：二重盲検ランダム化比較試験

対象患者：脳血管性認知症患者139例（男性50例，女性89例，平均年齢76.6歳）。原因疾患は，脳梗塞127例，脳出血9例，くも膜下出血1例，その他2例

薬物投与：釣藤散（ちょうとうさん）エキス（3包/日）またはプラセボ（3包/日）を12週間投与

結果：自覚症状，神経症候，精神症候，日常生活動作障害の重症度と改定長谷川式簡易知能評価スケールを総合的に評価した全般改善度は，8週後と12週後の時点で釣藤散（ちょうとうさん）群がプラセボ群に比べて有意に優れていた。項目別では，自覚症状，精神症候，日常生活動作障害の全般改善度が釣藤散（ちょうとうさん）群で有意に優れていたが，神経症候の全般改善度には差がなかった。症状別改善度では，会話の自発，表情の乏しさ，計算力低下，夜間せん妄，睡眠障害，幻覚・妄想の改善において釣藤散（ちょうとうさん）群が有意に優れている評価時点がみられた

備考：会話の自発，表情の乏しさが有意に改善したという結果が，虚証の病態に適応となる釣藤散（ちょうとうさん）の特徴をよく示しているが，それと同時に，釣藤散（ちょうとうさん）には夜間せん妄，睡眠障害，幻覚・妄想といった興奮性の精神症候を改善する効果もあるということが示されている

【文献】

Terasawa K, et al：Phytomedicine. 1997；4(1)：15-22.

1. 釣藤散（ちょうとうさん）の薬理作用

以上の臨床疫学的エビデンスや多数の臨床報告から，釣藤散（ちょうとうさん）が脳血管障害に対して有用な薬剤であると考えられているわけであるが，釣藤散（ちょうとうさん）の薬理作用を検討した基礎的研究においても，その効果が裏付けられている。

Yangによると，釣藤散は脳血管障害患者の眼球結膜微小循環動態を改善する作用や，血液レオロジー因子（赤血球集合能・赤血球変形能・白血球変形能）を改善する作用を有することが認められている。また，脳卒中易発症高血圧自然発症ラット（SHR-SP）の血圧を降下する作用や血管内皮を保護する作用によって脳卒中の発症を抑制することも明らかとなった[1]。

張らは，一過性の脳虚血処置によって生ずる空間学習行動障害に対して，釣藤散とその主要生薬である釣藤鈎が予防作用を有することを報告している[2]。

釣藤散が脳血管障害の後遺症や認知症に対して臨床応用されるようになったのは最近のことである。構成生薬の薬理作用に関する基礎的研究は不十分である。主要生薬である釣藤鈎については，中枢作用として鎮静作用，中枢セロトニン受容体親和性促進作用，グルタミン酸で誘発される神経細胞壊死抑制作用，認知機能改善作用，また末梢作用としては，血管拡張作用，血圧降下作用，抗不整脈作用，心拍数減少作用，α遮断作用，カルシウム拮抗作用，自律神経遮断作用，神経・筋遮断作用などが知られている。

【文献】

1）Yang Q：J Tradition Med. 2003；20（1）：7-15.
2）張　紹輝，他：和漢医薬学雑誌. 2002；19（1）：28-36.

3 脳血管障害と高血圧に対する適応方剤

1. 脳血管障害の急性期に対する適応方剤

脳血管障害の急性期には脳梗塞と脳出血を鑑別し，脳梗塞であれば脳の血流を再開するための治療が適応となるが，脳出血では禁忌である。しかし，脳梗塞と脳出血のいずれであっても，脳浮腫が存在すればそれに対する治療が必要になってくる。壊死に陥った脳神経細胞の残骸や，細胞間質に漏出した血液中の様々な成分が炎症反応を惹起するために浮腫がみられるのである。このような脳血管障害急性期の病態に対して，漢方医学的には間質における水の停滞を改善する五苓散(ごれいさん)が良い適応となる。

木元らは，急性期脳梗塞患者14例（男性7例，女性7例，平均年齢78.0歳）を対象にした研究において，漢方薬を併用した臨床結果がJapan Standard Stroke Registry Study（JSSRS）の結果よりも良好であったと報告している[1)]。

治療の内容は，少量のアルガトロバン（10mg/日）と補液を中心とする西洋医学的治療に，五苓散(ごれいさん)を中心とする漢方治療（病態に応じて三黄瀉心湯(さんおうしゃしんとう)，柴胡桂枝湯(さいこけいしとう)，黄連解毒湯(おうれんげどくとう)，続命湯(ぞくめいとう)を併用）を追加するというものであった。神経学的改善度を入院時と退院時のJapan Stroke Scaleの変化によって検討したところ，アルガトロバンで治療したJSSRSの結果が8.1から5.4に減少していたのに対して，漢方薬を併用した木元らの結果は8.9から0.3へと著明に減少していた。主として五苓散(ごれいさん)が梗塞巣周辺に誘導される局所の水の停滞を改善することにより脳組織の保護に働きつつ梗塞巣の拡大を防ぐことが，良好な臨床結果につながったものと考えられている。

【文献】

1）木元博史：和漢医薬学雑誌．2003；20(2)：68-73.

2. 脳血管障害の慢性期に対する適応方剤

既に述べたように，脳血管障害慢性期に対してエビデンスのある漢方薬の代表は黄連解毒湯と釣藤散である。他には，**表2**に示したように八味地黄丸・真武湯・桂枝茯苓丸・当帰芍薬散などにエビデンスがあるが，黄連解毒湯や釣藤散を脳血管障害の慢性期に対する第一選択薬とすれば，これらの方剤は第二～第三選択薬に位置づけられる。

脳血管障害患者の多くは，高血圧でのぼせる傾向にあり，頭痛や頭重感を訴える。そのようないわゆる卒中タイプで実証のケースには黄連解毒湯（あるいは三黄瀉心湯）が適応となり，虚証のケースには釣藤散（あるいは七物降下湯）が適応となる。しかし，新陳代謝の低下した寒証タイプには，黄連解毒湯や釣藤散ではなく，牛車腎気丸（あるいは八味地黄丸や真武湯）が使用される。また，血液粘度や血小板凝集能が亢進した微小循環障害タイプには，桂枝茯苓丸（あるいは当帰芍薬散や桃核承気湯）を虚実に応じて使い分ける。**図1**には，ここで述べた10種類の方剤を虚実の程度によって順番に並べて示した。

表2　脳血管障害後遺症の臨床疫学的エビデンス（黄連解毒湯と釣藤散を除く）

方剤	研究デザイン	エビデンスの概要
八味地黄丸	Cross over 二重盲検法	随伴症状に対する全般改善度（軽度改善以上）は70%で有意に高かった（n=103）
真武湯	多施設症例 集積研究	全般改善度で評価した有効率（軽度改善以上）は40.0%であった（n=21）
桂枝茯苓丸	多施設症例 集積研究	全般改善度で評価した有効率（軽度改善以上）は54%であった（n=142）
当帰芍薬散	多施設症例 集積研究	全般改善度で評価した有効率（やや改善以上）は75.0%であった（n=19）

（参考図書：寺澤捷年，喜多敏明，関矢信康編:EBM漢方．第2版．医歯薬出版．2007.）

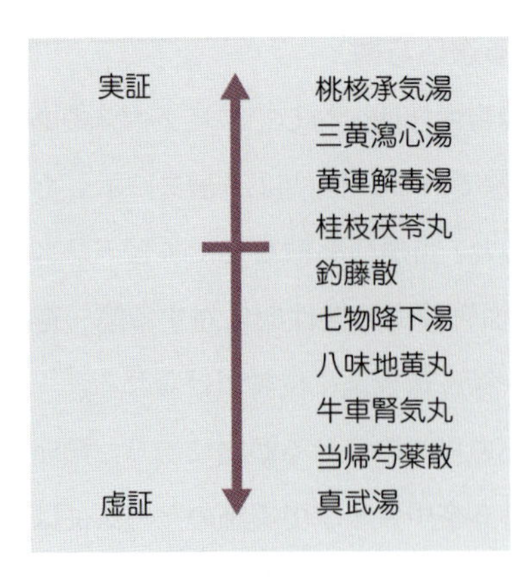

図1　脳血管障害適応方剤の虚実

3. 虚実の病態診断

虚実の病態を診断する際には，患者の全体像を大きく虚証タイプと実証タイプに分けてイメージするところから始めると良い。**表3**の上2/3には，虚証と実証それぞれのタイプをイメージするための症候を対比して示した。虚証タイプには，元気がない，体力がない，きゃしゃな体格である，声が細く小さい，眼に力がなくうつろな感じ，動作がしっかりしない，下痢しやすいといった特徴がある。一方，実証タイプには，元気がある，体力がある，がっしりした体格である，声が太く大きい，眼に力があり生き生きしている，動作がしっかりしている，便秘しやすいといった特徴がある。

しかし，虚証タイプにみえるにもかかわらず，実際の病態は実証であったり，逆に実証タイプにみえるにもかかわらず，本当の病態は虚証であったりするということも少なからずあるので，虚実の病態診断は難しいといわれる。患者が呈している本当の病態をとらえるためには，闘病反応のパターンが低反応型であるか，高反応型であるかを見きわめる必要がある。**表3**の下1/3には，闘病反応のパターンを見きわめるための症候を対比して示した。脈の力や腹力が弱く，症状も比較的弱くて

表3　虚証と実証の症候

	虚証を示唆する症候	実証を示唆する症候
タイプのイメージ	元気がない，体力がない	元気がある，体力がある
	きゃしゃな体格である	がっしりした体格である
	声が細く小さい	声が太く大きい
	眼に力がなくうつろな感じ	眼に力があり生き生きしている
	動作がしっかりしない	動作がしっかりしている
	下痢しやすい	便秘しやすい
闘病反応のパターン	脈の力が弱い・腹力が軟弱	脈の力が強い・腹力が充実
	感冒の初期に自然発汗傾向あり	感冒の初期に自然発汗傾向なし
	症状は比較的弱くて穏やか	症状は比較的強くて激しい

穏やかであれば低反応型（虚証）であると診断するが，逆に，脈の力や腹力が強く，症状も比較的強くて激しければ高反応型（実証）であると診断する。感冒のような急性熱性疾患の初期であれば，脈の力と自然発汗傾向の有無が参考になる。

平素から虚証タイプの人は，闘病反応もまた低反応型を呈する傾向が強いが，時には高反応型を呈することもある。その場合には実証に適応となる方剤を使わなければならない。また，平素から実証タイプの人は，闘病反応もまた高反応型を呈する傾向が強いが，時には低反応型を呈することもある。その場合には虚証に適応となる方剤を使わなければならない。

4. 高血圧症に対する漢方治療の実際

ここで，高血圧症に対する漢方治療について述べておきたい。なぜなら，上述の脳血管障害慢性期に適応となる方剤はすべて，高血圧症にも広く応用されているからである。

プライマリケア漢方において，高血圧症患者の血圧をコントロールする目的で使用されることが多いのは，実証の患者に適応となる三黄瀉心（さんおうしゃしん）

湯，黄連解毒湯，大柴胡湯，柴胡加竜骨牡蛎湯の4方剤である（図2）。三黄瀉心湯証（のぼせ，興奮，赤ら顔，頭痛，心下痞鞕）で便秘を認めないケースには黄連解毒湯が適応となり，大柴胡湯証（神経質，胸脇苦満）で臍上悸を認めるケースには柴胡加竜骨牡蛎湯が適応となる。これら4方剤には，高反応型の闘病反応を抑制することによって血圧を低下させる働きがある。

一方，虚証の高血圧症患者によく使われるのは，釣藤散，七物降下湯，加味逍遙散，抑肝散加陳皮半夏の4方剤である（図2）。釣藤散については既に詳しく解説したが，脳血管障害を起こしやすい三黄瀉心湯や黄連解毒湯の証と似ているところがあるが，虚証なので腹力が弱く，のぼせや興奮の程度も軽い。血虚の病態を伴うケースには釣藤散よりも七物降下湯が適応となる。一方，加味逍遙散は柴胡を含む方剤であり，大柴胡湯や柴胡加竜骨牡蛎湯と同様に神経質で胸脇苦満を認めるところが目標となるが，虚証なので腹力が弱く，胸脇苦満の程度も軽い。加味逍遙散は打ち解けるタイプに用いられることが多く，打ち解けないタイプであれば抑肝散加陳皮半夏が適応となる（打ち解けるタイプと打ち解けないタイプについては**282頁**参照）。

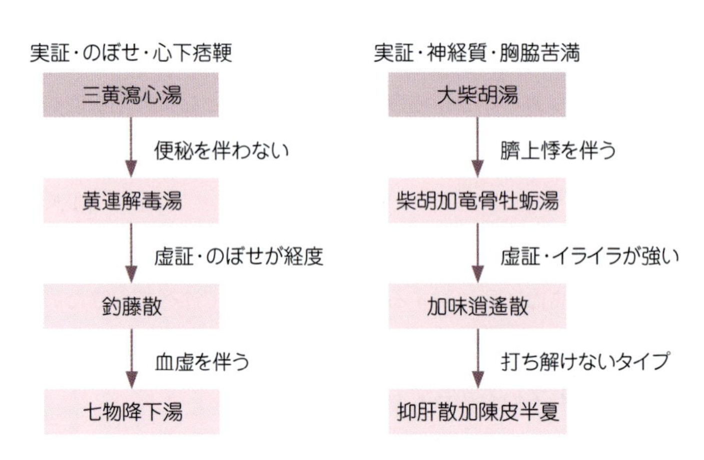

図2　高血圧症に対する漢方治療の実際

4 血流障害を改善する実証の方剤

1. 瘀血と血熱(けつねつ)の病態

人体にとって有害な物質（＝毒）は，外界から体内に吸収される場合と，体内で産生される場合とがある。食品添加物や残留農薬，重金属といった有害物質は，腸管などの粘膜表面から体内に吸収される毒であり，老廃物や活性酸素，エンドトキシンのような有害物質は，細胞や病原菌などの活動によって体内で産生される毒である。

血管内に存在する有害物質は，肝臓で解毒され，胆汁として排泄されるか，腎臓で濾過され，尿として排泄されることが多いが，一部は汗とともに皮膚表面から排泄される。血液は毒によって汚染されるプロセスと，毒を浄化するプロセスのバランスによって，その性状が常に変化しているということになる。

毒によって汚染された血液は，流動性が悪くなったり，炎症を惹起したり，活性酸素を異常産生したりするのだが，そのような病態を漢方医学的には「瘀血」や「血熱」の病態として理解している。血液の流動性の悪さや微小循環障害の病態を表す概念が瘀血であり，そこに炎症や活性酸素による熱産生を伴った病態が血熱である。

2. 虚実の病態と毒の産生

虚証と実証の症候（**表3**）を比較してみると，実証の患者のほうが毒を産生しやすい状況になっており，その結果として瘀血や血熱の病態を呈することも多い。たとえば，実証では全般的に活動性が高いので，体内における毒の産生も盛んになりやすい。また，便秘になると腸管内の有害物質が体内に吸収される可能性も高くなる。逆に虚証の患者は，毒の産生が少なく，瘀血や血熱の病態を呈することも少ないのである。

瘀血と血熱の代表的な適応方剤は，それぞれ桂枝茯苓丸(けいしぶくりょうがん)と黄連解毒湯(おうれんげどくとう)であるが，便秘を伴うより実証の患者に対しては，桂枝茯苓丸(けいしぶくりょうがん)の代わりに桃核承気湯を使用し，黄連解毒湯の代わりに三黄瀉心湯を使用したほうが良い。腸管内に停滞した内容物を排泄することによって，瘀血や血熱の病態をより速やかに改善することができるからである（桃核承気湯と三黄瀉心湯については**126頁**「生活習慣病に対する漢方治療」参照）。

3. 瘀血を改善する桂枝茯苓丸の薬理

瘀血病態の血液レオロジー的側面については寺澤らによって科学的に解明されてきた[1]。臨床的に瘀血の病態を呈する患者の血液を検査したところ，瘀血の病態が高度になるほど血液粘度が増加することが確認されたことが研究の始まりであった。次に，血液粘度に影響する要因について検討したところ，赤血球集合能が亢進し，赤血球変形能は低下していること，すなわち赤血球自体が流れにくい状態になっていることが明らかになった。また，眼球結膜微小循環観察ビデオ顕微鏡システムを導入し，瘀血患者の眼球結膜を観察したところ，生体内においても赤血球が集合しやすくなっていることが確認された。次に，代表的な駆瘀血剤である桂枝茯苓丸の作用を検討したところ，桂枝茯苓丸が瘀血患者の血液レオロジー因子（血液粘度・赤血球集合能・赤血球変形能・血小板凝集能）を総合的に改善し，眼球結膜微小循環における循環動態も改善することが示された。

Sekiyaらは，高コレステロール食で飼育した白兎の動脈硬化に対する桂枝茯苓丸の抑制作用について報告している[2]。8週間の飼育後に摘出した胸部大動脈壁の動脈硬化巣の面積は，桂枝茯苓丸投与群において非投与群に比べて有意に縮小していた。また，血清中のLDLとβ-VLDLに銅イオンを添加して生成された脂質過酸化物の量についても桂枝茯苓丸投与群において有意に減少していた。桂枝茯苓丸に含まれる桂皮，芍薬，牡丹皮のタンニン類には活性酸素消去作用が知られていることから，桂枝茯苓丸は脂質過酸化の抑制によって抗動脈硬化作用を示したものと考えられた（**下記コラム**参照）。

【文献】
1）寺澤捷年：日東洋医誌. 1998；48（4）：409-36.
2）Sekiya N, et al：Phytother Res. 1999；13（3）：192-6.

4. 血熱を改善する黄連解毒湯(おうれんげどくとう)の薬理

漢方医学的に実証の病態では，体内における毒の産生が亢進しており，肝臓における解毒反応も盛んである。しかし，血液中の有害物質を解毒する肝臓は，常に酸化ストレスの危険にさらされている。お酒を飲みすぎて肝臓を悪くするのも，アルコールを解毒する際に発生する活性酸素が原因である。アルコール性肝障害だけでなく，慢性肝炎や非アルコール性脂肪肝炎のような慢性肝疾患の進展にも，肝細胞で生じる酸化ストレスが深く関与していることがわかってきた（**87頁コラム**「肝疾患

コラム 活性酸素と血栓形成

高コレステロール血症は動脈硬化や血栓症のリスクファクターであるが，すべてのコレステロールが悪さをするわけではない。コレステロールと活性酸素が結びついて，酸化LDLのような過酸化脂質になることで，血栓ができやすい体質になるのである。酸化LDLによって血栓ができやすくなるメカニズムとしては，次のようなものが複合的に作用している。

①血管内皮細胞からの一酸化窒素（NO）産生を低下させるため，NOによる血小板凝集の抑制作用が減弱し，血栓が形成されやすくなる。

②血管内皮細胞を障害して，組織因子の発現を誘導し，誘導された組織因子は外因系血液凝固を起こし，血栓が形成される。

③血管内皮細胞に作用して，プラスミンの産生を促進する組織プラスミノゲンアクチベータの放出を抑制し，その結果，プラスミンの産生が行われず，血栓のフィブリン網が溶解されにくくなる。

と酸化ストレス」参照)。黄連解毒湯は，肝臓における酸化ストレスを軽減することによって，血液中の有害物質を解毒するという肝臓本来の働きを助けているのだと考えれば，血熱の病態を改善する黄連解毒湯の働きが理解しやすくなる。

このことを裏付けるような動物実験の結果を太田らが報告している[1)]。それによると，D-ガラクトサミン肝障害の進行に伴って増加していた肝過酸化脂質濃度が，黄連解毒湯を投与することによって抑制された。また，肝障害の発症と進行に伴うエンドトキシン関与の肝への好中球浸潤を黄連解毒湯が阻害するという結果も得られた。したがって，黄連解毒湯は従来知られていた抗酸化作用によって，肝ミクロゾームにおける脂質過酸化を直接的に阻害するだけでなく，活性酸素を産生する活性化好中球の浸潤を阻害することによって間接的に肝細胞の障害を抑制するというメカニズムも明らかとなった。

【文献】

1) 太田好次，他：和漢医薬学雑誌．2002；19(6)：223-9．

コラム 肝疾患と酸化ストレス

C型肝炎におけるコア蛋白，非アルコール性脂肪肝炎における脂肪酸代謝の亢進，アルコール性肝障害に併発するエンドトキシン血症やサイトカインの増加は酸化ストレスを増強する。こうした肝細胞で生じる酸化ストレスが，慢性肝疾患の進展に深く関与している。

C型肝炎やアルコール性肝障害などの慢性肝疾患において，肝臓内に鉄の沈着を多く認める。近年，慢性肝疾患では肝臓由来の鉄調節ホルモンヘプシジンの発現低下により，鉄の吸収が亢進する機序が推測されている。肝臓内に沈着した鉄が，慢性肝疾患における酸化ストレスを増強し，疾患の進展に関与していると推察される。

今後は，抗酸化作用を介した肝疾患治療が重要となると考えられ，新たな治療用薬物の開発も期待される。

【文献】

堀江義則，他：日本消化器病学会雑誌．2006；103(7)：789-96.

step 2

5 精神症候を改善する方剤

1. 精神症候に適応となる釣藤散(ちょうとうさん)と抑肝散(よくかんさん)

脳血管障害の後遺症や認知症において，神経症候よりも精神症候のほうが臨床的に問題となるケースが少なくない。既に述べた黄連解毒湯(おうれんげどくとう)の臨床疫学的エビデンスをみると，神経症候に対する有効率は低いが，精神症候に対する有効率は比較的高かった。黄連解毒湯(おうれんげどくとう)に限らず，神経症候よりも精神症候を改善する効果を期待できるというのが漢方薬の一般的な特徴である。

その中でも特に陽性（興奮性）の精神症候に対する効果を期待できるのが釣藤散(ちょうとうさん)と抑肝散(よくかんさん)（あるいは抑肝散加陳皮半夏(よくかんさんかちんぴはんげ)）である。釣藤散は，臨床疫学的エビデンスのある第一選択薬として推奨できる方剤であるが，認知症で問題行動がみられるケースに対しては以下に述べるように抑肝散(よくかんさん)のエビデンスも報告されている。陰性（衰退性）の精神症候に対しては，後述する寒証の方剤が適応になる。

釣藤散(ちょうとうさん)の代表的症例

症例：79歳，男性

主訴：感情の起伏が激しい

既往歴：高血圧症（60歳～内服中），糖尿病（77歳～内服中）

現病歴：3年前から終日ガンガンするような頭痛があり，神経内科で脳血管障害に伴う老人性うつ病と診断され，内服治療開始。頭痛は消失したが急に怒りっぽくなったり，ふさぎこんだり，考え込んだりと感情の起伏が激しくなった。妻に暴力を振るったりするため，子どもの配慮で2カ月前から妻と別居中。口渇があり，冷たいものを1日1リットル以上飲む。下痢しやすい。尿に勢いがない。冷えはない

現症：身長165.5cm，体重61.1kg，体温35.8℃，血圧128/74mmHg，

脈拍数68rpm。脈は虚実中間。舌は暗赤色で腫大。腹力はやや軟弱で，両側の腹直筋緊張と右臍傍の抵抗・圧痛，小腹不仁，鼓音を認める

釣藤散症例

経過：腹力がやや軟弱で，下痢傾向を認めることから虚証と診断。また，口渇・冷飲と興奮性の精神症状から熱証と診断し，釣藤散（ちょうとうさん）エキス（3包/日）を開始した。5～6日の服用で，とげとげした感じがなくなって，気持ちにゆとりが出てきた。リラックス感があり，よく眠れる。下痢はしなくなった。尿に勢いが出てきた。1カ月後には，以前よりいらつきがなくなって，家族と穏やかに話せるようになった。やる気が出てきた。その後も，精神的には穏やかで落ち着いている

抑肝散（よくかんさん）の臨床疫学的エビデンス（認知症の問題行動）

研究方法：ランダム化比較試験（盲検化）

対象患者：認知症による心理行動学的諸症状（BPSD）を有する老人性認知症患者52例。抑肝散群27例（男性13例，女性14例，平均年齢77.0歳），非投与群25例（男性11例，女性14例，平均年齢84.0歳）。病型別は，アルツハイマー病30例，脳血管性認知症9例，脳血管性障害を

伴うアルツハイマー病3例，レビー小体病10例

薬物投与：抑肝散エキス（3包/日）を12週間投与

結果：抑肝散群ではBPSDのうち幻覚，興奮・攻撃性，易刺激性，異常行動が改善し，NPIスコア*も37.9±16.1から19.5±15.6に有意に改善したが，非投与群では有意な変化を認めなかった。また，日常生活動作の指標であるBarthel indexは56.4±34.2から62.9±35.2まで有意に改善したが，非投与群では有意な変化を認めなかった。認知機能を測るMMSE（Mini-Mental State Examination）は，両群とも有意な変化を認めなかった

＊**NPIスコア**：妄想，幻覚，興奮・攻撃性，うつ，不安，多幸，無為，脱抑制，易刺激性，異常行動の10項目を，頻度と重症度によって総合的に評価するスケール

【文献】

Iwasaki K, et al：J Clin Psychiatry. 2005；66(2)：248-52.

コラム 性的逸脱行動に桂枝加竜骨牡蛎湯が有効

田原らは，療養型病床群における高齢者の性的逸脱行動に桂枝加竜骨牡蛎湯が有効であった2例を報告している。

[症例1] 71歳男性。前立腺肥大症の術後リハビリテーション目的で入院となった。入院後まもなくから自慰行動が出現し，他の女性入院患者や介護職員が不快感を訴えるようになった。桂枝加竜骨牡蛎湯を投与したところ自慰行動は消失した。

[症例2] 90歳男性。脳梗塞のリハビリテーションのために入院となった。入院後半年ほどして卑猥な言葉を言ったり，他の女性患者の体を触ったりするようになった。桂枝加竜骨牡蛎湯を投与したところ，性的逸脱行動は軽減した。

自慰，性器の露出，卑猥な言葉を話す・叫ぶ，家族や介護者に対して身体的な接触(胸，尻，性器など)をする，人目のあるところで性行為をするといった性的逸脱行動に対しては，桂枝加竜骨牡蛎湯は試みられて良い方剤であると考えられた。

【文献】

田原英一，他：日東洋医誌．2003；54(5)：957-61．

6 脳代謝を賦活する寒証の方剤

1. 附子剤の効果

高齢者の脳血管障害後遺症や認知症では，寒証の患者にしばしば遭遇する。寒証の患者は生命活動が全般的に衰退し，新陳代謝も低下しているという特徴があり，八味地黄丸や真武湯といった附子を含む方剤が適応となる。附子には，生命活動を全般的に賦活する効能があり，新陳代謝を亢進させるので，脳血管障害患者の脳代謝を賦活する効果を期待できる。実際，附子の含有アルカロイドであるアコニチンには，脳皮質におけるグルコースや酸素の消費を促進する作用があり，脳神経系の活動性を高める可能性が示唆されている。

八味地黄丸（あるいは牛車腎気丸）が適応になる患者としては，もともと高血圧や糖尿病の既往があって脳血管障害を発症し，四肢の冷えやしびれ，あるいは腰痛や神経痛を訴えるが，若い頃から胃腸の働きには問題がなく，食欲は正常で下痢をすることもないようなケースが典型的である。腹診をすると，腹力は充実している場合と軟弱な場合とがあるが，上腹部に比較して下腹部の力が衰えているのが特徴であり，これを小腹不仁という。肋骨弓の角度は比較的鈍角のことが多い。

それに対して，真武湯が適応になる患者は，若い頃から胃腸の働きが弱く，食べる量も少ない。食べ過ぎるとすぐに下痢をするので，なかなか太れない。腹診をすると，全体に軟弱無力で，小腹不仁を認めることも多いが，肋骨弓の角度が比較的鋭角であるという点が八味地黄丸や牛車腎気丸とは違うところである。

八味地黄丸の臨床疫学的エビデンス（認知症）

研究方法：二重盲検ランダム化比較試験

対象患者：認知症患者33例（男性7例，女性26例，平均年齢84.4歳）。

病型別は，アルツハイマー病3例，脳血管性障害を伴うアルツハイマー病30例

薬物投与：八味地黄丸(はちみじおうがん)エキス（3包/日）またはプラセボ（3包/日）を8週間投与

結果：八味地黄丸(はちみじおうがん)群では認知機能の指標であるMini-Mental State Examination（MMSE）が有意に改善し，日常生活動作の指標としてのBarthel index（BI）も有意に改善したが，プラセボ群ではMMSE，BIともに有意な変化を認めなかった

【文献】

Iwasaki K, et al：J Am Geriatr Soc. 2004；52(9)：1518-21.

コラム　附子(ぶし)の薬理作用

附子(ぶし)の水エキスを，体力が衰えてほとんど動かなくなった衰弱マウスに飲ませると，体温が上昇し，動きまわれるようになる。また，胃腸の運動もよく起こるようになる。

附子の薬理学的な作用メカニズムとして，①グルコースを細胞内に取り入れるシステムを活性化する，②脾臓や肝臓中の免疫担当細胞を活発にして，異物をたくさん食べるようにする，③胃酸の分泌を亢進させる，④ステロイドの分泌を増加させるといったことが知られている。このように附子は，細胞の機能や新陳代謝を活発にすることによって，身体諸臓器の働きを強めていると言える。

【参考図書】

近畿大学薬学部久保道徳研究室：成人病と漢方．三一書房，1984，p187.

2. 当帰芍薬散の効果

附子剤ではないが，脳代謝の賦活作用を期待できる寒証の方剤として，当帰芍薬散がある。当帰芍薬散は月経の異常や更年期障害といった婦人科疾患に対して頻用されてきたが，当帰芍薬散の排卵に対する研究の過程で，雌ラットの大脳皮質や海馬においてニコチン性アセチルコリン受容体量が増加することが見出された。アセチルコリン受容体はアルツハイマー病で減少することから，これを契機として当帰芍薬散の認知症に対する効果が検討されるようになり，以下のことが確認された[1)]。

当帰芍薬散は，①スコポラミンや脳虚血による空間認知障害を改善する，②老化促進モデルマウスにおける記憶学習能力を改善する，③閉経期雌ラットの大脳皮質や海馬におけるニコチン性アセチルコリン受容体量を増加させ，アセチルコリン合成酵素活性を高める，④老化による大脳皮質・海馬における神経成長因子の低下を抑制する。

【文献】

1）鳥居塚和生：漢方医．1997；21（11）：340-6.

当帰芍薬散の臨床疫学的エビデンス（認知症）

研究方法：多施設症例集積研究

対象患者：老年期認知症患者80例（男性25例，女性55例，平均年齢78.4歳）。診断の内訳は脳血管性認知症40例，アルツハイマー型認知症38例，混合型2例

薬物投与：当帰芍薬散エキス（3包/日）を12週間投与

結果：GBSによる重症度を投与前後で比較したところ，運動機能，知的機能，感情機能，精神症状，自覚症状の全般重症度が有意に改善した。全般改善度で評価した有効率（軽度改善以上）は62.5%であった。個々の項目では，着脱衣の障害，自発活動の欠如，個人的衛生管理の障害，場所・時間に関する見当識障害，最近の記憶の障害，覚醒度の障害，早

い動作の困難，放心状態，冗漫さ，注意力散漫，感情鈍麻，感情不安定，動機づけの低減などで有意に改善した

【文献】

稲永和豊，他：Prog Med. 1996；16(2)：293-300.

2 変形性膝関節症・高齢者の腰下肢痛

▶脳血管障害に対する漢方治療においては，虚実の病態によって方剤を使い分けることが重要であることを強調してきたが，本章では寒熱の病態によって方剤を使い分けることの重要性について，変形性膝関節症や高齢者の腰下肢痛に対する漢方治療を例にしながら解説してみたい。

1 変形性膝関節症に対する漢方治療の基本

1. 異病同治と同病異治

プライマリケアで問題になる運動器疾患として，腰や膝の変形性関節症，坐骨神経痛や帯状疱疹後神経痛，関節リウマチなどの慢性多関節炎，肩関節周囲炎，腱鞘炎，骨粗鬆症，肩や腰背部のこりや筋肉痛，こむら返りなどをあげることができる。疾患によって西洋医学的な病態は多様であるが，漢方医学的には，たとえば桂枝加朮附湯(けいしかじゅつぶとう)といった単一の方剤で運動器疾患に幅広く対応できる。これを「異病同治(いびょうどうち)」と言う。逆に，西洋医学的には，たとえば変形性膝関節症という単一の疾患であっても，寒熱の病態が違えばまったく異なる漢方薬を使うことになる。これを「同病異治(どうびょういち)」と言う（**図1**）。

2. 変形性膝関節症の2例

以前，同じように膝の関節が痛いということで2人の患者が来院した。1人は60歳代の女性で，寒い季節になると毎年のように膝が痛くなるのだが，風呂に入ると楽になるので1日に何回も風呂に入っていた。膝には水がたまっていないし，触っても熱くないのだが，足先が非

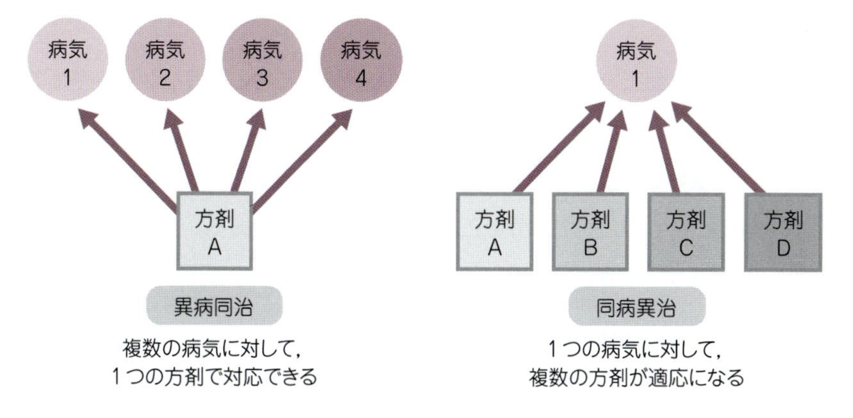

図1　異病同治と同病異治

常に冷たいことから，冷えの強い状態であることがわかった。もう1人は40歳代の女性で，若い頃にスポーツをやりすぎて膝を痛めたことがあったのだが，最近になって膝に水がたまってきて，歩くのも痛くて辛い状態であった。膝に触ると熱く感じ，炎症の強いことがわかった。

冷えの強い60歳代の患者は「桂枝加朮附湯（けいしかじゅつぶとう）」で膝の痛みと足先の冷えがよくなり，炎症の強い40歳代の患者は「越婢加朮湯（えっぴかじゅつとう）」で膝の痛みと腫れがよくなった。同じように膝の関節痛であっても，冷えによって悪くなっている場合と炎症によって悪くなっている場合があって，それぞれ使う漢方薬が違う（同病異治）。漢方薬は1人ひとりの身体の状態に合わせて選ぶので，冷えが強い寒証タイプか，炎症が強い熱証タイプかを見分けるために，患者からいろいろな話を聞いたり，脈や舌や腹を詳しく診察したりする必要がある。

3. 寒証と熱証の鑑別

寒証を示唆する症候と，熱証を示唆する症候を**表1**にまとめたが，痛みを伴う疾患において重要な症候は，温めると症状が軽減するのか，それとも冷やすと症状が軽減するのかという点である。筆者は，「お風呂に入って温まると痛みが楽になりますか」という質問を必ずするようにしている。

寒証と熱証を鑑別する際に，舌診の所見も非常に参考になる。寒証では舌の色が淡白で，赤味が薄くなっているのに対して，熱証では舌の赤味が濃いという違いがみられる。舌の色を観察するときのポイントは，なるべく舌の辺縁の部分で色調を診断することである。舌の中央部には苔が被っているので，舌自体の色調が不明瞭なためである。

表1　寒証と熱証の症候

寒証を示唆する症候	熱証を示唆する症候
寒がりで，厚着を好む	暑がりで，薄着を好む
電気毛布など温熱刺激を好む	クーラーなど寒冷刺激を好む
口渇はないが温かい湯茶を好む	口渇あり，冷水を好んで多飲
顔面が蒼白	顔面が紅潮，眼球の充血
四肢や腰背部に冷感を認める	関節などの局所に熱感を認める
低体温（36.2℃以下）傾向	高体温（36.7℃以上）傾向
舌の赤味が淡い，舌苔が湿潤・白色	舌の赤味が濃い，舌苔が乾燥・黄色
徐脈傾向	頻脈傾向
温めると症状が軽減する	冷やすと症状が軽減する

コラム　舌診による虚実と寒熱の診断

虚実の診断に参考となるのは，舌苔の厚さである。苔を形成するのは剥離した上皮細胞や分泌物などであり，闘病反応の程度が強い実証の病態では厚くなり，闘病反応の程度が弱い虚証の病態では薄いのが原則である。

寒熱の診断に参考となるのは，舌質と舌苔の色調と湿潤度である。舌質の赤味が淡いほど寒証，赤味が濃いほど熱証の病態を示唆する。また，寒の病態では舌苔が湿潤して白いのに対して，熱の病態が強くなるにつれて舌苔が乾燥し，色調も黄白色から黄色に変化する。

2 変形性膝関節症に対する漢方治療の実際

1. 同病異治における方剤選択の実際

1つの病気に対して複数の方剤が適応になる場合，どのようにして方剤を選択すれば良いのであろうか。プライマリケア漢方では次の①～④の段階を順番に昇っていくのが無理のない方法であると考えている。

①その病気や疾患に対する第一選択薬を処方する。

②エビデンスのある方剤の中から，エビデンスのレベルの高い方剤を選択する。

③エビデンスのある方剤の中から，証を考慮して選択する。

④エビデンスのない方剤も幅広く考慮し，証を重視して選択する。

2. 変形性膝関節症における方剤選択の実際

変形性膝関節症に対する方剤選択の実際を示すと以下のようになる(**表2**)。

①第一選択薬は防已黄耆湯(ぼういおうぎとう)である。

②エビデンスのレベルの高い方剤は，防已黄耆湯(ぼういおうぎとう)と附子末(ぶしまつ)の併用である。

③エビデンスのある方剤の中から証を考慮して選択する際には，熱

表2 変形性膝関節症の方剤選択の実際

1. 第一選択薬	防已黄耆湯
2. エビデンス	防已黄耆湯+附子末
3. 熱証（関節腫脹・熱感）	越婢加朮湯
4. 寒証（入浴すると軽減）	桂枝加朮附湯
5. 寒証+腫脹	桂枝加朮附湯+防已黄耆湯
寒証+熱証	桂枝加朮附湯+越婢加朮湯
⇩	
6. 血虚（動き始めが痛い）：組織破壊と血流障害	薏苡仁湯・疎経活血湯・大防風湯

証に対して越婢加朮湯を用いる。

④エビデンスのない方剤も考慮し，証を重視して選択する際には，寒証に対して桂枝加朮附湯を用いる。

⑤また，寒証で腫脹を伴うケースでは，桂枝加朮附湯と防已黄耆湯を併用し，寒証と熱証が併存するケースでは，桂枝加朮附湯と越婢加朮湯を併用することもある。

⑥さらに，組織破壊と血流障害を特徴とする血虚の病態を呈するケースに対しては，薏苡仁湯，疎経活血湯，大防風湯を寒熱の病態を参考にしながら使い分けると良い。

防已黄耆湯・附子末併用の臨床疫学的エビデンス

研究方法：非ステロイド抗炎症薬とのランダム化比較試験

対象患者：膝関節痛を伴う膝腫脹のある変形性膝関節症患者150例（男性9例，女性141例，年齢は35～75歳）。乱数表で以下の3群（A～C群）に振り分けた

薬物投与：A群（50例）には防已黄耆湯エキス（0.125g/kg/日）＋修治附子末（15mg/kg/日），C群（50例）にはアルミノプロフェン（600mg/日），B群（50例）には3剤を併用し，分3で空腹時に1年間投与（脱落あり）

結果：1年間持続内服治療症例における有効以上症例数は，A群で49例中43例（87.8％），B群で31例中23例（74.2％），C群で21例中9例（42.9％）であり，A群の有効率はB群およびC群よりも有意に高かった

参考：本研究の対象患者は全例が「かえる腹」腹証であった。「かえる腹」腹証とは，色白でぽっちゃりとした腹部で，ちょうど蛙を仰向けにしたときの腹に似ており，腹力は軟，左右の腹直筋の緊張を認めず，腹部動悸，臍傍圧痛のほかには特に腹証のないもの

【文献】

西澤芳男，他：痛みと漢方．1998；8：17-32.

越婢加朮湯の臨床疫学的エビデンス

研究方法：証を考慮した症例集積研究

対象患者：比較的実証で，膝関節に熱感，腫脹，圧痛を認める変形性膝関節症患者30例（男性9例，女性21例，年齢43～64歳）

薬物投与：越婢加朮湯エキス（3包/日）を8週間投与。3週後に無効の場合には6包/日に増量した

結果：8週間3包/日で継続した12例中1例と，3週後より6包/日に増量した18例中3例は副作用のため途中で投与を中止。内訳は，胃腸障害3例，不眠1例。残りの26例で8週後の治療効果を評価したところ，疼痛・歩行能と腫脹の項目で有意な改善が認められ，日本整形外科学会変形性膝関節症治療成績判定基準（一部改変）の合計点数も60.3±13.6から67.1±13.6へと有意に改善した。関節液検査では，8週後に白血球数と多核球数，カタラーゼ活性が有意に低下した

【文献】

杉山誠一：日東洋医誌．1997；48(3)：319-25．

桂枝加朮附湯と防已黄耆湯を併用した症例

症例：72歳，女性，主婦

主訴：右膝関節の腫脹と疼痛

現病歴：2カ月前に四肢関節に腫脹と疼痛が出現。近医内科受診，血液検査には異常なく，非ステロイド抗炎症薬を処方された。10日間で症状はやや軽減したが，右膝関節の腫脹と疼痛が持続し，胃の調子も悪くなってきた。右膝関節の痛みは入浴すると軽減する。気力がない，疲れやすい，食欲がない，寝付きが悪い。集中力の低下，目の疲れ，寒気，手足の冷えがある。夜間尿が1回，便通3～4日に1回

現症：身長153.0cm，体重47.0kg，体温36.2℃，血圧110/60mmHg，

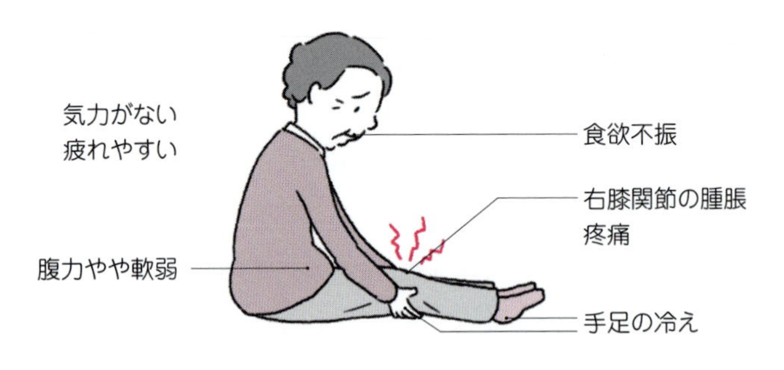

桂枝加朮附湯・防已黄耆湯併用症例

脈拍数84rpm

経過：入浴すると右膝関節の痛みが軽減し，ふだんから寒気や手足の冷えを自覚していること，淡白な舌の色から寒証と診断した。また，気力がない，疲れやすい，食欲がない，腹力やや軟弱といった症候から虚証と診断した。桂枝加朮附湯（けいしかじゅつぶとう）エキス（3包/日）を開始して2週間後には胃の調子は良くなったが，右膝関節の腫脹と疼痛は不変。そこで，防已黄耆湯（ぼういおうぎとう）エキス（3包/日）を追加したところ，1カ月で右膝関節の腫脹と疼痛は軽減し，抗炎症薬の使用量が減少した。3カ月後には抗炎症薬を中止したが，右膝関節の症状は消失している

備考：桂枝加朮附湯（けいしかじゅつぶとう）で効果が不十分な症例に対しては，以下のように対応すると良い

①関節の腫脹が強い場合には，防已黄耆湯（ぼういおうぎとう）を併用する

②関節の熱感が強い場合には，越婢加朮湯（えっぴかじゅつとう）を併用する

③冷えが強い場合には，附子末（ぶしまつ）を追加する

疎経活血湯（そけいかっけつとう）の代表的症例

症例：85歳，女性

主訴：両膝関節痛

現病歴：4カ月前より両膝関節痛が出現。T病院外科にて変形性膝関節症

と診断され，理学療法を受けているが歩行時の痛みが持続し，100m歩くと姿勢が悪くなる。唾液が出にくい，口が乾く，皮膚がカサカサする，目のまわりがどす黒い，青あざを作りやすい。食欲正常，便通1日1回

現症：身長153.0cm，体重60.0kg，体温36.6℃，血圧142/70mmHg，脈拍数78rpm。脈はやや弱い。舌は暗赤色で，微白苔。腹力やや軟弱で，両側腹直筋緊張と両側臍傍圧痛を認める

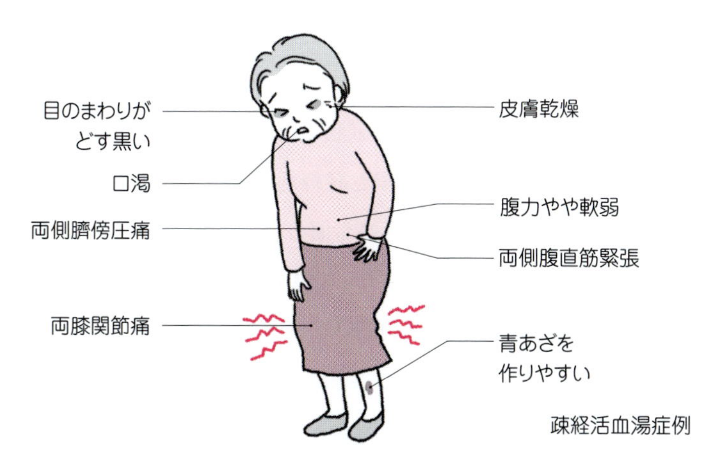

疎経活血湯症例

経過：唾液が出にくい，口が乾く，皮膚がカサカサするといった血虚の症候と，目のまわりがどす黒い，青あざを作りやすい，舌は暗赤色，両側臍傍圧痛といった瘀血の症候が中心で，冷えはなかった。そこで，疎経活血湯エキス(3包/日)を開始したところ，1カ月後には痛みはまだあるが，以前よりも歩きやすくなった。3カ月後には両膝の関節痛が消失した。10カ月後の時点でも両膝関節痛は軽快していたが，歩行時に膝がガクガクと動揺すると訴えたため，大防風湯エキス(3包/日)に変更したところ，3カ月で膝は動揺せず歩きやすくなったため，さらに1カ月継続して廃薬とした

備考：疎経活血湯は瘀血による腰下肢痛に良い適応となる方剤である。大防風湯は痛みよりも筋肉の萎縮や筋力の低下が目標となる

3 変形性膝関節症の適応方剤のまとめ

1．構成生薬からみた方剤の効果

証を考慮した変形性膝関節症の漢方治療について図2に整理して示したが，ここで示した6方剤の使い分けは，膝以外の関節痛や神経痛の治療においても応用可能である。

麻黄と朮を含む越婢加朮湯と薏苡仁湯は，膝関節痛に熱感と腫脹を伴う熱証の病態に適応となり，附子と朮を含む桂枝加朮附湯と大防風湯は，膝関節痛に熱感や腫脹を伴わない寒証の病態に適応となる。防已と朮を含む防已黄耆湯と疎経活血湯は，熱感はないが腫脹を伴う膝関節痛で，熱証にも寒証にも偏らない病態に適応となる。

以下，麻黄・防已・附子・朮の薬理作用を通して，それぞれの生薬を含有する各方剤の作用の違いについて考察してみたい。

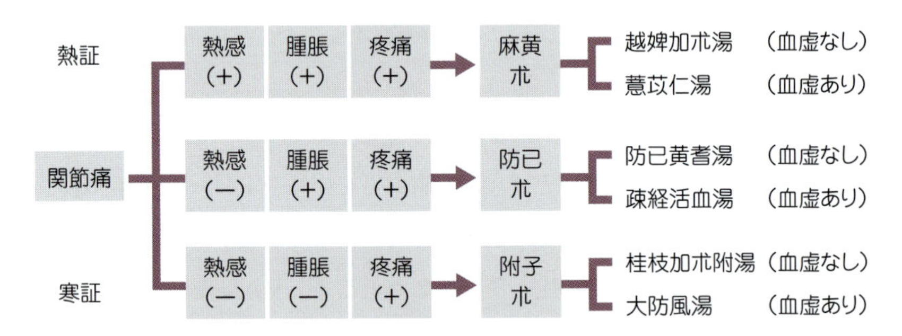

図2　証を考慮した変形性膝関節症の漢方治療

2. 麻黄の薬理作用

麻黄の主成分であるエフェドリンとプソイドエフェドリンには強い抗炎症作用があり，デキストランおよびカラゲニンによるラット足蹠浮腫に対する抑制作用や，酢酸によるマウス腹膜炎やアジュバント関節炎に対する抑制作用が報告されている。また，麻黄の煎液は，ESR-スピントラップ法により強いSOD活性を示した。

しかし，麻黄が鎮痛作用を示すという報告はなく，麻黄を含む方剤（越婢加朮湯や薏苡仁湯）によって得られる鎮痛効果は，炎症を強く抑制したことによる二次的なものであろうと考えられる。

3. 附子の薬理作用

附子の主成分であるアコニチン系アルカロイドには強力な鎮痛作用があり，その強さはメサコニチン＞アコニチン＞ヒパコニチンの順である。メサコニチンはドーパミンを介して中枢性の鎮痛作用を示すことがわかっているが，反復寒冷ストレス負荷試験とアジュバント関節炎試験において，モルヒネより強い鎮痛作用を示した。

また，アコニチン系アルカロイドには抗炎症作用も認められており，カラゲニンによるラット足蹠浮腫に対する抑制作用などが報告されている。しかし，附子には闘病反応を全般的に活性化する効能があるために，熱感を伴うような炎症性の疼痛には附子を含む方剤（桂枝加朮附湯や大防風湯）を注意して用いる必要がある。

上述の麻黄の薬理作用との違いを考慮すると，両者を併用することによって抗炎症効果と鎮痛効果をバランスよく得られることが期待できる。実際の臨床においても，越婢加朮湯に附子を加えたり，越婢加朮湯と桂枝加朮附湯を併用したりすることは意外に多いものである。

4. 防已の薬理作用

次に，防已とその主成分であるシノメニンの抗炎症作用と鎮痛作用について紹介する。防已には炎症初期の血管透過性を強く抑制する作用が認められており，炎症性の浮腫に対しては効果を期待できそうである。また，アジュバント関節炎においてシノメニンは全身性の二次炎症を有意に抑制したが，一次炎症に対しては無効であった。一方，シノメニンをマウスに皮下投与すると持続性の鎮痛効果がみられた。

しかし，防已の抗炎症作用は麻黄に比べると弱く，鎮痛作用は附子に比べると弱いので，防已を含む方剤（防已黄耆湯や疎経活血湯）を単独で使用して効果が弱い場合には，麻黄剤や附子剤を併用することを考慮したほうがよさそうである。実際の臨床では，麻黄剤や附子剤を主にしながら，防已黄耆湯や疎経活血湯を併用することが多い。

5. 朮の薬理作用

朮には蒼朮と白朮の二種類があるが，酢酸writhing法を用いた動物実験でいずれも鎮痛作用を示さなかった。抗炎症作用を検討した実験では，白朮に血管透過性亢進の抑制作用やアジュバント関節炎抑制作用がみられたが，蒼朮には効果がなかった。しかし，カラゲニン空気嚢炎症モデルにおいて，蒼朮は単独では効果が弱いが，麻黄と併せると相乗的な抗炎症作用を示した。したがって，朮そのものに抗炎症作用を期待するときには白朮を用い，他の生薬との相乗効果を期待するときには蒼朮を用いると良いのではないかと考えられる。

また，朮の漢方的な効能として利水作用と補気作用があるが，蒼朮は利水作用に優れ，白朮は補気作用に優れているとされている。したがって，炎症による腫脹（細胞間質液の停滞）を改善することを目的に朮を使用する際には，利水作用に優れた蒼朮を用いるほうが良いという考え方もある。

4 高齢者の腰下肢痛に対する漢方治療

1. 高齢者の特徴

一般に，加齢とともに身体運動機能は徐々に低下していくものである。身体運動機能の低下は非常に個人差が大きいが，腰下肢痛のためにQOL（生活の質）が低下している高齢者は少なくない。高齢者の腰下肢痛を漢方薬で治療する際には，以下に整理して示したような高齢者の特徴を考慮することが重要である[1)]。

①1人が複数の臓器の疾患に罹患していることが多い。

②個体差がきわめて大である。

③自覚症状はあるが，他覚的所見に乏しく，診断がつかない症例がしばしばある。

④生体防御力が低下しており，感染症や悪性腫瘍に罹患しやすい。

⑤生理機能および予備能力，生体恒常性維持能力が低下している。

漢方医学は加齢に伴う生体防御力，生理機能および予備能力，生体恒常性維持能力の低下を虚証の病態，特に腎虚の病態として理解している。腎虚の病態に適応となる代表的な方剤が八味地黄丸（はちみじおうがん）と牛車腎気丸（ごしゃじんきがん）であり，高齢者の腰下肢痛に対して最もよく使われている。

【文献】

1）折茂　肇，他：高齢者のための漢方薬ベストチョイス．医学書院，1999，p1–6．

八味地黄丸（はちみじおうがん）の臨床疫学的エビデンス

研究方法：非ステロイド抗炎症薬とのランダム化比較試験

対象患者：腰背痛に加えて下肢放散痛や下肢神経痛症状を伴うか，間欠性跛行を伴い，腰椎X線像で診断された腰部脊柱管狭窄症患者27例。実薬群（19例）は男性1例，女性18例，平均年齢65.0歳。対照群（8例）は男性2例，女性6例，平均年齢64.3歳

薬物投与：実薬群には八味地黄丸(はちみじおうがん)エキス(7.5g/日)，対照群にはプロピオン酸(7.5g/日)を8週間投与

結果：実薬群の最終全般改善度は，著明改善57.9%，改善10.5%，軽度改善10.5%，不変15.8%，悪化5.3%であり，対照群の不変25.0%，悪化75.0%に比べて有意に優れていた。自覚症状の項目別で有意に優れていたのは，腰痛，腰部運動痛，下肢つっぱり感，しびれ感，陰部灼熱感，冷感，腰背筋緊張，下肢知覚障害であった。また，実薬群において間欠性跛行発現までの時間と前屈による指尖床面間距離が有意に改善した

【文献】

林　泰史, 他：Geriatr Med. 1994；32(5)：585-91.

八味地黄丸(はちみじおうがん)の代表的症例

症例：69歳，女性，主婦

主訴：腰痛

現病歴：2カ月前に草むしりをして腰痛が出現。近医整形外科にて変形性腰椎症，腰椎すべり症と診断され，非ステロイド抗炎症薬の坐薬を処方された。坐薬を使っても痛みは軽減せず，夜も眠れないが，入浴すると少し楽になる。疲れやすい，風邪をひきやすい。足先の冷え，耳鳴がある。夜間尿2～3回，便通1日1回

現症：身長145.0cm，体重46.0kg，体温35.4℃，血圧130/80mmHg，脈拍数76rpm。脈は弱。舌は正常紅で，乾湿中等度の白黄苔。腹力やや軟弱で，小腹不仁が著明

経過：入浴すると腰痛が楽になり，足先が冷えることから寒証，疲れやすくて，脈と腹の力が弱いことから虚証と診断。さらに，腰痛，耳鳴，夜間尿，小腹不仁を認めることから腎虚の病態と診断し，八味地黄丸(はちみじおうがん)エキス(3包/日)を処方した。1カ月で腰痛が軽減し旅行にも行けるよう

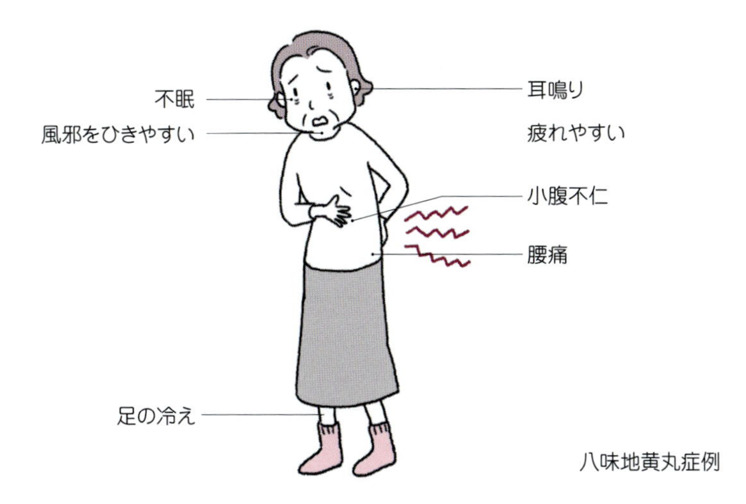

八味地黄丸症例

になったが，立ち仕事が多いと痛くなる。2カ月後には腰痛は軽快し，その後1年間は調子が良かった。翌年の夏にクーラーのために腰痛が再燃したが，附子末(ぶしまつ)（1.0g/日）を追加して1カ月で軽減，耳鳴も気にならなくなった

牛車腎気丸(ごしゃじんきがん)の臨床疫学的エビデンス

研究方法：ビタミンB_1誘導体製剤（ベンフォチアミン）とのクロスオーバー比較試験

対象患者：6カ月以上の腰下肢痛を主訴とする60歳以上の腰椎変性疾患（変形性腰椎症，腰部脊柱管狭窄症）20例。牛車腎気丸(ごしゃじんきがん)投与後にベンフォチアミンを投与する1群（10例）と，ベンフォチアミン投与後に牛車腎気丸(ごしゃじんきがん)を投与する2群（10例）に分けた。1群は男性4例，女性6例で，平均年齢は75.0±5.9歳。2群は男性4例，女性6例で，平均年齢は74.8±5.9歳

薬物投与：牛車腎気丸(ごしゃじんきがん)エキス（3包/日）の4週間投与と，ベンフォチアミン（75mg/日）の4週間投与をクロスオーバー

結果：自覚症状（安静時腰痛，体動時腰痛，下肢のしびれ感）がベンフォ

チアミン投与後に比べ，牛車腎気丸(ごしゃじんきがん)投与後に有意に改善した

参考：牛車腎気丸(ごしゃじんきがん)の適応としてエビデンスがあるのは，腰部変形性背椎症による神経根症・骨粗鬆症・糖尿病性神経障害・肝硬変に伴う腓腹筋痙攣・男性不妊症・老齢者排尿障害・老人性皮膚瘙痒症・耳鳴などである

【文献】

関根利佳, 他：痛みと漢方. 2003；13：84-7.

牛車腎気丸(ごしゃじんきがん)の代表的症例

症例：75歳，女性

主訴：右腰下肢の疼痛としびれ

現病歴：10年以前から腰痛を自覚していたが，本年3月上旬に右腰下肢痛としびれが出現。4月上旬，外科にて変形性腰椎症，坐骨神経痛と診断され，非ステロイド抗炎症薬を処方された。しかし，痛みは軽減せず，100m歩くと痛みで休むようになったため6月に初診。痛みは入浴すると楽になる，冬は電気毛布を使う，こむら返りしやすい，足がほてる，早朝覚醒，夜間尿2回，便通1日1回，食欲正常

現症：身長155.0cm，体重62.0kg，体温35.8℃，血圧130/80mmHg，脈拍数74rpm。脈は弱い。舌は腫大し，歯痕あり。腹力やや軟弱，両側臍傍圧痛と小腹不仁を認める

経過：足はほてるが，痛みは入浴すると楽になることから寒証と診断。さらに，脈・腹の力は弱く，夜間尿があり，小腹不仁を認めたことから腎虚の病態と診断。牛車腎気丸(ごしゃじんきがん)エキス（3包/日）を処方したところ，1カ月後には300m歩けるようになり，こむら返りも減った。2カ月後には病院から家まで20分の距離を休まずに歩いて帰れた。5カ月後には腰下肢痛はほぼ消失し，長時間立っていると腰痛が少し出現するのみとなった

参考：八味地黄丸(はちみじおうがん)に牛膝(ごしつ)と車前子(しゃぜんし)の二味を加えたものが牛車腎気丸(ごしゃじんきがん)であ

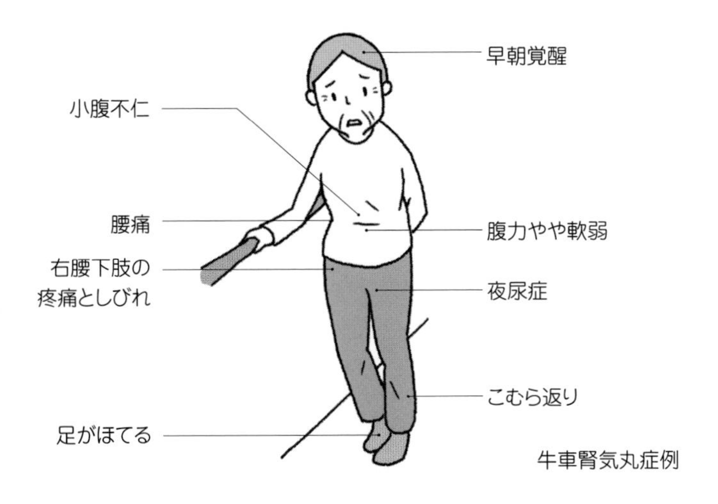

牛車腎気丸症例

るが，牛膝(ごしつ)は瘀血を改善し，車前子(しゃぜんし)は水滞を改善する生薬である。本症例では，両側臍傍圧痛の所見から瘀血の存在が，舌の腫大・歯痕の所見から水滞の存在がそれぞれ示唆されたため，八味地黄丸(はちみじおうがん)ではなく牛車腎気丸(ごしゃじんきがん)を選択した

当帰四逆加呉茱萸生姜湯(とうきしぎゃくかごしゅゆしょうきょうとう)の代表的症例

症例：72歳，女性

主訴：右腰臀部～大腿部痛

現病歴：1年前に右腰臀部大腿にかけて疼痛が出現。外科にて骨粗鬆症，腰椎圧迫骨折(L2・L4・L5)，坐骨神経痛と診断され，非ステロイド抗炎症薬を処方された。また，食欲不振，体重減少を認めたため，補中益気湯(ほちゅうえっきとう)エキス(3包/日)を追加処方され，理学療法も受けたが痛みは一進一退であった。痛みは入浴すると楽になる，足が冷える，腰から上に汗をかきやすい，夜間尿3回

現症：身長150.0cm，体重42.0kg，体温36.3℃，血圧132/70mmHg，脈拍数76rpm。脈は弱く小さい。舌は暗赤色。腹力は軟弱，左臍傍圧

当帰四逆加呉茱萸生姜湯症例

痛を認め，小腹不仁が著明

経過：足が冷えて，痛みは入浴すると楽になることから寒証と診断。さらに，脈・腹の力は弱く，夜間尿があり，小腹不仁を認めたことから腎虚証の病態と診断。前医の補中益気湯エキスを牛車腎気丸エキス（3包/日）に変更したところ，2週間後には足の冷えが軽減し，夜間尿も1回に減った。そこでさらに1カ月間継続したが，痛みは不変で，上半身の発汗が増えてきた。上熱下寒で附子剤が合わないと判断し，当帰四逆加呉茱萸生姜湯エキス（3包/日）に変更したところ，1カ月後には痛みが軽減し，3カ月でほぼ軽快した

2. 高齢者の腰下肢痛に対する漢方治療の実際

高齢の運動器疾患患者は大抵，クーラーが嫌いで，風呂や温泉が好きである。なぜなら，クーラーなどの寒冷刺激によって表在性の末梢血管が収縮し，局所の循環血液量が減少すると痛みが増悪することが多く，逆に，入浴などで身体を温めるようにすると痛みが軽減することが多いからである。

プライマリケアでよく遭遇する高齢者の腰下肢痛もまた冷えによって増悪し，入浴で改善することから，附子を含む方剤（八味地黄丸・牛車腎気丸・桂枝加朮附湯・桂枝芍薬知母湯・大防風湯など）をうまく使い分けることが漢方治療の基本になる。附子剤の次によく使われるの

が，当帰を含む方剤（当帰四逆加呉茱萸生姜湯・五積散・疎経活血湯など）である。これらの方剤を用いた高齢者の腰下肢痛に対する漢方治療の実際をフローチャートにまとめて**図3**に示した。

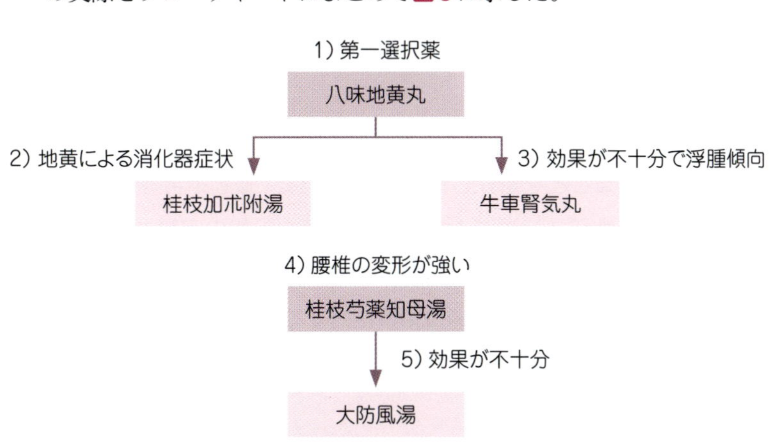

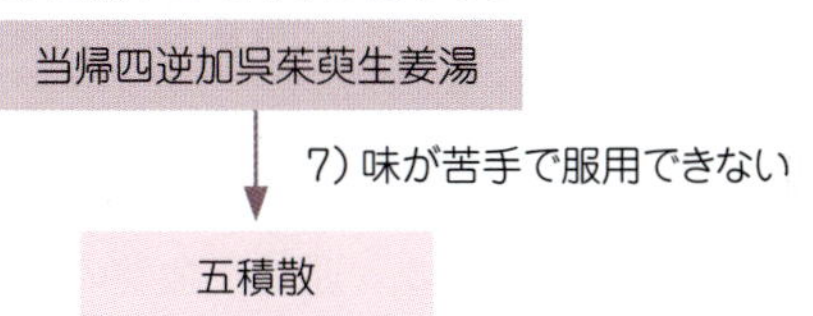

8）瘀血（血流障害）が顕著

疎経活血湯

図3　高齢者の腰下肢痛に対する漢方治療の実際

1）高齢者の腰下肢痛に対する第一選択薬は八味地黄丸である。
2）八味地黄丸に含まれている地黄で消化器症状のような副作用が出る患者に対しては，桂枝加朮附湯を使うと良い。
3）八味地黄丸を投与して効果が不十分で，浮腫傾向を認める場合には牛車腎気丸に変更する。
4）腰椎の変形が強いケースでは，桂枝芍薬知母湯が良い適応になる。
5）桂枝芍薬知母湯を投与して効果が不十分であれば，大防風湯を投与すると良い。
6）上熱下寒の傾向のある患者は，附子剤を服用すると動悸やのぼせといった症状が出現しやすいので，当帰四逆加呉茱萸生姜湯が第一選択薬となる。
7）当帰四逆加呉茱萸生姜湯の味が苦手で服用できない患者には五積散を使うと良い。
8）冷えはそれほど強くないが，瘀血（血流障害）が顕著な患者には疎経活血湯が適応となる。

3 機能性ディスペプシア・便秘・生活習慣病

- step1では，六君子湯が機能性ディスペプシアの第一選択薬であることを紹介したが，本章では，運動不全型や逆流症状型機能性ディスペプシアに対する漢方治療の実際を紹介しながら，寒熱の病態についてさらに理解を深めるようにしたい。
- また，便秘や生活習慣病に対する漢方治療においては，瀉下剤の使い方を紹介しながら，虚実の病態バリエーションについても復習したい。

1 機能性ディスペプシアに対する漢方治療

1．運動不全型に対する漢方治療

step1で述べたように，運動不全型の機能性ディスペプシアに対する漢方治療において第一選択薬となるのは六君子湯である。また，六君子湯は，食欲不振・胃もたれのような運動不全型に典型的な症状だけでなく，胸焼け，げっぷのような逆流型の症状に対しても効果がある。これは，六君子湯によって胃運動機能が改善すれば，その結果として胃酸の逆流も起こしにくくなるためだと考えられる。

六君子湯と鑑別すべき漢方薬として知っておきたいのが，半夏瀉心湯と人参湯の２方剤である。半夏瀉心湯は六君子湯よりも熱証の病態に適応となる方剤であり，胸焼け，げっぷのような逆流型の症状が強いという特徴がある。一方，人参湯は六君子湯よりも寒証の病態に適応となる方剤であり，冷え・倦怠感・やせ・下痢の程度が強いという特徴がある。

step1では，熱証や寒証の病態については考慮せずに，六君子湯を使ってみることを推奨した。その結果，六君子湯(りっくんしとう)が無効であった食欲不振の患者の中には，半夏瀉心湯(はんげしゃしんとう)が適応となる熱証の患者や，人参湯(にんじんとう)が適応となる寒証の患者が含まれている。

以下に述べる六君子湯(りっくんしとう)が無効であった2症例を参考にしながら半夏瀉心湯(はんげしゃしんとう)あるいは人参湯(にんじんとう)を使い分けると良い。

六君子湯(りっくんしとう)の無効症例1（熱証）

症例：42歳，男性

主訴：食欲がない，胸焼け，下痢しやすい

現病歴：2カ月前から食欲がなくて，胸焼けと下痢が続いている。市販の胃薬を服用すると一時的にすっきりする。仕事の付き合いが忙しく，生活は不規則である

経過：六君子湯(りっくんしとう)エキス（3包/日）を4週間投与したが効果はなかった。よく診察してみると，舌質の赤色調が強く，舌苔は黄色い。胃内視鏡検査では，軽度の発赤とびらんを認めた。そこで，半夏瀉心湯(はんげしゃしんとう)エキス（3包/日）に変更したところ，胸焼けと食欲不振が良くなって，下痢もしにくくなってきた

六君子湯(りっくんしとう)の無効症例2（寒証）

症例：68歳，女性

主訴：食欲がない，体重減少

現病歴：4～5年前から食欲がなくて，体重も減ってきた（身長152cm，体重40kg）。毎年，人間ドックを受けているが，血液検査や上部消化管内視鏡検査には異常がない

経過：六君子湯(りっくんしとう)エキス（3包/日）を4週間投与したが効果はなかった。よく話を聞いてみると，「若い頃から冷え症で手足が冷たい。冷たいも

のを飲食すると下痢するので温かいものしか摂取していない」と言う。そこで，人参湯エキス（3包/日）に変更したところ，冷えと食欲不振が良くなって，体重も少しずつ増えてきた

2. 逆流症状型に対する漢方治療

胃酸の分泌が多いために心窩部の痛みや胸焼けを自覚する逆流タイプには，黄連解毒湯と三黄瀉心湯が適応になる。黄連解毒湯については**2-1**でも詳しく紹介したように，実証の脳血管障害に対して第一選択薬となる方剤である。しかし黄連解毒湯は脳神経疾患だけではなく，急性胃炎，慢性胃炎の急性増悪期，消化性潰瘍といった消化器疾患や，炎症性の皮膚疾患などに対しても幅広く臨床疫学的エビデンスのある方剤である（**表1**）。

黄連解毒湯と三黄瀉心湯の鑑別は，便秘の有無を目標にするとよい。三黄瀉心湯については大黄を含むところに特徴がある。大黄については**120頁**の瀉下剤の解説でも述べる。黄連解毒湯と三黄瀉心湯の両方剤に共通して含まれる黄連には，胃液の分泌を抑制し，胃粘膜を防御する作用や抗潰瘍作用が認められており，粘膜表面に異常を認めない機能性ディスペプシアの逆流症状型だけでなく，びらんや発赤・出血などの炎症所見のある逆流性食道炎に対しても効果が期待できる。

3. 半夏瀉心湯の構成生薬と適応病態

step1の**9頁**で述べたように，胃内視鏡検査で発赤・びらんなどの急性炎症所見を有する急性胃炎もしくは慢性胃炎の急性増悪期の患者に対して，半夏瀉心湯は心窩部痛・胸焼け・げっぷといった逆流タイプの自覚症状と，食欲不振・腹部膨満感といった運動不全タイプの自覚症状をともに高い割合で改善することが報告されている。半夏瀉心湯が両方のタイプに幅広く効果を発揮する理由は，その構成生薬をみればよくわかる。

表1　黄連解毒湯の臨床疫学的エビデンス

対象疾患	研究デザイン	エビデンスの概要
急性・慢性胃炎の急性増悪期	多施設症例集積研究	全般改善度で評価した有効率（中等度改善以上）は64.6%であった（*n*＝49）
消化性潰瘍	多施設症例集積研究	全般改善度で評価した有効率（中等度改善以上）は52.6%であった（*n*＝59）
高血圧症随伴症状	二重盲検ランダム化比較試験	のぼせと顔面紅潮に対する有効性が，偽薬群より有意に優れていた（*n*＝204）
脳梗塞	ランダム化比較試験	有用率（やや有用以上）は67.8%で，非投与群より有意に優れていた（*n*＝108）
認知症	症例集積研究	全般改善度で評価した有効率（軽度改善以上）は44.7%であった（*n*＝43）
パーキンソニズム	症例集積研究	最終全般改善度で評価した有効率（やや改善以上）は61.5%であった（*n*＝26）
統合失調症	症例集積研究	BPRS総得点は，36.3±9.8点から30.5±6.7点へと有意に改善した（*n*＝10）
掌蹠膿疱症	多施設症例集積研究	皮膚所見に対する有用率（有用以上）は51%であった（*n*＝49）
尋常性痤瘡	ランダム化比較試験	有効率（有効以上）は40%で，外用剤単独より改善傾向を認めた
老人性皮膚瘙痒症	ランダム化比較試験	有効率（改善以上）は68.8%で，抗ヒスタミン剤より有意に優れていた（*n*＝16/16）
保存期腎不全患者の瘙痒症	症例集積研究	痒みの症状に対する有効率（やや有効以上）は88.2%であった（*n*＝17）
アトピー性皮膚炎	症例集積研究	重症度（SCORAD）と皮疹スコア（EASI）が有意に改善した（*n*＝48）
炎症性歯周疾患	症例集積研究	歯肉の発赤・腫脹・疼痛・出血・排膿に対する有効率は90%であった（*n*＝10）
抗がん剤による口腔粘膜障害	比較臨床試験	口腔粘膜障害の発症予防率は51.2%で，従来の3種含嗽より有意に優れていた（*n*＝43/60）

（参考図書：寺澤捷年，喜多敏明，関矢信康編：EBM漢方，第2版，医歯薬出版，2007.）

図1に示したように，半夏瀉心湯（はんげしゃしんとう）の構成生薬には黄連解毒湯（おうれんげどくとう）と共通する「黄連（おうれん）と黄芩（おうごん）の組み合わせ」と，人参湯（にんじんとう）と共通する「人参（にんじん）と乾姜（かんきょう）の組み合わせ」の両方が含まれている。それ以外に重要な生薬として，吐き

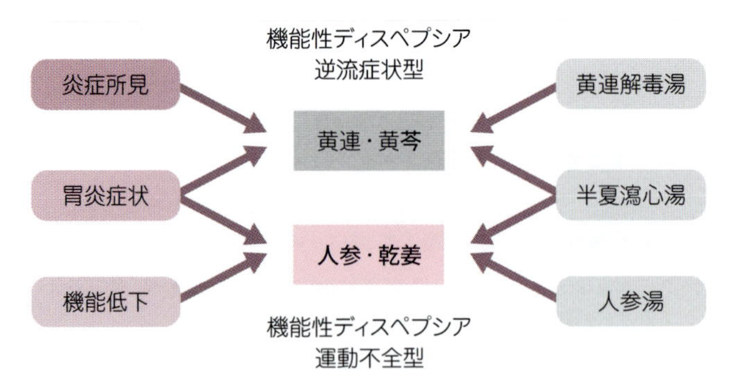

図1　半夏瀉心湯の構成生薬と適応病態

気や嘔吐を止める半夏が含まれているが，いずれにしても半夏瀉心湯は，黄連解毒湯と人参湯を合わせたような構成になっていて，そのためにいろいろな病態に対して幅広く対応できるということである。

ここで，半夏瀉心湯の漢方医学的な適応病態について少し考察しておきたい。半夏瀉心湯は，虚証で寒証の病態に適応となる人参湯と，実証で熱証の病態に適応となる黄連解毒湯を合わせたような処方構成になっている。虚証の病態と実証の病態が混在すると「虚実中間証」の病態になり，寒証の病態と熱証の病態が混在すると「寒熱錯雑証」の病態になることから，半夏瀉心湯は虚実中間証で寒熱錯雑証に適応となる方剤であると言える。

4. 機能性ディスペプシアに対する漢方治療の実際

機能性ディスペプシアに対しては，ここまで説明してきた5方剤以外に安中散や柴胡剤をうまく使い分ける必要がある（**図2**）。安中散は，六君子湯や人参湯との鑑別が難しいが，胃が冷えると痛みが出現するようなタイプに適応となる。また，腹診で胸脇苦満を認める患者には柴胡剤（四逆散や柴胡桂枝湯など）を虚実に応じて処方すると良い〔柴胡剤については**2-4**（**145頁**～）で詳しく解説する〕。

最後に，機能性ディスペプシアに対する漢方治療の実際をフローチャートにまとめて図2に示した。

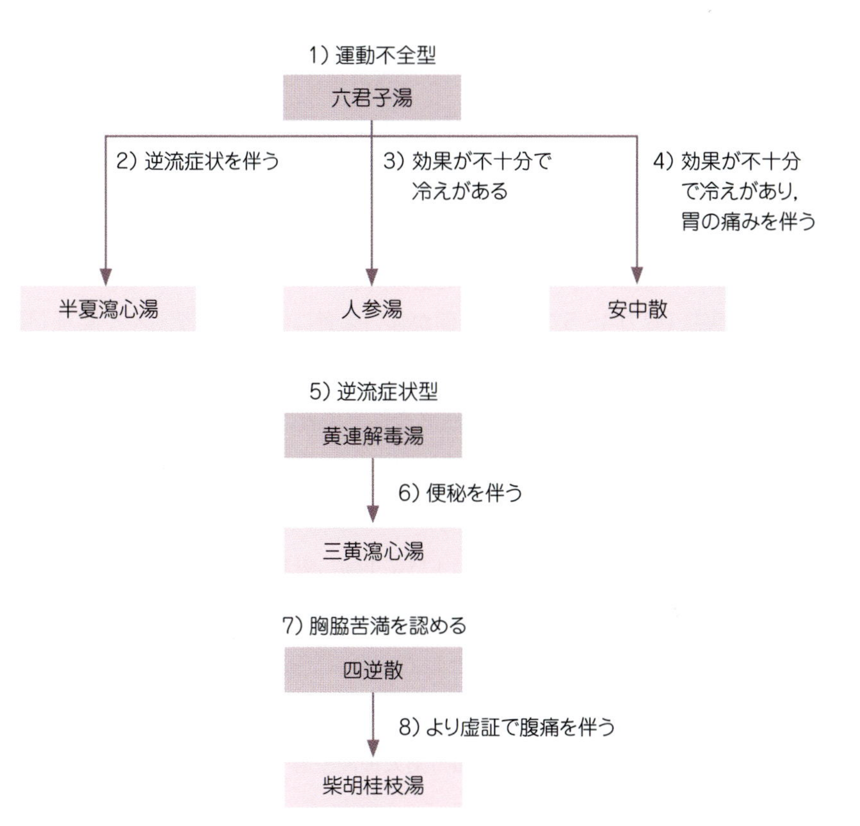

図2　機能性ディスペプシアに対する漢方治療の実際

1）運動不全型の機能性ディスペプシアに対する第一選択薬は六君子湯である。
2）運動不全型と逆流症状型の両方の症状を訴える患者に対しては，半夏瀉心湯を使うと良い。
3）六君子湯を投与して効果が不十分な場合，寒の病態を確認して人参湯に変更する。
4）六君子湯の効果が不十分で冷えがあり，胃の痛みを伴う患者に対しては安中散を使うと良い。
5）逆流症状型の機能性ディスペプシアに対する第一選択薬は黄連解毒湯である。
6）黄連解毒湯を投与して効果が不十分な場合，便秘の存在を確認して三黄瀉心湯に変更する。
7）腹診で胸脇苦満を認める機能性ディスペプシアに対しては，虚実中間証～実証の四逆散が適応になるケースが多い。
8）四逆散よりも虚証で，腹痛を伴う患者に対しては，柴胡桂枝湯を使うと良い。

2 便秘に対する漢方治療

1. 大黄を含む基本的な瀉下剤

便秘に対しては，**表2**に示した大黄を含む4種類の基本的な瀉下剤，すなわち大承気湯，大黄甘草湯，桂枝加芍薬大黄湯，麻子仁丸を虚実に応じて使い分けるところから始めると良い。虚実の程度は，5段階で評価した腹力を参考にして診断する（腹壁の緊張が強く，全体に充実しているのが5/Vであり，腹壁の緊張が弱く，全体に軟弱無力なのが1/V）。

実証（腹力4～5/V）で腹満が強い患者には大承気湯，やや実証（腹力3～4/V）で便秘以外には症状がない患者には大黄甘草湯，やや虚証（腹力2～3/V）で排便時に腹痛を伴う患者には桂枝加芍薬大黄湯，虚証（腹力1～2/V）で便の性状がコロコロになる患者には麻子仁丸がそれぞれ適応になる。

瀉下剤の服用方法としては1日に1回，就寝前の服用から開始し，排便の状態に応じて増減する。一時的に腹満・便秘の程度が強くなったときには，緊急避難的な処置として，大承気湯を頓服で使用する。また，大黄甘草湯を服用するとお腹が痛くなるような症例には，たとえ腹力が充実していたとしても桂枝加芍薬大黄湯や麻子仁丸を使用すると良い。

表2 基本的な瀉下剤とその使用目標

方剤	使用目標
大承気湯	臍を中心に腹部が堅く緊張していて，膨満感が強く便秘するもの。不安，不眠，興奮，のぼせなど精神神経症状を伴うことが多い
大黄甘草湯	習慣性の便秘で，便秘以外には特別の症状がないもの。体力中等度の人を中心に広く用いられる
桂枝加芍薬大黄湯	便秘して，腹部が膨満しているが強い下剤を用いると腹痛を起こすなどの排便異常があるもの。しばしば腹直筋の緊張を認める
麻子仁丸	習慣性便秘に用いられる処方で，特に老人，病後の虚弱者に多用する。便はコロコロで硬く，兎糞状のことが多い

2. 大黄の薬理作用

大黄には強力な瀉下作用がある。その活性成分はセンノサイドであるが，この化合物はレインアンスロンが酸化反応により二量体化したものにグルコースが結合した構造を持っており，このままの形では腸管の蠕動を刺激する作用がない。経口投与されたセンノサイドは大腸で腸内細菌により加水分解と還元反応を受け，レインアンスロンとなって初めて瀉下作用を発揮するのである。したがって，センノサイドを分解する腸内細菌が多い患者では，少量の大黄でも下痢になってしまう。

ところで，実際に腸管蠕動刺激作用を有するレインアンスロンを直接経口投与すると，腸管の上部で腸の運動を亢進し，そのために強い腹痛を起こしてしまうと考えられる。センノサイドであれば，その作用を発揮すべき大腸に到達してから，腸内細菌の働きによってレインアンスロンという活性型に変化するので腹痛を起こしにくいのである。したがって，大黄はプロドラッグの一種だと言える。

大黄の薬理作用としては瀉下作用だけでなく，抗菌作用，抗ウイルス作用，インターフェロン誘起作用，免疫複合体クリアランス促進作用，抗炎症作用，急性膵炎改善作用，エンドトキシン誘発血管内血栓症抑制作用，血液凝固抑制作用，止血作用，肝障害改善作用，血中尿素窒素低下作用，脂質代謝改善作用，過酸化脂質産生抑制作用，糖尿病改善作用，尿酸値降下作用，向精神作用，抗胃潰瘍作用，変異原活性抑制作用など多くの報告がある。

3. 大承気湯の構成生薬

大承気湯には瀉下作用のある二種類の生薬（大黄・芒硝）と，胃気の巡りを良くする二種類の生薬（厚朴・枳実）が含まれている（胃気についてはstep1 の25頁を参照）。

大黄は刺激性の下剤であり，腸管蠕動運動を制御している神経叢に直接働きかけて瀉下作用を発揮すると考えられている。一方，芒硝は塩類

step 2

性の下剤であり，腸管内に水分を保持することにより間接的に腸管を刺激する。したがって，大黄と芒硝を組み合わせることによって相乗効果を得ることができる。大黄と芒硝の両方を含む方剤としては，大承気湯以外に調胃承気湯，桃核承気湯，防風通聖散，通導散などがある。

また，大承気湯には胃気の巡りを良くする厚朴と枳実が含まれていることから，腸管内のガス貯留を改善し，腹部膨満感を軽減することができるとされている。厚朴の薬理作用としては，筋弛緩・抗痙攣作用，抗不安作用などが報告されており，枳実には胃腸運動亢進・蠕動リズム調整作用や平滑筋弛緩作用などがある。したがって，厚朴と枳実を組み合わせることによって心身の緊張を緩め，腸管機能を調整し，腹満を改善しながら，大黄や芒硝の瀉下作用を助けることができる。後で述べるが，麻子仁丸にも厚朴と枳実が含まれている。

大黄甘草湯の臨床疫学的エビデンス

研究方法：プラセボとの二重盲検ランダム化比較試験

対象患者：排便回数が週3回以下の便秘患者146例（常用量群47例，低用量群49例，プラセボ群50例）

薬物投与：大黄甘草湯エキス1.5g（常用量），0.5g（低用量），0g（プラセボ）を各々含む細粒剤（7.5g/日）を2週間投与。屯用として酸化マグネシウム1日量1.0g必要時に服用

結果：便通改善度で評価した有効率（効きすぎ，著効，有効の比率）は常用量群とプラセボ群との間で有意差を認め，大黄甘草湯は便秘症に対して有効であった。効きすぎによる中止例は常用量群3例，低用量群1例，プラセボ群1例で，酸化マグネシウムの併用は各々7，11，15例であった

【文献】

三好秋馬，他：消化器科．1994；18（3）：299－312．

4. 桂枝加芍薬大黄湯と過敏性腸症候群

過敏性腸症候群の便秘型に対する漢方治療において，第一選択薬となるのが桂枝加芍薬大黄湯である。過敏性腸症候群の患者は，腹痛を伴う便通異常があり，通常の下剤を用いると腹痛が増強したり，下痢になったりするために治療に難渋することが多いが，桂枝加芍薬大黄湯はそのようなケースに対しても比較的使いやすい瀉下剤である。しかし，桂枝加芍薬大黄湯でも下痢をしてしまうような過敏性腸症候群の便秘型に対しては，大黄を含まない桂枝加芍薬湯で対処することが可能である。

佐々木らは，過敏性腸症候群に対する桂枝加芍薬湯の効果を病型別に検討した[1]。その結果を**表3**に示したが，各病型に対する有効率（中等度改善以上）を比較すると，便秘型63.6%，交替型の便秘状態57.1%，下痢型54.4%，交替型の下痢状態39.4%であった。これまで桂枝加芍薬湯は，過敏性腸症候群の下痢型や下痢状態を呈する交替型に適応があるとされてきたが，本研究の結果により，便秘型に対する有効率が最も高いということが示唆されたわけである。

【文献】
1）佐々木大輔，他：臨と研．1998；75(5)：1136-52.

表3　過敏性腸症候群に対する桂枝加芍薬湯の効果

背景因子		全般改善度					合計	中等度改善以上
項目	区分	著明改善	中等度改善	軽度改善	不変	悪化		
病型	下痢型	11 (19.3)	20 (35.1)	12 (21.1)	10 (17.5)	4 (7.0)	57	31 (54.4)
	便秘型	3 (27.3)	4 (36.4)	2 (18.2)	1 (9.1)	1 (9.1)	11	7 (63.6)
	交替型の下痢状態	4 (12.1)	9 (27.3)	10 (30.3)	9 (27.3)	1 (3.0)	33	13 (39.4)
	交替型の便秘状態	1 (14.3)	3 (42.9)	1 (14.3)	1 (14.3)	1 (14.3)	7	4 (57.1)

上段：症例数，（　）内：%　　（参考図書：佐々木大輔，他：臨と研．1998；75(5)：1136-52.）

step 2

5. 麻子仁丸と虚満

麻子仁丸には，大承気湯と同じように，腹満を改善する効能を担っている厚朴と枳実が含まれているが，大承気湯が実証の腹満（＝実満）に適応となるのに対して，麻子仁丸は虚証の腹満（＝虚満）に適応となる。

実満と虚満の判定は，他覚的な腹力の程度と，自覚的な腹部膨満感の程度を考慮して行うと良い。実満では，腹力が充実して，いわゆる太鼓腹の状態を呈しており，排便が少し滞ると腹部膨満感が強くなって苦しいと訴えることが多い。それに対して虚満では，腹力が軟弱で，ガスが貯留している部分に膨隆を認めるが，数日以上も排便がなくとも苦痛を訴えることは少ない。

麻子仁丸には潤腸作用のある麻子仁と杏仁が含まれており，乾燥してコロコロになった便を潤しながらスムーズに排泄する効果を期待できる。麻子仁丸の服用によって，兎糞のようなコロコロの便が，普通便に近づくことをよく経験する。

コラム　消化管に対する芍薬の薬理作用

芍薬は，平滑筋に対する鎮痙・鎮痛作用を期待して，消化管の痙攣性収縮に伴う疝痛発作に臨床応用されている。実際，モルモット摘出回腸を用いた実験で，芍薬の水エキスが電気刺激による収縮や，ニコチンによる収縮を抑制することが示されている。その一方で，芍薬には低下した消化管運動を促進する効果も期待できる。薬理学的実験では，芍薬の水エキスをウサギ胃内に投与すると胃運動を亢進させることや，摘出腸管に対して緊張上昇，振幅の増大を示すこと，パパベリンによる胃運動抑制に拮抗作用を示すことなどが報告されている。

以上のことから，過敏性腸症候群に対する桂枝加芍薬湯や桂枝加芍薬大黄湯の効果において，主要構成生薬である芍薬の消化管運動に対するバランスのとれた調整作用のはたす役割が大きいものと考えられる。

6. 清熱剤としての大黄含有方剤

大黄には瀉下作用だけでなく，様々な原因によって惹起される炎症を緩和し，炎症に伴う血流障害を改善する作用もある。したがって，大黄含有方剤の中には，こうした大黄の抗炎症・血流改善作用を期待して作られた処方も多く，たとえば，治打撲一方，治頭瘡一方，乙字湯，大黄牡丹皮湯，茵蔯蒿湯などは瀉下剤というよりはむしろ，清熱剤として分類されるべき方剤である。これら5方剤の使用目標を**表4**に整理して示した。

治打撲一方は便秘を改善すると同時に，打撲や捻挫による外傷性の炎症を修復し，治頭瘡一方は便秘を改善すると同時に，湿疹という皮膚の炎症を修復し，乙字湯は便秘を改善すると同時に，痔疾に伴う肛門周囲の炎症を修復し，大黄牡丹皮湯は便秘を改善すると同時に，虫垂や回盲部周辺の炎症を修復し，茵蔯蒿湯は便秘を改善すると同時に，黄疸を伴うような肝臓や胆嚢の炎症を修復する効能をそれぞれ期待できる。

表4　大黄含有清熱剤とその使用目標

方剤	使用目標
治打撲一方	打撲，捻挫などによる患部の腫脹，疼痛に使用する
治頭瘡一方	頭部や顔面の湿疹で，発赤，水疱，結痂，滲出液，痒み，化膿などがあるものに用いる
乙字湯	痔疾患（痔核，脱肛，裂肛など）による疼痛，痒み，軽い出血などに使用する
大黄牡丹皮湯	炎症の初期で，下腹部，特に右下腹部の緊張，圧痛などがあるものに用いる
茵蔯蒿湯	急性・慢性肝炎や胆嚢炎などによる黄疸に使用する

3 生活習慣病に対する漢方治療

1. 生活習慣病に適応となる瀉下剤

生活習慣病に適応となる代表的な瀉下剤として，防風通聖散，大柴胡湯，三黄瀉心湯，桃核承気湯をあげることができる。これら4方剤がそれぞれ適応となる疾患を**表5**にまとめて示した。共通する疾患や症候としては，高血圧，動脈硬化，糖尿病，肥満，脂質異常症，脂肪肝，便秘，肩こり，頭痛，湿疹，蕁麻疹，不眠などがある。生活習慣病やメタボリックシンドロームに対して，肥満と便秘を目標にして使われることが多い。便秘が続くと，肩こりや頭痛がひどくなったり，皮膚に湿疹や蕁麻疹ができたり，精神が不安定になって睡眠障害をきたしたりするという症状も目標になる。

瀉下剤で気持ちよく排便が得られると，腹満がとれてお腹がすっきりすると同時に，肩のこりも楽になり，夜もよく眠れるようになる。服薬を続けていると，皮膚がきれいになり，湿疹や蕁麻疹もできにくくなる。中には体重が減少して，血圧や血糖値が低下する症例もある（**127頁コラム**「排泄による治癒機転の促進」参照）。

表5　生活習慣病に適応となる瀉下剤

方剤	適応疾患
防風通聖散	高血圧，動脈硬化，肥満，糖尿病，むくみ，便秘，肩こり，脂質異常症，脂肪肝，蓄膿症，慢性湿疹，蕁麻疹，脱毛症，痔疾，歯痛
大柴胡湯	高血圧，糖尿病，動脈硬化，頭痛，肩こり，便秘，胆石，胆嚢炎，肝機能障害，脂肪肝，脂質異常症，肥満，胃腸炎，神経症，不眠，蕁麻疹
三黄瀉心湯	高血圧，動脈硬化，神経症，不眠，便秘，肩こり，肥満，脂質異常症，脂肪肝，鼻出血，痔出血，胃炎，口内炎，更年期障害，湿疹，蕁麻疹
桃核承気湯	高血圧，頭痛，肩こり，肥満，便秘，不安，月経不順，月経困難症，更年期障害，腰痛，坐骨神経痛，打撲，尋常性座瘡，肝斑，湿疹

2. 腹診所見による瀉下剤の使い分け

瀉下剤を使い分ける際のポイントは腹部の所見である（図3）。上腹部（季肋部と心窩部）に抵抗・圧痛があるかどうかで，左右の胸脇苦満と心下痞鞕（しんかひこう）の有無を確認し，下腹部（臍傍とS状結腸部，回盲部）に抵抗・圧痛があるかどうかで，臍傍圧痛とS状結腸部圧痛，回盲部圧痛の有無を確認する。

コラム 排泄による治癒機転の促進

生体内に存在する有毒な物質を排泄することこそが，伝統医学に共通する基本的な治療戦略であった。たとえば，欧米においても18世紀まで瀉血療法が広く行われていた。1799年に急性喉頭蓋炎により急死したワシントン大統領が2.4リットルもの瀉血をしたために死を早めたことはよく知られている。有毒な物質に汚染された血液を排泄することが治癒機転を促進すると信じられていたのである。

生体にとって有害な物質を体外に排泄する漢方治療を一般に「瀉法（しゃほう）」と呼んでいる。瀉法の種類としては，瀉血療法以外に，瀉下療法，解毒療法，発汗療法などがある。それぞれの療法を簡単に説明すると，大腸から便とともに有毒物質を排泄するのが瀉下療法，肝臓から胆汁とともに有毒物質を排泄するのが解毒療法，体表面から汗とともに有毒物質を排泄するのが発汗療法ということになる。

漢方医学は，瀉下，解毒，発汗の効能を有する3種類の瀉剤（瀉下剤，解毒剤，発汗剤）を，患者の病態に応じて適正に使い分けるための診断・治療体系を長い年月をかけて構築してきたのである。わが国においても江戸時代から，様々な伝染病や感染症に対して，瀉法（瀉剤）が有力な治療手段として使われてきたが，抗生物質・抗菌薬やワクチンが開発された今日，瀉法を応用する対象疾患が感染症から生活習慣病へとシフトしてきている。

防風通聖散(ぼうふうつうしょうさん)の腹証は，俗に言う太鼓腹で，へそを中心に膨満かつ充実しているが，上腹部や下腹部の抵抗・圧痛は伴わない。大柴胡湯(だいさいことう)の腹証は，腹力が充実し，上腹部が張って苦しく，押さえると胸脇苦満と心下痞鞕を認める。三黄瀉心湯(さんおうしゃしんとう)の腹証は，腹力が充実し，心下痞鞕を認める。桃核承気湯(とうかくじょうきとう)の腹証は，腹力が充実し，下腹部に抵抗・圧痛を認めるが，特に左下腹部でS状結腸に相当する部位に索状物を触れ，その部位に圧痛を認めるのが特徴である。このように，実証の病態を治療する際には腹診がとても重要である。

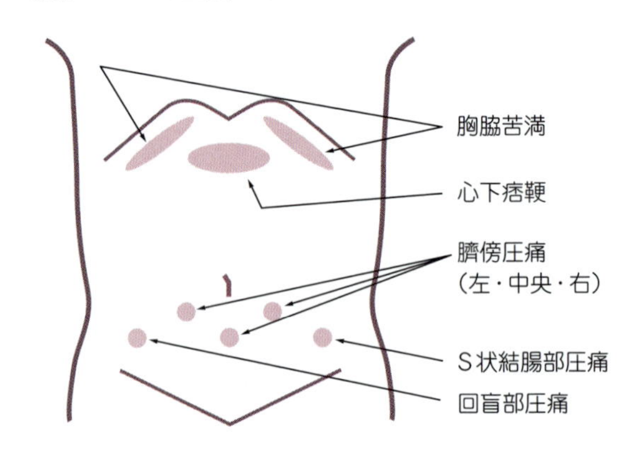

図3　瀉下剤の鑑別で重要な腹部所見

防風通聖散(ぼうふうつうしょうさん)の臨床疫学的エビデンス

研究方法：非投与群との比較臨床試験

対象患者：肥満度20％以上または体脂肪率30％以上の肥満患者21例（平均年齢55±3.5歳，　平均体重74.3±2.3kg，BMI 31.6±0.5kg/m^2）。β_3-adrenergic receptor（β_3-AR）遺伝子変異あり（M群）となし（W群）に分けた

薬物投与：食事指導を含めた生活指導（A）と生活指導に加え防風通聖散(ぼうふうつうしょうさん)エキス3包/日投与（B）を12週間行った

結果：両群ともAおよびBの治療により有意な体重減少をきたしたが，

1カ月の平均体重減少量は，WA：1.6±0.6kg，WB：2.3±0.7kg，MA：1.3±0.8kg，MB：1.8±0.8kgであり，M群の体重減少は少なかった。内臓脂肪の指標であるウエスト・ヒップ比とインスリン抵抗性の指標であるHOMA-R指数はMB群において著しく減少した。以上より，防風通聖散(ぼうふうつうしょうさん)エキスはβ_3-AR遺伝子変異を伴った治療抵抗性の肥満患者に対し体重減少作用は軽度であったが，内臓脂肪を減少させ，インスリン抵抗性を改善したと考えられる

【文献】

秋山俊治，他：消化と吸収．1999；21(2)：159-62.

大柴胡湯(だいさいことう)の基礎実験的エビデンス

対象動物：TSODマウス(メタボリックシンドローム類似病態を発症する肥満性Ⅱ型糖尿病モデル動物)

薬物投与：大柴胡湯(だいさいことう)エキスを1%および3%混和させた粉末飼料を2カ月間自由摂取

測定項目：体重と摂食量，血液生化学検査(血糖，インスリン，T-Cho，TG，LDL，HDL)，グルコース負荷試験，皮下脂肪量と内臓脂肪量，血圧，痛覚試験

結果：大柴胡湯(だいさいことう)は，TSODマウスの体重増加や内臓脂肪の蓄積，血糖値やTG値の上昇に対して低下作用を示し，さらに，耐糖能異常，血圧の上昇や末梢神経障害(痛覚域値上昇)を有意に抑制した

考察：メタボリックシンドロームの諸症状に対する大柴胡湯(だいさいことう)の有用性が示唆された

【文献】

Tsunakawa M, et al：J Tradition Med. 2006；23(6)：216-23.

大柴胡湯（だいさいことう）の代表的症例

症例：58歳，男性

主訴：睡眠時の無呼吸，日中の眠気，いびき

既往歴：糖尿病（48歳），脂質異常症・高尿酸血症（55歳）

家族歴：肺結核・パーキンソン病・前立腺がん（父）

現病歴：3年前より，睡眠時の無呼吸と日中の眠気が出現した。8カ月前より，いびきがひどくなり，1カ月前に近医耳鼻科を受診したところ，舌と扁桃腺の肥大による睡眠時無呼吸症候群と診断された。枕を変えて諸症状はやや軽減したものの，漢方治療を希望して初診。便通は3日に1回，口渇あり，冷たい水をよく飲む，冷えなし。γ-GTP 144 IU/L，HbA1c 6.6%

現症：身長176.0cm，体重81.2kg，体温36.0℃，血圧130/70mmHg，脈拍数72rpm。脈は虚実間。舌は正常紅，腫大・歯痕，微白苔。腹力は充実，両側の胸脇苦満と心下痞鞕を軽度認めた

経過：大柴胡湯（だいさいことう）エキス（3包/日）を開始したところ，2週間後には，いびきが小さくなり，日中の眠気やだるさはほとんど消失した。6週間で体重が3.4kg減少。胃が小さくなった感じで，食事量が減ってきた。

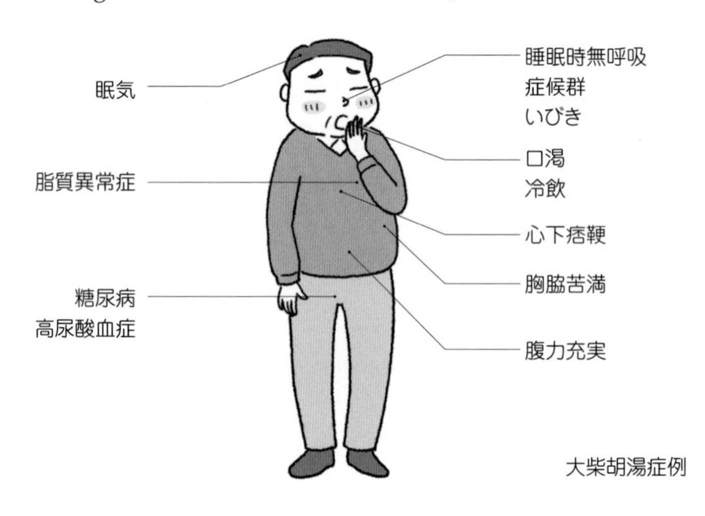

大柴胡湯症例

20週間で体重が4.7kg減少(76.5kg)。睡眠は安定し，日中の眠気はほとんどない。γ-GTPは92 IU/L，HbA1cは5.8%まで改善した

三黄瀉心湯(さんおうしゃしんとう)の代表的症例

症例：68歳，女性

主訴：便秘，肩こり，のぼせ，手指のしびれ

既往歴：痔疾手術(32歳)，糖尿病(65歳～無治療)

家族歴：特記すべきことなし

現病歴：8年前より市販の下剤を常用するようになり，1日でも排便しないと腹満のため苦しくなる。1カ月前より下剤が無効となってきたため，漢方治療を希望して初診。3年前に糖尿病を指摘されたが無治療である。最近の血液生化学検査で血糖(食後3時間)160mg/dL，HbA1c 6.3%

現症：身長157.7cm，体重65.0kg，体温36.4℃，血圧170/94mmHg，脈拍数88rpm。脈は浮，やや実。舌は淡紫色で腫大し，湿潤した白苔を被る。腹力は充実し，鼓音を認めるが，抵抗・圧痛を認めない

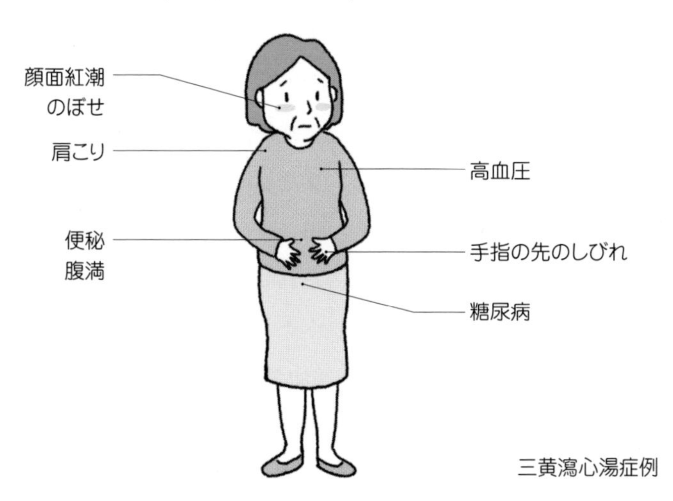

三黄瀉心湯症例

step 2

経過：便秘，腹満，高血圧，肩こり，顔面紅潮，手指の先がしびれるといった症候から三黄瀉心湯（さんおうしゃしんとう）エキス（3包/日）を開始した。10日目頃より排便は1日1回で楽に出るようになり，顔の赤味が軽減してきた。2カ月後には手指のしびれも軽減し，血圧も140/90mmHg前後で安定してきた。3カ月後には手指のしびれは消失し，顔の赤味，肩こりもほとんど気にならなくなった。糖尿病は食事療法（1,600kcal）を開始し，2カ月後の検査で血糖110mg/dL，HbA1c 5.8%と改善した

コラム　糖尿病患者の冠動脈硬化を予防する柴胡加竜骨牡蛎湯（さいこかりゅうこつぼれいとう）

吉田らは，Ⅱ型糖尿病患者30例（男性15例，女性15例，平均年齢63.3歳）を3群（柴胡加竜骨牡蛎湯（さいこかりゅうこつぼれいとう）群，ベラプロストナトリウム群，非投与群各10例）に分けて，冠動脈硬化の変化を3年間追跡し，比較検討した結果について報告している。冠動脈硬化の指標としては，超高速CTを用いて石灰化指数を算出した。

その報告によると，体重，血圧，血糖，脂質などについて3年間の変化を検討したところでは，柴胡加竜骨牡蛎湯（さいこかりゅうこつぼれいとう）群において血清総コレステロール値が193±24mg/dLから171±20mg/dLへと有意に改善した以外は，有意な変化がみられなかった。また，石灰化指数の変化を検討したところ，ベラプロストナトリウム群と非投与群において有意に増悪を認めたのに対し，柴胡加竜骨牡蛎湯（さいこかりゅうこつぼれいとう）群では有意な増悪をきたさなかったことから，柴胡加竜骨牡蛎湯（さいこかりゅうこつぼれいとう）が冠動脈硬化の進展を抑制することが示唆された。

【文献】

吉田麻美，他：日東洋医誌．2003；54(3)：504-8.

4 急性上気道炎・気管支喘息・慢性の咳と痰・アレルギー性鼻炎

▶本章では，感冒やインフルエンザといった急性上気道炎に適応となる方剤の使い分けを例にしながら，闘病反応パターン（＝証）の変化や個人差に応じた漢方治療の実際について具体的に学べるようにしたい。

▶さらに，気管支喘息・慢性の咳と痰・アレルギー性鼻炎についても，虚実や寒熱の病態を考慮した漢方治療の実際を解説したい。

1 急性上気道炎と闘病反応パターン

1. 闘病反応パターンの変化

闘病反応とは，宿主の生体恒常性維持機構（神経・免疫・内分泌系）と疾患を構成する病因や病理との間で繰り広げられる相互作用である。感冒やインフルエンザであれば，上気道に侵入してきたウイルスに対して，マクロファージやリンパ球を中心とする免疫系による急性炎症反応が惹起される。さらに，マクロファージが産生するインターロイキン1は視床下部に作用して発熱反応をひき起こすと同時に，交感神経系や脳下垂体－副腎皮質系にも作用して，非常に複雑な闘病反応のパターンを呈するようになる。

急性上気道炎の病態，すなわち闘病反応のパターンが経時的に変化する様子を図1に示した。感染初期はマクロファージを中心とする非特異的防御反応の時期であり，悪寒・発熱・咽頭痛・頭痛・関節痛といった症状がみられる。一方，感染後期はリンパ球を中心とする特異的免疫反応の時期であり，咳・痰・食欲不振・口が苦い・舌の白苔といった症状がみられる。漢方医学的には，前者が「太陽病期（たいようびょうき）」に相当し，後者は「少陽病期（しょうようびょうき）」

に相当する。

備考：急性上気道炎のような炎症性疾患に対しては，六病位という考え方に基づく漢方医学的な診断・治療アプローチが適応になる。このアプローチでは，闘病反応が亢進した「陽」の病態（＝陽証）を太陽病期・少陽病期・陽明病期（ようめいびょうき）の3つに分け，闘病反応が衰退した「陰」の病態（＝陰証）を太陰病期（たいいんびょうき）・少陰病期（しょういんびょうき）・厥陰病期（けっちんびょうき）の3つに分けて理解する。本書では，プライマリケアの臨床でよく遭遇する太陽病期と少陽病期，少陰病期を中心に解説している。

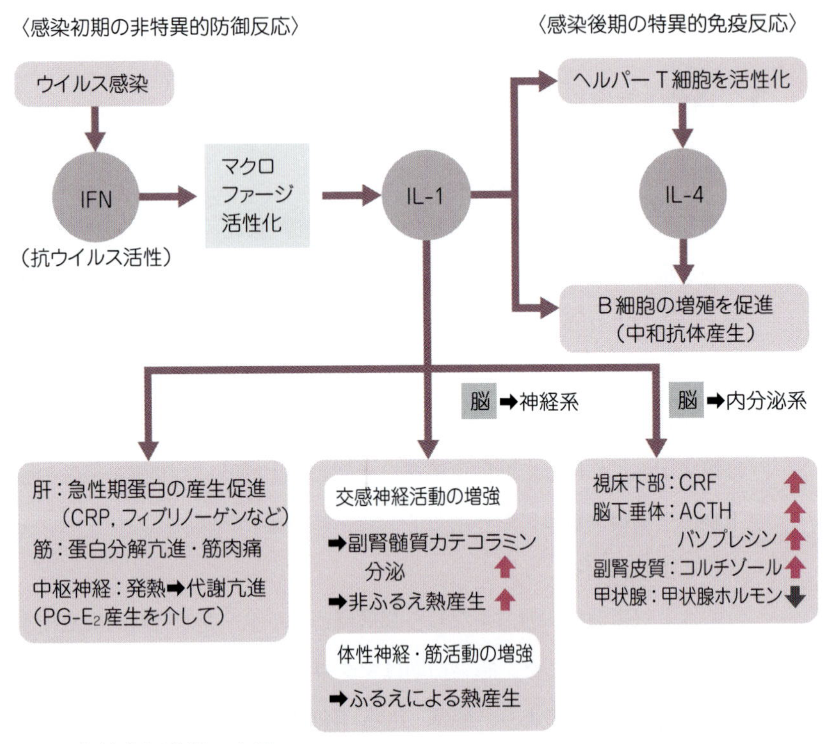

図1　急性上気道炎の病態

2. 闘病反応パターンの個人差

急性上気道炎における病態はたとえ同じ時期であったとしても，その闘病反応の程度に個人差がある。図2に示したように，侵入してきたウイルスに対する生体防御反応は諸刃の剣であって，病原体を撃退すると同時に宿主の正常な組織も破壊してしまう。したがって，闘病反応の程度が強すぎると組織破壊によるダメージが問題となり，闘病反応の程度が弱すぎると病原体を撃退できないことが問題となる。漢方医学的には，前者が「実証」の病態であり，後者が「虚証」の病態である。

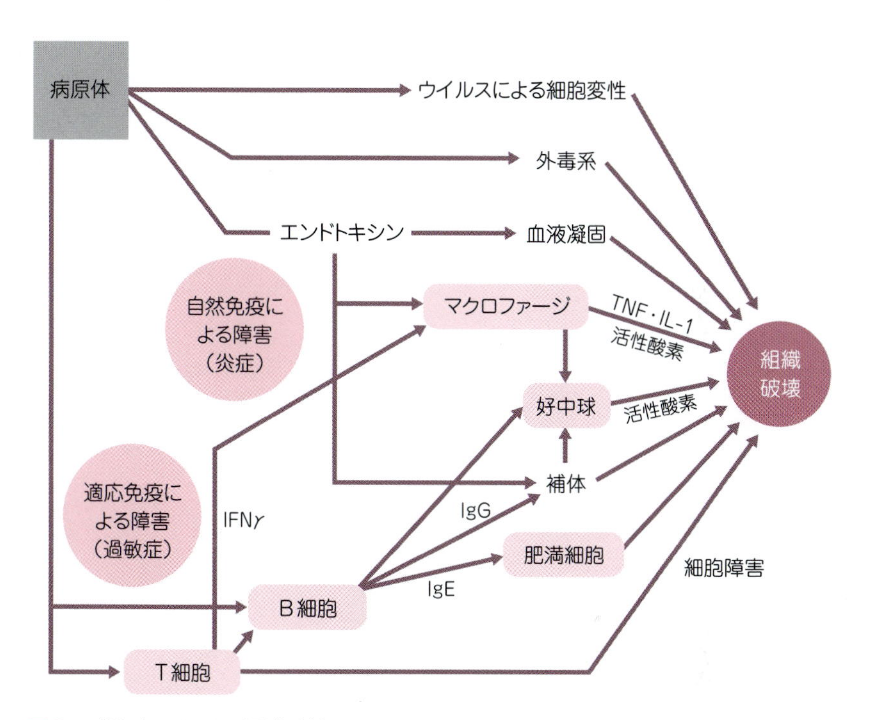

図2　感染症における組織破壊

3. 生体防御反応と生体維持活動

ここで，生体防御反応と生体維持活動との関係について触れておく必要がある。生体防御反応が病原体の侵入という非常事態に対する反応であるのに対して，生体維持活動は循環・呼吸・消化・代謝・排泄といった日常的に営まれている活動のことである。

生体維持活動が正常に営まれて初めて，非常事態にも対応できるのであり，日常の循環・呼吸・消化・代謝・排泄といった活動が低下しているようでは闘病反応も十分に行えない危険性がある。漢方医学は，生体維持活動が低下したために闘病反応も十分に行えない病態を「陰証」と定義し，太陽病期や少陽病期とは一線を画した対応を用意している。

以上の解説によって，急性上気道炎に対する漢方治療の基本，すなわち闘病反応パターンの変化や個人差に応じて方剤を使い分けることの重要性が理解できたであろう。以下，より詳細な証診断と治療の実際を解説していくことにする。

2 急性上気道炎に対する漢方治療

1. 陰証の診断と治療

急性上気道炎の患者を漢方で治療する際には，まず生体維持活動の低下の有無をチェックするところから始めると良い。循環・呼吸・消化・代謝・排泄といった基本的な活動が低下すると，全身倦怠感，手足の冷え，顔色不良，食欲不振，消化不良，下痢，動悸，息切れ，尿の色が薄い，意欲の低下，傾眠などの症状が出現し，脈が微弱になる。闘病反応が十分に行えないので，悪寒・発熱・頭痛・関節痛といった全身症状はあまりみられず，局所的な炎症反応の結果として咽頭痛のみを自覚する。また，病原体を撃退できずに，上気道の炎症が急速に下気道に波及して気管支炎や肺炎をひき起こすこともある。このような陰証の急性上気道炎に適応となる方剤は，麻黄附子細辛湯と真武湯である(**図3**)。

急性上気道炎の発病初期から陰証の病態を呈する場合には，麻黄附子細辛湯が第一選択薬となる。麻黄附子細辛湯が適応となる患者の特徴的な症候(これを**麻黄附子細辛湯証**と呼ぶ)は次の通りである。①だるくて横になっていたい，②寒気がするが熱感はなく，体温もそれほど高

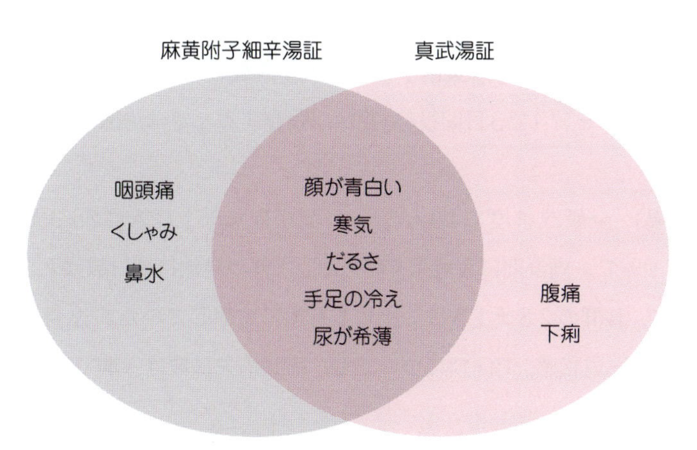

図3　麻黄附子細辛湯証と真武湯証

くならない，③手足が冷えて，尿が希薄である，④顔が青白い，⑤脈は細くて弱く，沈んでいることが多いが浮いていることもある，⑥上気道の炎症による症状として，咽頭痛のみの場合と，くしゃみや鼻水を伴う場合とがある，力のない咳が出ることもある。

真武湯が適応となる患者の特徴（真武湯証）は，上記の①～④まで麻黄附子細辛湯証と共通である。両者の違いは，表証と裏証の違いにある。表証とは皮膚や気道粘膜，関節，骨格筋といった体表面に近い部位で闘病反応が行われる病態であり，裏証とは下部消化管を中心に闘病反応が行われる病態である。麻黄附子細辛湯は少陰病の表証に適応があるので，咽頭痛やくしゃみ，鼻水が目標となるのに対して，真武湯は少陰病の裏証に適応があるので下痢や腹痛が目標となり，脈は必ず沈んでいる。

麻黄附子細辛湯の臨床疫学的エビデンス

研究方法：総合感冒薬とのランダム化比較試験

対象患者：初期の風邪症候群と診断された3歳以上の患者を封筒法により振り分けた。解析対象はA群（麻黄附子細辛湯投与）83例，B群（総合感冒薬投与）88例

薬物投与：A群には麻黄附子細辛湯エキスを分3，B群には総合感冒薬（4g/日）を分4で3日間投与（症状が残存するときは治癒するまで継続投与）

結果：全般改善度において，かなり有用以上はA群78.3％，B群57.9％で，両群間に有意差を認めた。A群の発熱持続日数は1.5±0.7日で，B群の2.8±1.5日に比して有意に短縮していた。全身倦怠感，咽頭痛・違和感，咳・痰についても，症状消失日数はA群で有意に短縮していた

【文献】

本間行彦，他：日東洋医誌．1996；47(2)：245-52．

2. 太陽病期の診断と治療

陰証でなければ陽証ということになるのだが，さらに太陽病期か少陽病期かを診断し，同時に実証か虚証かを診断する。太陽病期は発病の初期に相当し，通常は4～5日で少陽病期へと移行するが，稀に1週間以上遷延することもある。太陽病期には，悪寒・発熱・咽頭痛・頭痛・関節痛といった表証の症状がみられ，脈が浮の状態を呈していることが特徴である。太陽病期における虚実は脈の力と汗の有無によって診断する。太陽病期の急性上気道炎に適応となる代表的な6方剤の使い分けを**表1**に示した。

太陽病期で脈に力があり(実脈)，自然発汗の傾向(自汗)がなければ実証と診断し，麻黄湯や葛根湯の適応となる。麻黄湯証では咳や喘鳴，関節痛があるのに対して，葛根湯証では肩や項のこりが強いという点が鑑別になる。

太陽病期で脈に力がなく(虚脈)，自然発汗の傾向があれば虚証と診断し，桂枝湯や桂枝加葛根湯の適応となる。桂枝加葛根湯証では肩や項背部のこりが強いのに対して，桂枝湯証ではあまり目立たないという点が鑑別になる。

また，脈の力が中等度(虚実中間の脈)，咽頭痛があり，寒気よりも熱感のほうが強ければ，桂麻各半湯や桂枝二越婢一湯の適応となる(桂枝二越婢一湯は桂枝湯と越婢加朮湯の合方で代用できる)。桂麻各半湯

表1　太陽病期の急性上気道炎に適応となる6方剤

方剤	脈	自汗	使用目標
麻黄湯	浮・実	無	咳・喘鳴・関節痛
葛根湯	浮・実	無	肩こり・項背部のこり
桂麻各半湯	浮・虚実中間	軽度	咽頭痛・熱多く寒少なし・口渇なし
桂枝二越婢一湯	浮・虚実中間	軽度	咽頭痛・熱多く寒少なし・口渇・冷飲
桂枝加葛根湯	浮・虚	有	肩こり・項背部のこり
桂枝湯	浮・虚	有	肩こり・項背部のこりなし

証には口渇がなく，桂枝二越婢一湯証には口渇があって冷たいものを飲みたがるという点が鑑別になる。

葛根湯の臨床疫学的エビデンス

研究方法：多施設症例集積研究

対象患者：普通感冒患者136例（男性72例，女性64例，年齢19～82歳）。発病から受診までの平均日数2.3±2.4日（3日目までが118例，4日以上が18例）。病期は初期100例，極期19例，回復期17例。重症度は軽度107例，中等度29例，重度なし

薬物投与：葛根湯エキス（3包/日）を3日間投与

結果：全般改善度では，著明改善16.2%，中等度改善33.1%，軽度改善30.1%，不変14.0%，悪化6.6%で，軽度改善以上が79.4%であった。症状別改善度では，悪寒，熱感，肩こり，筋肉痛，くしゃみ，痰の切れ，鼻閉，咽頭痛，下痢の改善率が高かった。副作用としては136例中3例に軽度の胃症状を認めた

【文献】

加地正郎, 他：臨と研. 1993；70（10）：3266-72.

葛根湯の代表的症例

症例：20歳，男子学生

経過：当日朝から少し頭が重かったが講義に無理をして出ていたところ，夕方4時頃から頭痛が強まり，熱感も出てきた。午後5時来診。体温は38.5℃，脈は浮・数・実で，舌に著変なし。自然発汗の傾向はなく，後頭部から肩甲間部にかけて背筋が強くこっている。自覚的にも後頭部の緊迫感がある。葛根湯エキスをもたせ，帰宅後はすぐに就床するように指示した。翌日，元気に登校してきた。報告によると，葛根湯を

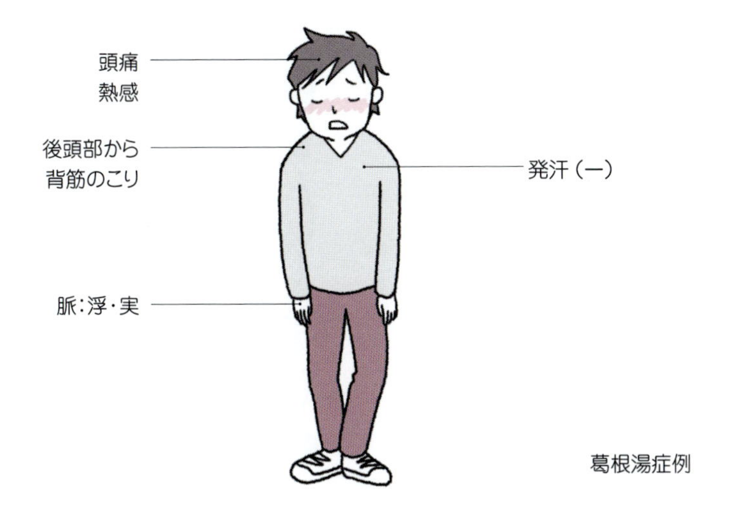

葛根湯症例

一服して床に入ったところ，身体が温まり，続いて気持ちの良い汗が出て，そのまま寝入ってしまった。今朝になったらすっかり爽快な気分になったので学校に出てくる気になったとのことである

【文献】

寺澤捷年：症例から学ぶ和漢診療学，第3版．医学書院，2012，p126.

桂枝湯（けいしとう）の代表的症例

症例：58歳，主婦

経過：前々日より，悪寒と頭痛があり，家庭配置薬を服用したが，鼻閉感と軽い頭の重さが取り切れないという。体温37.2℃。脈は浮・数で弱い。上半身を主に自然発汗の傾向がみられる。身体のいずこにも冷えは自覚していない。処置室のベッドに臥床してもらい，桂枝湯（けいしとう）エキスを投与した。服薬後，約10分で身体が温まり，心地良い汗が出た。その後1時間ほど安静にしていたところ，諸症状は消失した

【文献】

寺澤捷年：症例から学ぶ和漢診療学，第3版．医学書院，2012，p125.

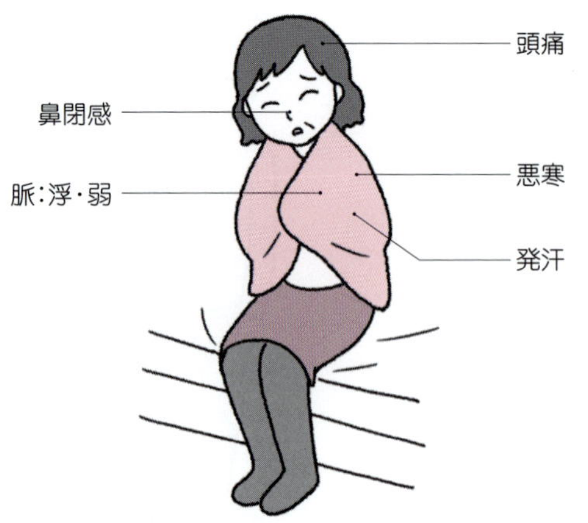

桂枝湯症例

3. 桂皮と麻黄の薬理作用

太陽病期の適応方剤のほとんどすべてに桂皮が含まれている(**144頁コラム**「桂枝と桂皮の違い」参照)。桂皮やその主成分であるケイアルデヒド，あるいは水様性多糖体の薬理作用として，①腸チフス，パラチフス混合ワクチンによる発熱に対する解熱作用，②ピロカルピンによる発汗を増強する作用，③副腎からのカテコールアミン遊離作用，④アナフィラキシー反応によるヒスタミン遊離抑制作用，⑤抗補体作用，⑥カーボンクリアランス試験におけるマクロファージ貪食能増強作用，⑦活性酸素生成抑制作用，⑧経鼻インフルエンザ感染マウスにおける血清および肺洗浄液中のインターロイキン1α増加抑制作用などが知られている。

麻黄もまた太陽病期の適応方剤に含まれる代表的な生薬であるが，桂枝湯や桂枝加葛根湯のような虚証の方剤には含まれていない。その理由として，自然発汗の傾向のある虚証の患者に麻黄を使用すると，発汗しすぎて正気を消耗するためだと言われている。

麻黄やその主成分であるエフェドリン，あるいはタンニン成分の薬理作用として，①交感神経興奮様作用，②体温上昇作用，③発汗促進作用，④鎮咳作用，⑤抗炎症作用，⑥抗アナフィラキシー作用，⑦抗補体作用，

⑧ヒスタミン遊離抑制作用，⑨免疫複合体クリアランス促進作用などが知られている。

インターロイキン1の増加を抑制する桂皮は，視床下部の温熱中枢におけるセットポイントを下げる方向に作用するのに対して，交感神経興奮様作用を有する麻黄は，実際の体温を上げる方向に作用する。図4に示したように，桂皮と麻黄の協同作用によって，実際の体温がセットポイントまで速やかに到達し，発汗・解熱とともに治癒機転が活性化されるのである。

前述の葛根湯と桂枝湯の代表的症例はいずれも，服薬後しばらくして身体が温まり，続いて気持ちの良い汗が出て治癒へと向かっている。葛根湯には桂皮と麻黄の両方が含まれているので，ここで説明した治癒機転の活性化が働いたものと考えられる。一方，桂枝湯には麻黄が含まれていないので，構成生薬の生姜が実際の体温を上昇させる働きを担うことで，葛根湯と同じような治癒機転が活性化されたものと考えられる。

このような発汗・解熱による治癒機転を活性化する際の重要な注意事項として，温かくて消化の良いものを食べるなどして身体を温めるよう

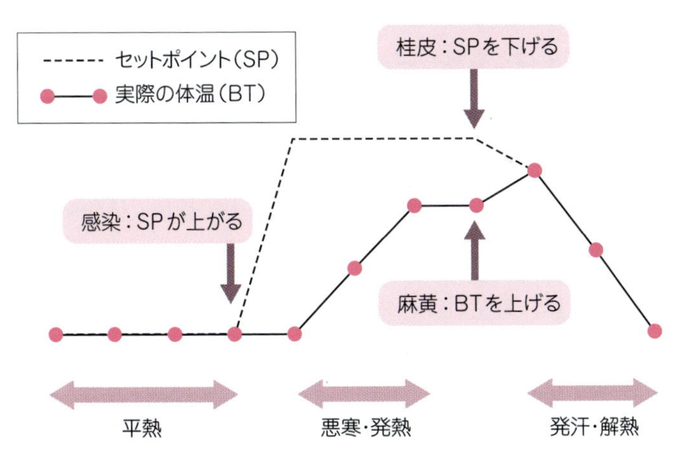

図4　桂皮と麻黄の協同作用

に指示することを忘れてはならない。食べ物にショウガを入れたり，漢方薬をお湯で溶かしたものにショウガのすりおろし汁を数滴入れて服用するように勧めるのも良い。

4. 少陽病期に特徴的な症候

少陽病期には，太陽病期にはみられない特徴的な症候がいくつか出現する。以下のような症候を認めたならば，少陽病期に移行している可能性が高いので，太陽病期の治療方剤を漫然と投与し続けてはならない。

少陽病期に特徴的な自覚的症状として，首筋から肩のこり，食欲不振，悪心あるいは嘔吐，口が苦い，季肋部の膨満感，発熱(往来寒熱)あるいは微熱などを認める。往来寒熱とは，寒と熱が往来する病態であり，臨床的には悪寒がやむと熱が出て，熱が下がるとまた悪寒がするというような状態をさす。

コラム 桂枝と桂皮の違い

桂枝と桂皮はどちらもニッケイというクスノキ科の樹木を加工した生薬だが，桂枝はニッケイの枝の部分を使用し，桂皮はニッケイの幹の部分を使用しているという違いがある。桂枝湯という方剤名がついているにもかかわらず，桂枝湯には構成生薬として桂枝ではなく桂皮を使用しているのだということを覚えておいてほしい。

ニッケイは，香辛料のニッキやシナモンの原料として有名であるが，ニッキ飴や京都の銘菓「八ツ橋」の味や香りが苦手な人には，桂皮の入った漢方薬が飲めなかったり，アレルギー性の湿疹が出たりする人がいるので，処方する前にニッキやシナモンが大丈夫かどうか確認しておくと良い。

少陽病期に特徴的な他覚症候として，胸脇苦満，舌の赤味が強い，乾燥した白苔あるいは黄苔などを認める。胸脇苦満とは，胸から脇にかけて，いっぱいに何かつまったようで苦しいという病態であり，自覚的には季肋部の膨満感として出現するが，他覚的には腹診によって季肋下に抵抗と圧痛を証明する場合に胸脇苦満が陽性であると判定する。

5. 主要柴胡剤の使い分け

少陽病期の急性上気道炎患者には，『傷寒論』に収載されている主要柴胡剤，すなわち大柴胡湯，柴胡加竜骨牡蛎湯，四逆散，小柴胡湯，柴胡桂枝湯，柴胡桂枝乾姜湯の6方剤を虚実に応じて使い分ける〔小柴胡湯の加減方である柴朴湯や柴陥湯の使い方については，気管支喘息や慢性の咳・痰に対する漢方治療（**150頁～**）のところで述べる〕。

主要柴胡剤の使い分けを**図5**に示したが，重要なのは腹診の所見である。より実証の方剤ほど，腹力が充実し，胸脇苦満の程度も強いというのが基本的なポイントである。虚実中間証に適応となる小柴胡湯は，腹力が中等度であり，胸脇苦満の程度も中等度である。小柴胡湯より実証の患者に対しては大柴胡湯や柴胡加竜骨牡蛎湯，四逆散を用い，より虚証の患者に対しては柴胡桂枝湯や柴胡桂枝乾姜湯を用いる。また，四逆散と柴胡桂枝湯は腹直筋の緊張を認め，柴胡加竜骨牡蛎湯と柴胡桂枝乾姜湯は臍上悸（腹部大動脈の拍動）を触知するのが特徴である。

	大柴胡湯	柴胡加竜骨牡蛎湯	四逆散
腹力	充実	中等度～実	中等度
脈	沈実	実	弦
舌苔	黄苔	白黄苔	白苔
特徴	便秘	精神症状	心身症

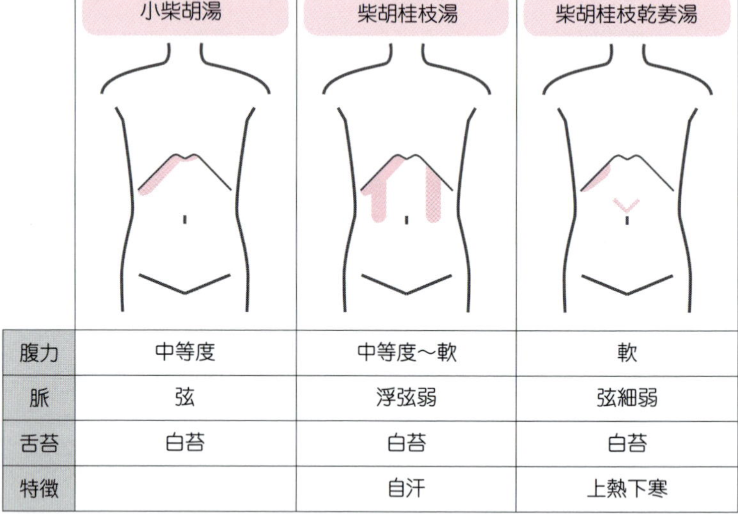

	小柴胡湯	柴胡桂枝湯	柴胡桂枝乾姜湯
腹力	中等度	中等度～軟	軟
脈	弦	浮弦弱	弦細弱
舌苔	白苔	白苔	白苔
特徴		自汗	上熱下寒

図5　主要柴胡剤の使い分け

図内の赤い部分は，腹診所見（胸脇苦満・心下痞鞕・腹直筋緊張・臍上悸の存在）を示している。

小柴胡湯（しょうさいことう）の臨床疫学的エビデンス

研究方法：プラセボとの二重盲検ランダム化比較試験

対象患者：発病後5日間以上経過した感冒患者のうち，咳を有し，口中不快（口の苦み，口の粘り，味覚の変化），食欲不振，倦怠感のいずれかを伴う患者。解析対象は実薬群113例，プラセボ群104例

薬物投与：実薬群は小柴胡湯（しょうさいことう）エキス（3包/日）を投与

結果：全般改善度で評価した有効率（改善以上）は実薬群64.1％で，プラセボ群の43.7％に比べて有意に優れていた。症状別改善度では，投与3～4日後，実薬群は咽頭痛，倦怠感において有意に優れていた。投与終了時，実薬群は痰の切れ，食欲，関節痛・筋肉痛において有意に優れていた

【文献】

加地正郎，他：臨と研．2001；78（12）：2252-68．

柴胡桂枝湯（さいこけいしとう）の代表的症例

症例：70歳，女性

主訴：微熱，咳，痰，口の苦さ

現病歴：2週間前に風邪に罹患してから，36℃台の微熱が持続して熱っぽい。最初は寒気もあったが今はない。咳と痰があり，痰は白色で少し粘稠だが，切れやすい。近医で西洋薬による治療を受けているが無効。疲れやすく，首のまわりに汗をかく，口が苦い，冷えはなく，大小便は異常なし

現症：身長146.0cm，体重45.6kg，体温36.9℃，血圧116/62mmHg，脈拍数86rpm。脈は浮・弦・虚実中間。舌は乾燥した白黄苔を被る。腹力は少し軟弱で，右側の胸脇苦満と心下痞鞕（しんかひこう），両側の腹直筋緊張を認める

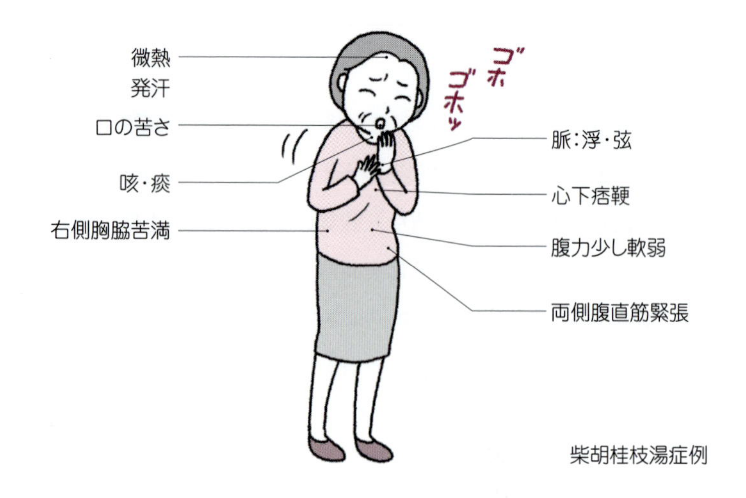

柴胡桂枝湯症例

経過：慢性の咳・痰，口が苦く，腹診で胸脇苦満を認めたことなどから柴胡剤の適応と判断した。また，脈が浮・弦で自汗があり，表証がまだ残っていたことと，腹力がやや軟弱であったことから，柴胡桂枝湯エキス（3包/日）を開始した。3日間で熱感が軽減し，1週間で咳・痰・口の苦さも軽快し，2週間で廃薬となった

6. 柴胡と黄芩の薬理作用

構成生薬の面からみた柴胡剤の基本骨格は，柴胡と黄芩の組み合わせである。

柴胡やその主成分であるサイコサポニンの薬理作用として，①腸チフス，パラチフス混合ワクチンによる発熱に対する解熱作用，②抗炎症作用，③抗体産生増強作用，④マクロファージと免疫複合体の結合能増強作用，⑤免疫複合体クリアランス促進作用，⑥下垂体からのACTH分泌促進作用，⑦肝臓のステロイド代謝酵素活性増強作用，⑧副腎皮質ステロイドの副作用防止作用，⑨抗ストレス作用などが知られている。

黄芩やその主成分であるバイカリンの薬理作用として，①カラゲニン足蹠浮腫法においてアスピリンと同程度の抗炎症作用，②慢性炎症の

モデルであるアジュバント関節炎における強力な抗炎症作用，③ロイコトリエンC_4の生合成抑制による抗炎症作用，④インターロイキン1βの産生阻害作用，⑤抗アナフィラキシー作用，⑥ケミカルメディエーター遊離抑制による抗アレルギー作用，⑦ウイルス増殖抑制作用，⑧体温低下作用，⑨活性酸素除去作用などが知られている。

コラム 風邪症候群に対する漢方治療は経済的

風邪症候群の治療に漢方薬を取り入れることは経済効率がきわめて高いことを，赤瀬らは調査・報告している。

調査は，1997年12月より1998年2月の3カ月間に，風邪症候群にて対象施設を受診した患者875名を対象に実施された。対象患者を西洋薬治療群597名，西洋薬漢方薬併用群111名，漢方薬治療群167名に分類し，薬剤数と処方日数を調査して1日当たりの薬剤費を算定した。

その結果，平均薬剤数と平均処方日数は西洋薬治療群が2.9剤で6.7日，西洋薬漢方薬併用群が2.7剤で5.0日，漢方薬治療群が1.2剤で4.0日であった。1日当たりの平均薬剤費は西洋薬治療群が203.8円，西洋薬漢方薬併用群が215.9円，漢方薬治療群が119.6円となり，漢方薬単独で治療した群の薬剤費は西洋薬で治療した場合と比較すると60%ほど安価であり，経済効率がよいことが明らかとなった。

また，漢方薬治療群における総調剤数は204剤であり，その種類は非常に多岐にわたっていた。総調剤数に対する処方率は，麻黄湯(まおうとう)16.7%，桂麻各半湯(けいまかくはんとう)12.3%，桂枝湯(けいしとう)・小青竜湯(しょうせいりゅうとう)7.8%，五苓散(ごれいさん)・麻杏甘石湯(まきょうかんせきとう)・胃苓湯(いれいとう)・麦門冬湯(ばくもんどうとう)4.9%，小柴胡湯(しょうさいことう)・神秘湯(しんぴとう)2.9%，麻黄附子細辛湯(まおうぶしさいしんとう)・桔梗湯(ききょうとう)・香蘇散(こうそさん)・柴胡桂枝湯(さいこけいしとう)・葛根湯(かっこんとう)2.5%であった(2.5%未満掲載省略)。

【文献】

赤瀬朋秀，他：日東洋医誌．2000；50(4)：655-63.

3 気管支喘息に対する漢方治療

1. 気管支喘息への漢方薬の投与指針

気管支喘息への漢方薬の投与指針（図6）としては，気管支喘息発作期には麻黄剤が適応になり，熱証には麻杏甘石湯，寒証には小青竜湯を投与するとよい。慢性期には，柴朴湯を中心とする柴胡剤が第一選択薬となり，脾虚や腎虚の病態には補中益気湯や八味地黄丸が適応になる。

漢方薬使用上の注意点として次の４項目がある。①重症のケースや発作がひどいときは当然，西洋薬を優先する，②軽症，中等度の喘息には良い適応があり，病型にはそれほどこだわらなくても良い，③漢方薬の選択はなるべく証（東洋医学的にみた診断と治療）に基づいて行う，④漢方薬の効用はすぐには現れないので，約3～4週間目には効果の有無をチェックし，効果が実感できるときは長期（半年2年）に服用を続ける。効果が実感できないときには，その時点で方剤の見直しを行う。

2. 気管支喘息発作期に使用される麻黄剤

気管支喘息の発作期に使用される麻杏甘石湯と小青竜湯は，寒熱と

病期	方剤群	証	方剤
発作期	麻黄剤	熱証（暑がり，汗をかく）	麻杏甘石湯
		寒証（寒がり，くしゃみ，鼻水）	小青竜湯
慢性期	柴胡剤	（体力中等度，虚実間）	柴朴湯, 小柴胡湯
		脾虚（胃腸が弱い）	補中益気湯
		腎虚（足腰の冷え，弱り）	八味地黄丸

図6　気管支喘息への漢方薬の投与指針

表2　麻杏甘石湯と小青竜湯の使用目標の比較

麻杏甘石湯の使用目標	小青竜湯の使用目標
口渇がある	口渇はないことが多い
冷たいものを飲みたがる	温かいものを飲みたがる
痰は少なく，粘稠で黄色い	痰は多く，泡沫・水様で透明
体に熱感がある	足や背中が冷える
皮膚は乾燥傾向	皮膚は浮腫傾向
脈が速い	脈が遅い
舌の色は赤味が濃い	舌の色は淡白
舌は乾燥している	舌は湿潤している
腹診で胃部振水音を認めない	腹診で胃部振水音を認める

燥湿の病態に基づいて使い分けるのが原則である。両方剤の使用目標を**表2**のように比較すると，熱証に適応となる麻杏甘石湯が燥の病態や症候を伴いやすく，寒証に適応となる小青竜湯が湿の病態や症候を伴いやすいということを具体的にイメージしやすくなる。痰の性状をみるだけでも，寒熱・燥湿の病態をある程度は診断できるのだが，その他の自覚症状や他覚症候も総合して病態を診断することが大切である。問診では，口渇の有無だけでなく，冷たいものを飲みたがるのか，温かいものを飲みたがるのかという点まで聴取する必要がある。

麻杏甘石湯の代表的症例

症例：29歳，女性

主訴：喘鳴，咳嗽を伴う呼吸困難発作

家族歴：気管支喘息（母・弟）

現病歴：5年前の秋頃より季節の変わり目になると風邪をひいて咳嗽，呼吸困難発作が出現するようになり，近医にて気管支喘息と診断され，発作時だけ内服治療を続けている。2年前から体重が16kg増加して発

作の程度や回数が増悪してきた。2日前に風邪をひいてから喘鳴と乾性咳嗽が出現し，呼吸困難が増悪してきた。汗をかきやすい，口渇あり，冷たい水を飲みたい，冷えはない，便通・小便は異常なし

現症：身長167.0cm，体重68.0kg，体温38.0℃，血圧122/90mmHg，脈拍数92rpm。聴診上，肺野全体に乾性ラ音を聴取。脈は虚実中間。舌はやや腫大し，湿潤した白苔。腹力は充実し，左胸脇苦満・心下痞鞕・両側腹直筋緊張・右臍傍圧痛を認める

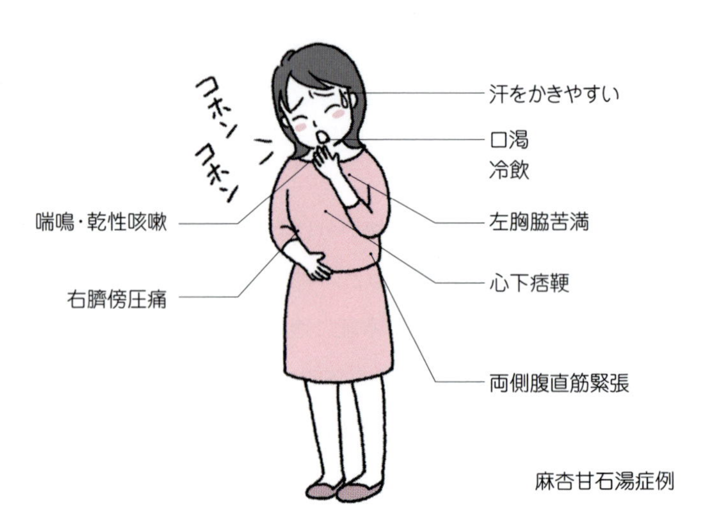

麻杏甘石湯症例

経過：血液検査で軽度の炎症反応と低酸素血症を認めたが，胸部X線上は異常なく，急性気管支炎に伴う喘息発作と考えた。アミノフィリンと抗菌薬の点滴を1回だけ施行し，内服薬は麻杏甘石湯(まきょうかんせきとう)（煎じ薬で桑柏皮(そうはくひ)を加えて五虎湯(ごことう)とした）とテオフィリン徐放製剤を開始した。1週間後には喘鳴は消失し，咳が少し残るだけとなった

【文献】

喜多敏明，他：カレントテラピー．1997；15(4)：683-5.

小青竜湯の臨床疫学的エビデンス

研究方法：多施設症例集積研究

対象患者：16歳以上70歳未満の成人喘息患者69例（男性27例，女性42例，平均年齢47.5±17.1歳）

薬物投与：小青竜湯エキス（3包/日）を2週間の観察期間の後4週間，可能であれば8週間投与した

結果：喘息日記の記載をもとに，投与前後で痰の量・切れ，日常生活点数，夜間睡眠点数，くしゃみ，鼻水などの自覚症状の変化を総合的に評価した結果，最終全般改善度は，著明改善13例（18.8%），中等度改善23例（33.3%），軽度改善19例（27.5%），不変13例（18.8%），軽度悪化1例（1.4%）で，中等度以上の改善は36例（52.2%）であった

【文献】

江頭洋祐，他：日東洋医誌．1995；45(4)：859-76．

3. 気管支喘息慢性期における第一選択薬としての柴朴湯

気管支喘息の慢性期に対して適応となる代表的な方剤は柴朴湯である。柴朴湯がなぜ気管支喘息に対して効果があるのかを，中島らは薬理作用の面から検討し，**表3**に示したような自律神経・免疫・内分泌系に対する多面的な作用を明らかにしている[1)]。

また，以下に述べるような臨床疫学的エビデンスもあることから，気管支喘息患者の慢性期には第一選択薬として使用しても良い方剤である。

ただし，柴朴湯は小柴胡湯と半夏厚朴湯の合方であり，体力中等度のいわゆる虚実中間証に用いるのが原則であり，実証あるいは虚証に大きく偏った患者には適応とならない。そのような患者に対しては，虚実に応じて小柴胡湯以外の柴胡剤と半夏厚朴湯を組み合わせることも必要である。

表3　柴朴湯の作用

自律神経系に対する作用

1. β_2刺激薬投与によるβ_2受容体数の減少を抑制
2. ムスカリン性アセチルコリン受容体数を減少
3. ストレス負荷による気道過敏性の亢進を抑制

免疫系に対する作用

4. リンパ球のIgE-Fc受容体発現およびIgE抗体産生を抑制
5. 好中球の血小板活性化因子（PAF）産生を抑制
6. 好酸球の接着分子発現を抑制
7. 遅発型喘息反応（LAR）を抑制

内分泌系に対する作用

8. ステロイド剤投与による血漿ACTHとコルチゾール値の低下を上昇させ，グルココルチコイド受容体数の減少を抑制

（中島重徳，他：漢方医．1995；19（5）：145-7.）

【文献】

1）中島重徳，他：漢方医．1995；19（5）：145-7.

柴朴湯（さいぼくとう）の臨床疫学的エビデンス

研究方法：非投与群とのランダム化比較試験

対象患者：ステロイド依存性喘息患者112例。封筒法により投与群（A群）64例と非投与群（B群）48例に振り分けた

薬物投与：A群には柴朴湯（さいぼくとう）エキス（3包/日）を分3で12週間投与

結果：中等度以上の改善例はA群32.8%，B群10.4%，軽度以上の改善例はA群60.9%，B群18.8%で，両群には明らかな有意差を認めた。ステロイド剤の中止はA群2例（3.0%），B群0例，ステロイド剤の50%以上の減量はA群11例（17.2%），B群3例（6.3%）でなされ，両群には明らかな有意差を認めた

【文献】

Egashira Y, et al：Ann N Y Acad Sci. 1993；685：580-3.

柴朴湯（さいぼくとう）の代表的症例

症例：11歳，男性

主訴：喘息発作，鼻汁，鼻閉

家族歴：B型慢性肝炎（母），小児喘息・慢性鼻炎（父）

現病歴：3歳頃に気管支喘息を発症。最近は内服せずに発作時の吸入のみで対応しているが，風邪をひいたときや，季節の変わり目に発作を起こす。発作時には咳が強く，痰も多い。9歳頃から鼻汁・鼻閉が出現し，耳鼻科にてアレルギー性鼻炎の診断で減感作療法を受けているが軽快しない。口渇あり，冷たい水を飲みたがる，冷えはない，便通は便秘気味，小便は6〜7回/日

現症：身長148.2cm，体重50.9kg，体温36.0℃，血圧104/56mmHg，脈拍数80rpm。脈は浮・やや弱。舌は鮮紅色，湿潤した白苔。腹力はやや充実，胸脇苦満・心下痞鞕（しんかひこう）・臍傍圧痛を認める

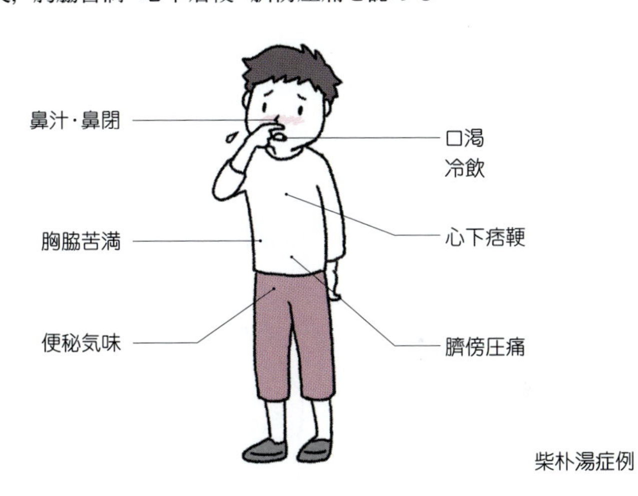

柴朴湯症例

経過：気管支喘息の慢性期で胸脇苦満を認めたことと，腹力はやや充実していたが，全体として大きく実証に偏ってはいなかったことから柴朴湯（さいぼくとう）エキス（3包/日）を開始した。2日目には鼻の通りが改善し，眠りが深くなった。鼻汁も軽減し，便通も良くなった。2カ月後に台風が

きて，軽い喘息発作があったが吸入せずに治まった。その後は台風がきても発作が起こらなくなり，経過良好である

柴胡桂枝乾姜湯合半夏厚朴湯（さいこけいしかんきょうとうごうはんげこうぼくとう）の代表的症例

症例：58歳，女性，主婦

主訴：咳嗽，喘鳴

家族歴：気管支喘息（母）

現病歴：9年前の冬頃より日中の咳嗽が出現。鎮咳薬を処方されるも改善はみられなかった。5年前の2月には，咳嗽とともに喘鳴が出現し，息苦しさを自覚。大学病院内科にて気管支喘息と診断され，去痰薬と吸入の気管支拡張薬を処方された。2年前から発作が1年中出現するようになり，吸入時の症状改善度も徐々に悪くなってきた。風邪をひきやすい，寒がりである，ややのぼせやすい，喉に何かつまっている感じ，便秘気味

現症：身長156.0cm，体重54.0kg，体温35.7℃，血圧132/78mmHg，脈拍数72rpm。脈は沈・弱・小。舌は暗赤紅で，乾湿中等度の微白苔。腹力はやや軟，軽度の右胸脇苦満・心下痞鞕（しんかひこう）・両側臍傍圧痛を認める

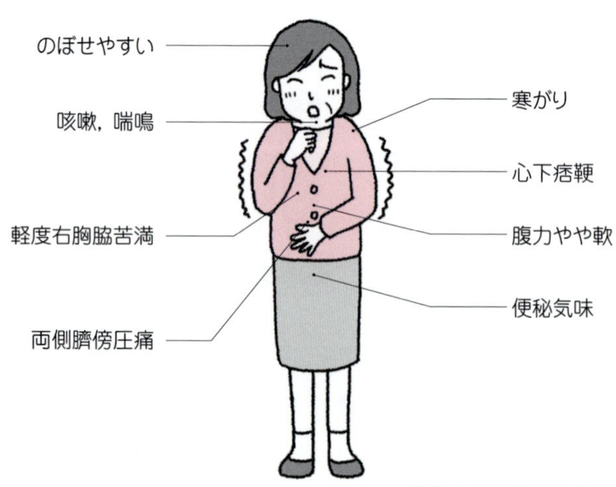

柴胡桂枝乾姜湯合半夏厚朴湯症例

経過：血液検査で好酸球増多(12.7%)を認めたが，胸部X線所見は胸膜の肥厚のみであった。柴胡桂枝乾姜湯合半夏厚朴湯(さいこけいしかんきょうとうごうはんげこうぼくとう)(煎じ薬)を処方したところ，5日目くらいから吸入薬の使用回数が減少し，2〜3カ月後には1日に2回程度，5〜6カ月後には0〜1回，8カ月後にはまったく使用せずに無発作の状態が持続している

【文献】
酒井伸也, 他：カレントテラピー. 1995；14(1)：163-5.

step 2

4 慢性の咳・痰に対する漢方治療

1. 慢性の咳・痰に適応となる12方剤

慢性の咳・痰をきたす原因疾患としては，既に述べた急性上気道炎の遷延化や気管支喘息以外に，慢性気管支炎，気管支拡張症，肺気腫，肺結核，非定型抗酸菌症，肺線維症などがある。いずれにしても気道における慢性炎症が咳や痰の原因となっていることが多いのだが，漢方治療の際には虚実と寒熱の病態に応じて，図7に示したような12種類の方剤を使い分けていく。

ここでは，12種類の方剤を①～④の4グループに分けてあるが，①と②は虚実中間証から実証寄りで，激しい咳に適応となり，③と④は虚証寄りで，力のない咳に適応となる。また，①と③は痰を伴う咳（湿性咳嗽）に適応となるが，②と④は痰をあまり伴わない咳（乾性咳嗽）に適応となる。

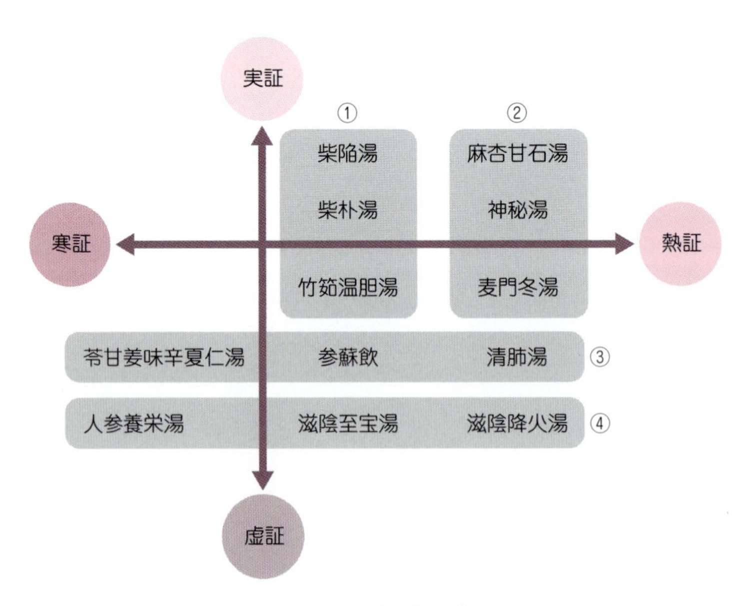

図7　慢性の咳・痰に対する12方剤の使い分け

1) 激しい湿性咳嗽に適応となる3方剤

比較的激しい湿性の咳嗽に対して適応となる代表的な方剤は柴朴湯(さいぼくとう)である。柴朴湯(さいぼくとう)は体力中等度のいわゆる虚実中間証の人で，咳嗽，喘鳴，精神不安，抑うつ傾向，食欲不振，全身倦怠感などを訴える場合に用いられる。既に述べたように，気管支喘息の慢性期に頻用される方剤である。

柴朴湯(さいぼくとう)と鑑別すべき方剤としては，柴陥湯(さいかんとう)と竹茹温胆湯(ちくじょうんたんとう)がある。柴陥湯(さいかんとう)は比較的体力のある実証傾向の人で，強い咳が出て，痰が切れにくく，胸痛のある場合に用いられる。腹診所見において，心下痞鞕（心窩部の抵抗・圧痛）を顕著に認めるのが特徴である。竹茹温胆湯(ちくじょうんたんとう)は虚実中間証からやや虚証傾向の人で，感冒などで発熱が長びき，あるいは解熱後，咳が出て痰が多く，不眠を訴える場合に用いられる。夜に咳や痰が出て眠れないという特徴的な所見をうまく問診で聞き出すことが大切である。

2) 激しい乾性咳嗽に適応となる3方剤

比較的激しい乾性の咳嗽に対して適応となる代表的な方剤は，麦門冬湯(ばくもんどうとう)である。麦門冬湯(ばくもんどうとう)は，体力中等度もしくはそれ以下の虚実中間証からやや虚証の人で，痰を伴わない激しい咳嗽があり，発作性に咳が頻発して顔面紅潮する場合に用いる。咽喉がイガイガするという特徴的な所見をうまく問診で聞き出すことが大切である。麦門冬湯(ばくもんどうとう)の臨床疫学的エビデンスや薬理作用，代表的症例についてはstep1で詳細に述べたので，そちらを復習して頂きたい。

麦門冬湯(ばくもんどうとう)と鑑別すべき方剤としては，麻杏甘石湯(まきょうかんせきとう)と神秘湯(しんぴとう)がある。麻杏甘石湯(まきょうかんせきとう)は比較的体力のある実証傾向の人で，咳嗽が強く，口渇，自然発汗，熱感などがあり，喘鳴，呼吸困難などを訴える場合に用いる。口渇が非常に強く，冷たいものをたくさん飲みたがるのが特徴である。神秘湯(しんぴとう)は体力中等度の虚実中間証を中心に比較的幅広く使える方剤で，呼吸困難を主訴とし，神経症傾向や抑うつ傾向を呈する場合に用いる。腹診所見において，胸脇苦満を認めるのが特徴である。

3) 力のない湿性咳嗽に適応となる3方剤

比較的力のない湿性の咳嗽に対して適応となる代表的な方剤は参蘇飲(じんそいん)である。参蘇飲(じんそいん)は胃腸虚弱な虚証の人の感冒で，頭痛，発熱，咳嗽，喀痰などのある場合に用いる。漢方の総合感冒薬として第一選択薬になりうる方剤であり，西洋医学の風邪薬では胃の調子が悪くなって服用できないという症例にも心配なく使用できる。発症後，既に数日を経て長びいたものに用いることになっているが，咳や痰を伴っていれば発病初期から使用しても良い。

参蘇飲(じんそいん)と鑑別すべき方剤としては，清肺湯(せいはいとう)と苓甘姜味辛夏仁湯(りょうかんきょうみしんげにんとう)がある。清肺湯(せいはいとう)は比較的体力の低下した虚証傾向の人で，粘稠で切れにくい痰が多く，咳嗽が遷延化した場合に用いる（step1の19～20頁参照）。一方，苓甘姜味辛夏仁湯(りょうかんきょうみしんげにんとう)は比較的体力が低下した虚証傾向の人で，咳嗽，水様性の喀痰，水様性鼻汁，喘鳴などを呈する場合に用いる。どちらも虚証の方剤であるが，清肺湯(せいはいとう)は熱証なので，痰の性状が粘稠で切れにくいというのが特徴であり，苓甘姜味辛夏仁湯(りょうかんきょうみしんげにんとう)は寒証なので，冷えがあって水様性の喀痰や水様性鼻汁を呈するという特徴がある。

また，図7の12方剤には入っていないが，柴胡桂枝乾姜湯(さいこけいしかんきょうとう)で比較的力のない湿性の咳嗽が軽快した1例を経験したので，清肺湯(せいはいとう)・苓甘姜味辛夏仁湯(りょうかんきょうみしんげにんとう)の症例とともに以下に提示する。

清肺湯(せいはいとう)の代表的症例（慢性気管支炎）

症例：57歳，女性

主訴：咳，痰

現病歴：7年前から喉がイガイガして，咳と痰がよく出る。咳は夜間に特に多く，白ないし黄色の痰は粘稠で，切れにくい。風邪をひきやすい，冷えはない

現症：身長162.0cm，体重58.6kg，体温36.4℃，血圧116/80mmHg，

脈拍数76rpm。咽頭は赤い。脈は虚実中間。舌は腫大し，乾湿中等度の白苔を被る。腹力はやや軟弱で，腹直筋が緊張し，軽度の心下痞鞕と臍上悸を認める

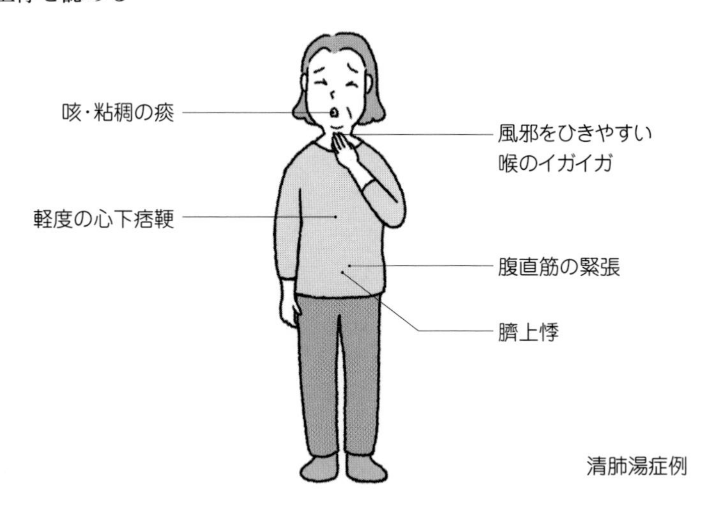

清肺湯症例

経過：痰は多いが，咳には力がなく，全体に虚証でかつ熱証であることから，清肺湯(せいはいとう)エキス（3包/日）を開始した。2週間後には，喉のイガイガと咳は軽減し，痰も切れやすくなった。4週間でほぼ軽快し，3カ月で廃薬となった

苓甘姜味辛夏仁湯(りょうかんきょうみしんげにんとう)の代表的症例（気管支喘息と肺気腫）

症例：64歳，男性

主訴：呼吸困難，息切れ，痰，咳，鼻水

現病歴：3年前から気管支喘息の診断の下，近医で内服治療を続けているが，少し動くと呼吸困難と息切れが出現する。冬には白色の痰が多く，呼吸困難も悪化する。痰を出そうとするが咳には力がなく，寒いと鼻水も出る。やせ型で顔色不良，疲れやすく，風邪をひきやすい，寒がりで寝汗をかく

現症：身長165.0cm，体重59.4kg，体温36.2℃，血圧144/92mmHg，脈拍数88rpm。胸部X線では肺気腫の所見を軽度認めた。脈は硬い（動脈硬化や高血圧の場合，脈が硬く触れるので参考にならない）。舌はやや淡白紅，湿潤した白苔を被り，亀裂がある。腹力は軟弱で，心下痞鞕と腹直筋緊張を認める

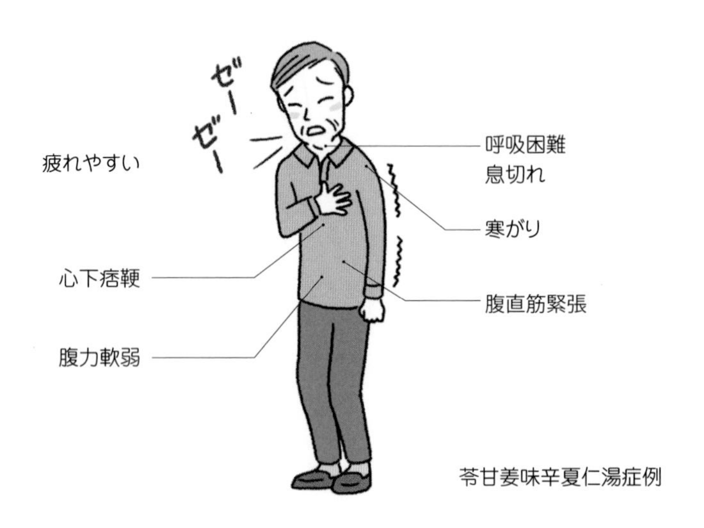

苓甘姜味辛夏仁湯症例

経過：痰は多いが，咳には力がなく，全体に虚証でかつ寒証であることは容易に診断できる。内服中の西洋薬は継続とし，苓甘姜味辛夏仁湯（りょうかんきょうみしんげにんとう）エキス（3包/日）を開始した。2週間後には，呼吸困難はほとんど消失し，冬になっても痰が少なく非常に楽に過ごせた。風邪もひかなくなった

参考：小青竜湯（しょうせいりゅうとう）が適応になるようなタイプの気管支喘息で，麻黄（まおう）の入った漢方薬を服用すると胃腸障害をきたすような症例には，苓甘姜味辛夏仁湯（りょうかんきょうみしんげにんとう）で代用することができる

柴胡桂枝乾姜湯（さいこけいしかんきょうとう）の代表的症例（非定型抗酸菌症）

症例：74歳，女性

主訴：咳・痰・食欲不振・前胸部つかえ感・動悸・不安感

既往歴：脂質異常症・骨粗鬆症

家族歴：高血圧症（母）

現病歴：5年前に検診で胸部X線異常を指摘され，精査の結果，非定型抗酸菌症と診断された。化学療法を2クール終了し，3クール目の化学療法を施行したところ，食欲不振，胃痛，下痢，動悸，不整脈などの副作用のため6週間で中止した。その後も，咳・痰・食欲不振・前胸部のつかえ感・動悸・不安感が持続している。口渇があり，温かい飲みものを好む，手足の冷えはない，小便は日中7回で夜間1回，便通は毎日ある

現症：身長151.6cm，体重46.3kg，体温35.1℃，血圧146/74mmHg，脈拍数84rpm。脈は沈・細・弱。舌は鮮紅色，乾燥した白苔が厚い。腹力は軟弱で，軽度の両側胸脇苦満，著明な臍上悸，臍傍圧痛を認める

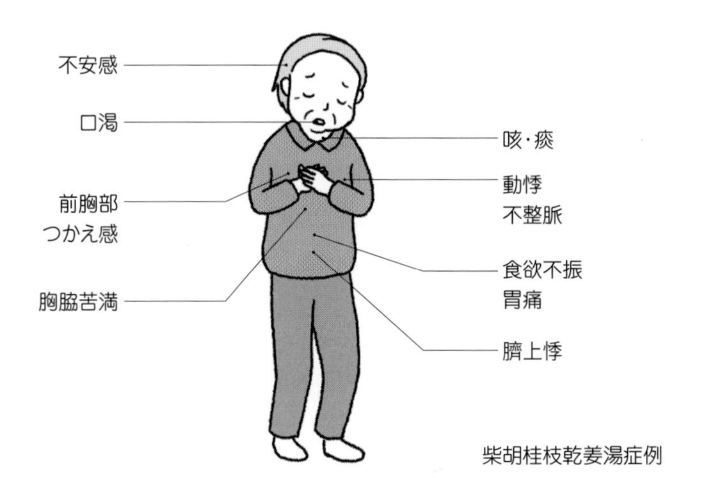

柴胡桂枝乾姜湯症例

経過：慢性の咳・痰，食欲不振，舌の赤味が強く，腹診で胸脇苦満を認めたことなどから柴胡（さいこ）剤の適応と判断した。また，腹力が軟弱であったことから虚証の柴胡桂枝乾姜湯（さいこけいしかんきょうとう）エキス（3包/日）を開始した。3週間後には，痰の切れが改善し，動悸と不整脈が消失した。5週間後には，食欲が改善し，前胸部のつかえ感が軽減した。9週間後には，だいぶ元気になって気力も出てきた。以前はデパス®を1日3回服用していたが，

夕方1回に減った。その後，咳・痰はほぼ消失した

4) 力のない乾性咳嗽に適応となる3方剤

比較的力のない乾性の咳嗽に対して適応となる代表的な方剤は滋陰降火湯である。滋陰降火湯は体力が低下した虚証の人で，夕方あるいは夜間に咳が頻発し，痰は粘稠で切れにくいが量は少ない場合に用いる。麦門冬湯に比べるとさらに虚証であり，咳には力がない。また，後咽頭壁の粘膜を観察すると，乾燥してテカテカに光っているのが滋陰降火湯の目標であり，麦門冬湯では粘膜に潤いが残っているので両者を鑑別する際の参考になる。

滋陰降火湯と鑑別すべき方剤としては，滋陰至宝湯と人参養栄湯がある。滋陰至宝湯は体力が低下した虚証の人で，慢性に経過した咳嗽に用いる。痰の量はさほど多くないが，滋陰降火湯に比較すると，神経質で，喉に痰が絡むのを非常に気に病むという特徴がある。人参養栄湯は病後，術後，あるいは慢性疾患などで疲労衰弱している虚証の人で，微熱，悪寒，咳嗽，貧血，息切れ，食欲不振，るい痩などを伴う場合に用いる。

5 アレルギー性鼻炎に対する漢方治療

1. アレルギー性鼻炎に適応となる8方剤

ここで少し脇道にそれるが，アレルギー性鼻炎に対する漢方治療について整理しておきたい。咳・痰・喘鳴といった呼吸器症状に対して用いられる漢方薬のうち，小青竜湯（しょうせいりゅうとう），苓甘姜味辛夏仁湯（りょうかんきょうみしんげにんとう），麻黄附子細辛湯（まおうぶしさいしんとう），柴胡桂枝乾姜湯（さいこけいしかんきょうとう）の4方剤は寒証タイプ（水様性の鼻汁が特徴）のアレルギー性鼻炎に対してよく用いられている。熱証タイプ（粘稠な鼻汁が特徴）のアレルギー性鼻炎に適応のある越婢加朮湯（えっぴかじゅつとう），葛根湯加川芎辛夷（かっこんとうかせんきゅうしんい），荊芥連翹湯（けいがいれんぎょうとう），辛夷清肺湯（しんいせいはいとう）の4方剤を加えれば，様々なタイプのアレルギー性鼻炎に対してほぼ対応可能である。以上のアレルギー性鼻炎に適応となる8方剤を，寒熱と虚実の座標軸上に位置づけると図8のようになる。

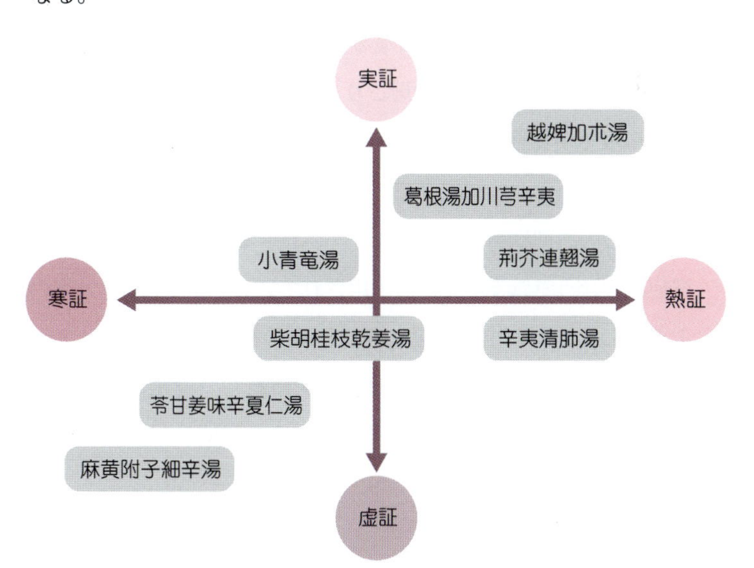

図8　アレルギー性鼻炎に対する8方剤の位置づけ

2. アレルギー性鼻炎に対する漢方治療の実際

アレルギー性鼻炎に対する漢方治療の実際をフローチャートにまとめて図9に示した。

アレルギー性鼻炎は一般に寒証タイプを呈するので，エビデンスのレベルの高い小青竜湯を第一選択薬とし，麻黄で胃腸の調子が悪くなる虚証の患者には苓甘姜味辛夏仁湯で代用すると良い。冷えや寒さによってアレルギー症状が増悪するタイプには，小青竜湯よりも麻黄附子細辛湯のほうを使うことが多く，附子でのぼせやほてりが出現する上熱下寒のケースには，柴胡桂枝乾姜湯を選択すると良い。

熱証タイプのアレルギー性鼻炎で，目や鼻が痒いという症状を伴う場合には，越婢加朮湯で対処することが多い。もともと慢性副鼻腔炎のある患者がアレルギー性鼻炎を併発すると，寒証タイプよりも熱証タイプを呈するようであり，荊芥連翹湯，葛根湯加川芎辛夷，辛夷清肺湯の3方剤を使い分けることになる。慢性扁桃腺炎や慢性湿疹を伴うケースには荊芥連翹湯，頭痛や肩こりを伴うケースには葛根湯加川芎辛夷，鼻から喉の奥にかけて熱感を伴うケースには辛夷清肺湯がそれぞれ適応になる。

これらの方剤は鼻炎だけでなく，いわゆる鼻風邪にも使えるし，鼻炎様症状を伴う気管支喘息にも応用されている。最後に，8方剤の中でもよく使われている小青竜湯と苓甘姜味辛夏仁湯についてはアレルギー性鼻炎に対する臨床疫学的エビデンスがあり，葛根湯加川芎辛夷については副鼻腔気管支症候群に対する臨床疫学的エビデンスがあるので紹介しておく。

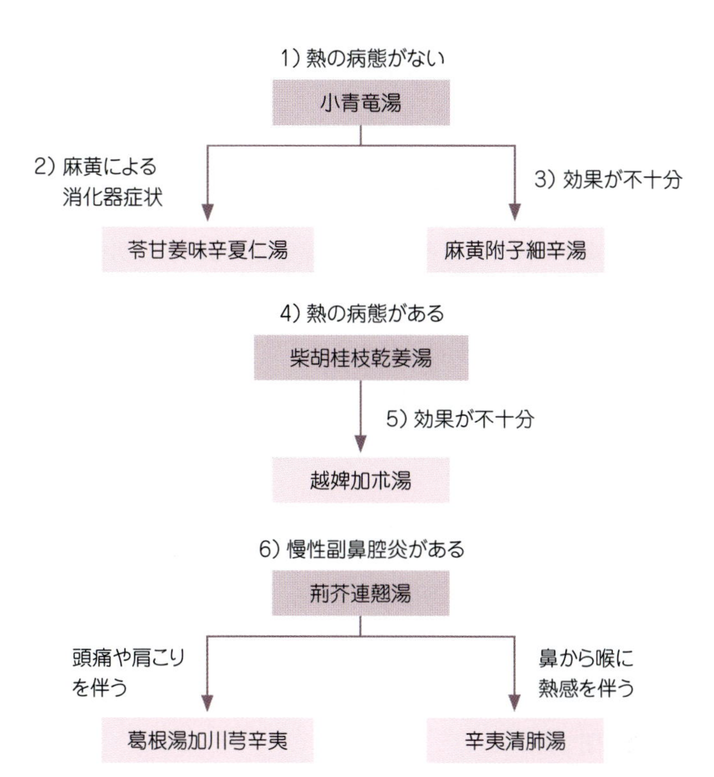

図9　アレルギー性鼻炎に対する漢方治療の実際

1）細辛や乾姜を含む4方剤（小青竜湯・苓甘姜味辛夏仁湯・麻黄附子細辛湯・柴胡桂枝乾姜湯）のうち，小青竜湯と苓甘姜味辛夏仁湯には細辛と乾姜の両方が含まれているが，アレルギー性鼻炎の第一選択薬は小青竜湯である。
2）小青竜湯に含まれている麻黄で消化器症状のような副作用が出る患者に対しては，苓甘姜味辛夏仁湯を使うと良い。
3）小青竜湯を投与して効果が不十分な場合には，麻黄附子細辛湯に変更するか，小青竜湯と麻黄附子細辛湯を併用する。寒の病態だけでなく，熱の病態を伴っているケースでは，細辛を含む上述の3方剤（小青竜湯・苓甘姜味辛夏仁湯・麻黄附子細辛湯）ではうまく対処できないことが多い。
4）熱の病態を呈している患者の場合，鼻汁がやや粘稠になることと，目や鼻の痒みが強いことが特徴であり，そのような患者に対しては柴胡桂枝乾姜湯が良い適応になる。
5）柴胡桂枝乾姜湯を投与して効果が不十分であれば，越婢加朮湯を投与すると良い。
6）もともと慢性副鼻腔炎のある患者がアレルギー性鼻炎を併発した場合には，荊芥連翹湯，葛根湯加川芎辛夷，辛夷清肺湯の3方剤を使い分ける。

小青竜湯（しょうせいりゅうとう）の臨床疫学的エビデンス

研究方法：プラセボとの二重盲検ランダム化比較試験

対象患者：中等度以上の典型的な鼻アレルギー症状を有する12歳以上の通年性鼻アレルギー患者217例。実薬群（107例）は男性49例，女性58例，平均年齢30.2歳。プラセボ群（110例）は男性51例，女性59例，平均年齢28.3歳。基準に外れた症例を除外した完全採用症例数は186例（実薬群92例，プラセボ群94例）

薬物投与：実薬群は小青竜湯（しょうせいりゅうとう）エキス（3包/日），対照群にはプラセボ（3包/日）を2週間投与

結果：投与前後における自覚症状と他覚所見から最終全般改善度を評価したところ，実薬群は著明改善12.0%，中等度改善32.6%，プラセボ群は著明改善5.3%，中等度改善12.8%で，実薬群が有意に優れていた。症状別改善度で実薬群が有意に優れていた症状は，くしゃみ発作，鼻汁，鼻閉であった

【文献】

馬場駿吉，他：耳鼻臨床．1995；88(3)：389-405．

苓甘姜味辛夏仁湯（りょうかんきょうみしんげにんとう）の臨床疫学的エビデンス

研究方法：小青竜湯（しょうせいりゅうとう）とのランダム化比較試験

対象患者：花粉症と診断された初診患者30例。苓甘姜味辛夏仁湯（りょうかんきょうみしんげにんとう）群（Ⅰ群：15例）は男性8例，女性7例，平均年齢46歳。小青竜湯（しょうせいりゅうとう）群（Ⅱ群：15例）は男性6例，女性9例，平均年齢43歳

薬物投与：Ⅰ群には苓甘姜味辛夏仁湯（りょうかんきょうみしんげにんとう）エキス（3包/日），Ⅱ群には小青竜湯（しょうせいりゅうとう）エキス（3包/日）を6週間投与

結果：投与前後における自覚症状と他覚所見から最終全般改善度を評価したところⅠ群は著明改善20%，中等度改善20%，軽度改善26.7%

であり，Ⅱ群は著明改善20%，中等度改善26.7%，軽度改善は33.3%であった。軽度改善以上はⅠ群66.7%，Ⅱ群80.0%で，両群間に差はみられなかった。症状別改善度では，くしゃみ発作，鼻汁，鼻閉の各症状ともに，その改善度にⅠ群とⅡ群との間で差は認められなかった

【文献】

森　壽生：Ther Res. 1996；17(9)：3691-6.

葛根湯加川芎辛夷(かっこんとうかせんきゅうしんい)の臨床疫学的エビデンス（副鼻腔気管支症候群）

研究方法：症例集積研究

対象患者：副鼻腔気管支症候群患者20例（平均年齢57.8歳）。上気道には蓄膿症を認め，下気道には慢性気管支炎13例，気管支拡張症2例，びまん性汎細気管支炎（DPB）5例を認めた

薬物投与：葛根湯加川芎辛夷(かっこんとうかせんきゅうしんい)エキス（3包/日）を併用投与

結果：咳，痰，呼吸困難，鼻閉，鼻汁，後鼻漏，治療薬の変化より総合的に評価したところ，著効4例，有効8例，やや有効7例で，有効率（有効以上）は60%であった。DPBの著効例ではエリスロマイシンを併用していたが，上下気道症状の改善とともに肺野のCT画像においても明らかな改善を認めた

【文献】

江頭洋祐，他：漢方免疫アレルギー. 1990；4：33-41.

step 2

5 尋常性痤瘡，湿疹・皮膚炎

- ▶本章では炎症性皮膚疾患（尋常性痤瘡，湿疹・皮膚炎）に対する漢方治療の実際を紹介しながら，寒熱と燥湿の病態についてさらに理解を深めるようにしたい。
- ▶尋常性痤瘡に対する漢方治療は清熱剤による標治(ひょうち)が中心になるが，その他の湿疹・皮膚炎に対する漢方治療においては，標治だけでなく本治(ほんち)についても紹介する。

1 尋常性痤瘡に対する漢方治療

十味敗毒湯(じゅうみはいどくとう)・黄連解毒湯(おうれんげどくとう)の臨床疫学的エビデンス

研究方法：ランダム化比較試験

対象患者：291例の尋常性痤瘡患者を無作為に6群に分けた

薬物投与：第1群90例には十味敗毒湯(じゅうみはいどくとう)エキス（3包/日），黄連解毒湯(おうれんげどくとう)エキス（3包/日），ステロイドローション，硫黄カンフルローション，クリンダマイシンローションの外用，第2群91例は十味敗毒湯(じゅうみはいどくとう)と黄連解毒湯(おうれんげどくとう)の内服のみ，第3群55例は十味敗毒湯(じゅうみはいどくとう)のみ内服，第4群20例は黄連解毒湯(おうれんげどくとう)のみ内服，第5群12例は外用剤のみ，第6群23例はミノサイクリン内服と外用剤の併用（ステロイドローションを除く）とし，観察期間は4週間以上とした

結果：皮疹（面疱，小丘疹，膿疱）が90％以上減少を著効，90～50％減少を有効，50～10％減少をやや有効，10％以下減少または増加を無効とした。有効以上の割合は第1群が78％（著効47％，有効31％，やや有効16％，無効5％），第2群は76％（52，24，12，12％），第3群は

75%(51，24，15，11%)，第4群は40%(20，20，30，30%)，第5群は16%(8，8，58，25%)，第6群は50%(33，17，17，33%)であった。第1群は第4群，第5群，第6群よりも有意に優れており，第2群は第4群よりも有意に優れていた

【文献】
大熊守也：日東洋医誌．1993；44(2)：173-7.

荊芥連翹湯の臨床疫学的エビデンス

研究方法：比較臨床試験

対象患者：139例の尋常性痤瘡患者を3群に分けた

薬物投与：A群66例(男性16例，女性50例)には荊芥連翹湯エキスの単独投与，B群45例(男性14例，女性31例)にはテトラサイクリン系抗菌薬単独投与群，C群28例(男性8例，女性20例)にはテトラサイクリン系抗菌薬に荊芥連翹湯エキスを追加投与した。観察期間は8週間とした

結果：発赤，脂漏，膿疱，丘疹，面疱の5項目につき4段階に分けて評価し，副作用を総合して有用性を5段階に分けて判定した。有用以上の割合はA群が60.6%(きわめて有用16.7%，有用43.9%，やや有用24.2%，有用性なし15.2%)，B群が62.2%，C群が78.6%であった

【文献】
橋本喜夫，他：第12回皮膚科東洋医学研究会記録．1994；p46-53.

清上防風湯（せいじょうぼうふうとう）の臨床疫学的エビデンス

研究方法：多施設症例集積研究

対象患者：15～30歳までの尋常性痤瘡患者157例のうち8週間の観察が可能であった106例（男性18例，女性88例）

薬物投与：清上防風湯（せいじょうぼうふうとう）エキス（3包/日）を8週間投与した。テトラサイクリン系抗菌薬の投与は原則として行わず，皮膚所見が重症な8例にのみ2週間の併用を行った。外用剤の併用は認めた

結果：面皰，丘疹，膿疱，脂漏の重症度を評価し，全般改善度（5段階）と副作用の有無から有用度を4段階に分けて判定したところ，有用以上の割合は58.4%（きわめて有用7.5%，有用50.9%，やや有用27.4%，無用14.2%）であった。副作用として，157例中5例に腹痛，下痢などの消化器症状，3例に蕁麻疹様発疹，1例に生理不順を認めた

【文献】

北海道TJ-58研究会：皮膚．1985；27（2）：328-32．

マニュアル化した随証治療の臨床疫学的エビデンス

研究方法：症例集積研究

対象患者：69例の尋常性痤瘡患者をマニュアル化した証診断によって5つの群に分けた（**表1**）

薬物投与：証に従って各漢方エキスを投与し，観察期間は最大6カ月までとした。抗菌薬はクラリスロマイシンあるいはミノサイクリンを化膿時に3～4日のみの投与とし，ビタミン剤とトラネキサム酸の併用を認めた

結果：紅斑，紅丘，面皰，硬結，膿疱の5項目について評価し，全般改善度を5段階に分けて判定した。 全症例における改善以上の割合は80.0%（著明改善19.1%，改善60.9%，やや改善12.8%，不変7.2%）

表1　マニュアル化した証診断

証	特徴	症例数
十味敗毒湯	体力中等度以上で患部の化膿傾向が強い例	19
荊芥連翹湯	皮膚が浅黒く，赤みを帯びた炎症症状の強い例	19
黄連解毒湯	体力中等度以上で，赤ら顔および精神症状として不眠，イライラ感を訴える例	8
清上防風湯	比較的体力があり，発赤，化膿が強く，隆起がはっきりした例	9
桂枝茯苓丸	紫がかった皮疹あるいは白色面皰の皮疹を伴い，生理痛・便秘・月経不順など瘀血症状のある例	14

であった。処方別では十味敗毒湯(じゅうみはいどくとう)群が73.7%(24.2，49.5，9.5，16.8%)，荊芥連翹湯(けいがいれんぎょうとう)群が77.9%(14.7，63.2，22.1，0%)，黄連解毒湯(おうれんげどくとう)群が95.0%(25.0，70.0，5.0，0%)，清上防風湯(せいじょうぼうふうとう)群が73.3%(20.0，53.3，15.6，11.1%)，桂枝茯苓丸(けいしぶくりょうがん)群が87.2%(14.3，72.9，7.1，5.7%)，であった

参考：化膿性炎症が取れたため色素沈着や紅斑だけが残存する症例に対しては，荊芥連翹湯(けいがいれんぎょうとう)と桂枝茯苓丸(けいしぶくりょうがん)の２剤併用に切りかえて有効であった

【文献】

武市牧子：漢方医．2003；27(5)：225-9.

1．尋常性痤瘡に対する漢方治療のまとめ

尋常性痤瘡の面皰が形成される病態の中心は，ジヒドロテストステロンによる皮脂中のトリグリセライド産生促進と皮脂の過剰分泌であり，便秘や偏った食事，月経不順，ストレス，睡眠不足，遺伝などの要因も皮脂の排出亢進に関与する。さらに，毛包内の細菌増殖に対する炎症反応が周辺に拡がることで丘疹や膿疱の形成につながる。

したがって，尋常性痤瘡の病態は漢方医学的に新陳代謝や闘病反応の亢進した「実」や「熱」の病態として診断されることが多く，清熱作用，解毒作用，排膿作用のある方剤が適応となる。また，女性の場合には月経前から月経時に増悪するケースが多く，「瘀血」の病態が関与してい

る場合には駆瘀血作用のある方剤が適応となる。

清熱・解毒・排膿作用を期待できる方剤には，十味敗毒湯，荊芥連翹湯，黄連解毒湯，清上防風湯，温清飲，排膿散及湯などがある。また尋常性痤瘡に適応となる駆瘀血剤には，桂枝茯苓丸，桂枝茯苓丸加薏苡仁，桃核承気湯，加味逍遙散，温経湯，当帰芍薬散などがある。これらの方剤を皮疹の性状や全身の症候を参考にしながら使い分けるのであるが，最初は上述のマニュアル化した証診断に基づいてエビデンスのある方剤から使ってみると良い。

荊芥連翹湯の代表的症例

症例：23歳，男性，大学生

主訴：顔面のにきび

既往歴：気管支喘息（学童期）

家族歴：心臓病・脳梗塞（父），気管支喘息（母）

現病歴：15歳頃から顔面ににきびが出現。発赤，化膿，疼痛を伴う。春先から秋に増強し，冬は比較的軽快している。本年も5月頃からにきびの状態が悪化。化膿，疼痛が強く，近医で抗菌薬内服と外用剤を処方

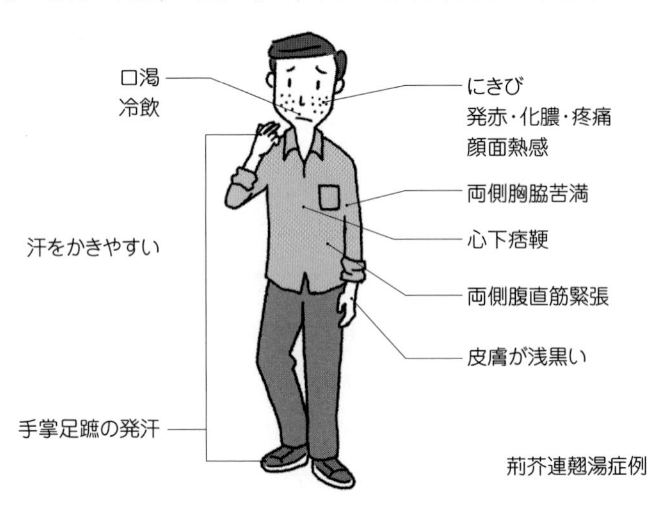

荊芥連翹湯症例

され，2カ月後の現在はやや軽減している。顔面の熱感あり，冷えはない。口渇あり，冷たいものを飲みたい。手掌足蹠に発汗あり，身体も汗をかきやすい。睡眠は良好。小便は5～6回/日で，便通は毎日

現症：身長172.9cm，体重74.3kg，体温35.9℃，血圧126/60mmHg，脈拍数72rpm。脈は弦・虚実中間。舌は正常紅で，乾湿中等度の白苔を被る。腹力は中等度で，両側胸脇苦満，心下痞鞕と両側腹直筋緊張を認める。皮膚は浅黒い

経過：発赤と化膿の強いにきび，手掌足蹠の発汗，浅黒い皮膚を目標に荊芥連翹湯（けいがいれんぎょうとう）エキス（3包/日）を開始したところ，2週間後にはにきびの発赤と熱感が軽減し，抗菌薬の内服も中止できた。その後もにきびは徐々に軽快し，3カ月後にはほとんど出現しなくなった。同処方を2包/日で継続していたところ，翌年の春から夏にかけて，にきびが出現することはなかった

2 湿疹・皮膚炎に対する漢方治療

1. 標治と本治

湿疹・皮膚炎に対する漢方治療は，標治と本治に分けて考える必要がある。

湿疹・皮膚炎における標治とは，主として皮膚の病変がどのような性状を呈しているのかに注目して治療する方法である。皮膚の病変は乾燥性か湿潤性か，その範囲は限局性かびまん性か，化膿しているかどうか，発赤や熱感，瘙痒，滲出液はどの程度かといった情報を総合して，皮膚表面に現れた病態を漢方医学的に診断・治療するのが標治である。

湿疹・皮膚炎における本治とは，皮膚病変の性状そのものに関心を向けるのではなく，体質的な問題を改善することを通して皮膚の状態も良くしていこうとする治療方法である。気・血・水の異常を改善すること，特に気虚や血虚を補う治療や，瘀血や水滞を巡らす治療によって皮膚の機能を正常化しようとするのが本治である。

皮膚疾患の場合には，病変を直接みたり，触れたりできることから，標治に重点をおいた治療が中心になりがちである。前節で述べた尋常性痤瘡に対する漢方治療は標治が中心であった。しかし，皮膚病変の背後に存在する全身的な病態に重点をおいた本治を行わなければ効果の得られないケースも多く，標治と本治のバランスを常に意識しながら治療していく必要がある。また，偏った食生活の改善や，不規則な生活リズムの改善が本治の重要なファクターであることも忘れてはならない。

2. 十味敗毒湯（じゅうみはいどくとう）と消風散（しょうふうさん）の使い分け

湿疹・皮膚炎に対する標治において，最も良く使われるのが十味敗毒湯（じゅうみはいどくとう）と消風散（しょうふうさん）である。

十味敗毒湯（じゅうみはいどくとう）が最も良い適応となるのは，比較的限局した丘疹タイプの湿疹であり，発赤・瘙痒が強く，化膿していることもあるが，滲出液は少なく，皮膚表面は乾いている。しかし，皮膚自体が乾燥してカサカサしているわけではない。単発性のこともあれば，多発性に散在することもある。蕁麻疹の場合には，初期には膨疹の範囲が狭く限局しており，経過とともに皮疹が融合して広範囲になることもあるが，周辺には比較的限局した膨疹を認めることができる。

消風散（しょうふうさん）が適応となる湿疹は，びまん性で拡がりのある局面を形成し，熱感と瘙痒が強い。滲出液も多く，皮膚表面は乾燥した分泌物が痂皮を形成して汚くみえる。皮膚自体は乾燥してカサカサしていることもあるが，化膿することは少ない。蕁麻疹の場合には，初期から膨疹が斑状に拡がっていることが多く，熱感と瘙痒が強いために，冷やすと楽になるのが特徴である。乳幼児のアトピー性皮膚炎で，頭部を中心に皮疹がみられるケースに対しては，消風散（しょうふうさん）の代わりに治頭瘡一方（ぢづそういっぽう）が使われる。

3. 標治に使用されるその他の方剤

湿疹・皮膚炎において比較的よくみられるのが，炎症と乾燥の病態である。漢方医学的には，発赤タイプ（＝熱の病態）と乾燥タイプ（＝燥の病態）に分けて考えると理解しやすい（図1）。

発赤タイプの皮膚病変に対しては，炎症反応をコントロールして熱の

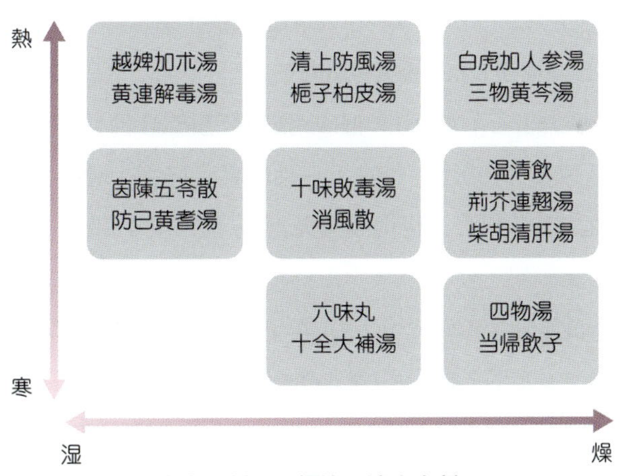

図1　湿疹・皮膚炎に対する標治の適応方剤

病態を冷ますような治療を行う。発赤に腫脹を伴うような炎症反応が非常に強いケースで適応となる代表的方剤は，越婢加朮湯と黄連解毒湯である。熱の病態を呈する皮膚病変が上半身や顔面に限局しているケースでは，清上防風湯が良い適応となり，さらに眼瞼部に限局した発赤タイプの皮膚病変に対しては梔子柏皮湯が効果的である。基本的には発赤タイプであるが，そこに燥の病態がプラスされると，白虎加人参湯や三物黄芩湯が適応になる。逆に，ジクジクした湿の病態がプラスされると，茵蔯五苓散や防已黄耆湯が適応になる。

乾燥タイプの皮膚病変に対しては，皮膚のバリア機能を回復して燥の病態を潤すような治療を行う。炎症反応が乏しく，皮膚表面に発赤をほとんど認めないケースで適応となる代表的方剤は，四物湯と当帰飲子である。燥の病態に熱の病態がプラスされると，四物湯と黄連解毒湯の合方である温清飲や，その加減方である荊芥連翹湯・柴胡清肝湯が適応になる。また，燥の病態に腎虚の病態や脾虚の病態がプラスされると，それぞれ六味丸や十全大補湯が適応になるが，六味丸と十全大補湯は本治の方剤にも分類される。

黄連解毒湯の臨床疫学的エビデンス

研究方法：証を考慮した症例集積研究

対象患者：実熱証を示す慢性の湿疹・皮膚炎患者31例（男性21例，女性10例）。疾患の内訳は，アトピー性皮膚炎15例，慢性湿疹11例，自家感作性皮膚炎1例，脂漏性皮膚炎2例，腹部湿疹1例，結節性痒疹1例

薬物投与：黄連解毒湯エキス（2～3包/日）を4～8週間投与。抗ヒスタミン薬，抗アレルギー薬，グリチルリチン製剤の併用を認めた。外用剤としてはストロングないしモデレートのステロイド外用剤，亜鉛華軟膏，ヘパリン類似物質含有保湿剤を適宜使用した

結果：紅斑色調，発汗の程度，皮膚炎の程度，ほてりや瘙痒の程度，掻破による湿潤の程度などを比較し，黄連解毒湯の有用性を判定した。きわめて有用（ほてりやイライラが軽減し，汗が少なくなって皮膚炎が著明に改善）4例（13%），有用（症状の一部が軽減し，それによって皮膚炎が改善）16例（52%），やや有用（症状がある程度改善し，皮膚炎が軽度改善）6例（19%），有用でない（通常の治療法の効果と同程度，あるいは効果はみられるが副作用もみられる）5例（16%）で，有用以上が20例（65%）であった

【文献】

堀口裕治：日東洋医誌．1999；50（3）：471-8．

4．小建中湯と補中益気湯の使い分け

アトピー性皮膚炎のような難治性の湿疹・皮膚炎に対する本治において，よく使われるのが小建中湯と補中益気湯である。

小児には小建中湯を使うことが多いが，後述のように補中益気湯が有効だとするエビデンスもある。成人には小建中湯よりも補中益気湯を使うケースが多い。小建中湯と補中益気湯を使い分ける際のポイントは腹診所見である。小建中湯証の腹診所見では，腹直筋の緊張を認めることが多いが，補中益気湯証では腹直筋の緊張はほとんど目立たない。

小建中湯も補中益気湯も気虚を改善する方剤であり，元気がない，疲れやすいといった症状を訴える虚弱体質の患者や起立性調節障害のある患者に適応となる。小建中湯が適応になる患者は，活動的ではあるが，過敏なところがあって，すぐに疲れてしまう。それに対して，補中益気湯が適応になる患者は，気を使いすぎて疲れてしまうといった特徴がある。

汗をかくと痒みが強くなったり，寝汗をかいたりする患者には，小建中湯よりも補中益気湯のほうが適応になるが，腹診所見で腹直筋の緊

張を認める場合には小建中湯に黄耆を加えた黄耆建中湯を使うと良い。逆に皮膚がカサカサして血虚が目立つ場合には，小建中湯の代わりに当帰建中湯を使ったり，補中益気湯の代わりに十全大補湯を使ったりする。

コラム　人のカサカサ肌の原因は電池切れ

加齢に伴い皮膚の表面はカサカサに乾燥してきて，時にはひび割れができる。資生堂ライフサイエンス研究センターの傳田先生は『皮膚は考える』という著書の中で，高齢者の乾燥肌，バリア維持機構の低下の原因について次のような興味深い知見を紹介している（同書のむすびで著者は「消化器は第二の脳と呼ばれているが，皮膚は第三の脳である」と述べている）。

ヒトの顔面皮膚の表皮内のカルシウムイオンの分布を視覚化した結果，若年者の表皮内では角層の真下にカルシウムイオンが偏在していたのに対して，高齢者の表皮内ではそのカルシウムイオンの分布が一様になっていた。カルシウムイオンは細胞の接着や分化の促進に大きな影響を与えることから，高齢者の乾燥肌，バリア維持機構の低下の原因の1つが，細胞のイオンポンプ機能の低下などによるカルシウムイオン勾配の消滅である可能性が高い。一方，皮膚の表面電位は表皮におけるイオン勾配が起こしており，イオンポンプが重要な役割を演じている。加齢とともにイオンポンプ機能が低下すると，電池切れのような病態となり，それが老人のカサカサ肌の原因だというのである。

このような加齢に伴う乾燥肌の病態を漢方では腎虚と診断し，六味丸や八味地黄丸，牛車腎気丸で治療しているのだと考えれば理解しやすい。

【参考図書】

傳田光洋：皮膚は考える．岩波書店，2005，p19–22.

補中益気湯(ほちゅうえっきとう)の臨床疫学的エビデンス

研究方法：多施設症例集積研究

対象患者：3～16歳のアトピー性皮膚炎患者187例のうち，12週間投与継続できた156例。試験開始前4週間以内にステロイド剤を内服または注射した患者，同じく漢方方剤を投与された患者は除外した

薬物投与：補中益気湯(ほちゅうえっきとう)エキス(3歳以上7歳未満には1包/日，7歳以上13歳未満には2包/日，13歳以上には3包/日)を12週間投与した。副腎皮質ステロイド，抗アレルギー薬，抗ヒスタミン薬，他の漢方方剤の併用内服は禁止した。また外用のステロイド剤，抗アレルギー薬，抗ヒスタミン薬の併用は可とした

結果：皮膚所見の改善率は，瘙痒56.1%，潮紅61.9%，丘疹61.1%，小水疱・びらん58.4%，肥厚・苔癬化58.0%，掻破痕65.9%であった。全般改善度では，著明改善が15.4%，中等度改善以上が45.5%，軽度改善以上では80.1%であった。外用ステロイド剤の使用例では開始時4.3±0.5g/週が投与12週後3.4±0.6g/週と有意に減量できた

【文献】

辻　芳郎，他：臨と研．1993；70(12)：4012-21．

5. 湿疹・皮膚炎と駆瘀血剤

湿疹・皮膚炎と瘀血の病態には密接な関連がある。瘀血の病態とは，血液が汚れてドロドロになった状態であるが，肝臓や腎臓による血液浄化機能の限界を超えると，その汚れを体表面から排泄しようとして，それが様々な湿疹・皮膚炎の発症につながると考えられている。

女性の場合，月経時に瘀血病態が悪化するのに伴って，皮膚病変が発症したり，増悪したりすることが多い。便秘によって皮膚病変が増悪するのも，瘀血病態が悪化するためである。

瘀血の病態が関与する皮膚病変に対しては，駆瘀血剤によって本治を

行うことができる。実証で便秘傾向があれば桃核承気湯，大黄牡丹皮湯，通導散，虚実中間証であれば女神散，桂枝茯苓丸，加味逍遙散，虚証であれば当帰芍薬散，温経湯，芎帰調血飲がそれぞれ適応となる。これら駆瘀血剤の使い分けについては，step3で詳しく解説する。

顔面の紅斑を呈する湿疹・皮膚炎の場合，標治としては実熱証と診断して黄連解毒湯や白虎加人参湯を投与することが多いが，それで効果がみられないケースに対しては桂枝茯苓丸や桃核承気湯などの駆瘀血剤による本治を行うと良いことがある。また，苔癬化（表皮の肥厚化）を伴う場合には，駆瘀血剤を標治として用いると良い。

桃核承気湯の代表的症例

症例：26歳，女性，事務員

主訴：全身の痒み

既往歴：気管支喘息（学童期）

家族歴：高血圧（母），アレルギー歴なし

現病歴：幼児期発症のアトピー性皮膚炎。5年前より近医皮膚科で外用剤（リドメックスコーワ軟膏，亜鉛華単軟膏）と内服薬を投与されていたが一進一退であった。3カ月前に副作用を心配して内服薬を中止した。初診時，皮膚は全体に乾燥し，上半身，特に顔面・上腕・背部に赤味の強い痒疹があり，夜間に瘙破してしまう。頭部に汗をかきやすく，冬は下肢が冷える。口渇なし。食欲は正常。月経は順調で月経痛なし。便秘傾向で便通は2～3日に1回

現症：身長149.0cm，体重51.0kg，体温36.9℃，血圧110/86mmHg，脈拍数76rpm。脈は沈・緊・弱。舌は正常紅で，乾湿中等度の微白苔を被る。腹力はやや軟弱で，軽度の心下痞鞕と両側臍傍圧痛を認める

経過：外用剤は同一のものを継続し，乾燥性の皮膚を目標に当帰飲子（煎じ薬）を開始したところ，2～3日目より身体の乾燥が強くなり，顔

面はジクジクしてきた。そこで，上半身に皮疹が強いこと，上熱下寒（頭の発汗と下肢の冷え），便秘傾向を目標に桃核承気湯（芒硝0.5g，大黄0.5g）に転方した。1カ月後に皮疹の赤味が軽減してきたが，乾燥傾向は不変であった。快便が得られなかったため，芒硝を1g，大黄を2gまで漸増した。2カ月後に赤味がさらに減少し，皮疹も少なくなり，乾燥傾向もやや改善してきた。3カ月後には痒疹がほぼ消失し，乾燥傾向も明らかに改善し，痒みは初診時の1～2割程度に減少した

【文献】

寺澤捷年，他：日東洋医誌．1995；46(1)：45-54．

6. アトピー性皮膚炎に対する漢方治療の注意点

最後に，アトピー性皮膚炎に対する漢方治療の注意点についてまとめておきたい。

皮膚科の専門知識がない場合，重症例を漢方薬だけで治療するのは相当の覚悟がいる。西洋医学やステロイドに対して不信感をもっている患者の場合にはなおさらであり，プライマリケア漢方の範囲を超えていることもある。信頼できる皮膚科専門医と連携しながら漢方治療を行うことを患者に納得してもらってから治療を開始するほうが安全である。

成人型アトピー性皮膚炎に対する漢方治療では本治が中心となる。標治で一時的に改善するようにみえても必ず再燃を繰り返すので，標治だけで対応できるケースはほとんどない。むしろ，保湿剤と最低限のステロイド軟膏で標治を行いながら，本治だけを漢方薬で根気強く続けていたほうがコントロールは良い。本治の漢方薬と標治の漢方薬を組み合わせて治療する場合には2～3剤の併用療法になるが，その場合，補剤と清熱剤に利水剤や駆瘀血剤を組み合わせるようにすると効果的である。

小児のアトピー性皮膚炎に対しては積極的に漢方治療を行うべきであろうと考えている。本治による体質改善によってアレルギー体質も改善されたのではないかと思える症例も少なくない。気管支喘息とアト

ピー性皮膚炎の両方を有している小児も多いが，症状の強いほうを優先的に治療していると，成長に伴って少しずつ改善していくようである。小児期のアトピー性皮膚炎がそのまま成人型に移行すると，上述のように難治性となることが多いので，できるだけ早い時期に西洋医学だけでなく漢方や養生も含めた総合的な対処を行うことが望ましい。

小児か成人かにかかわらず，心身症としての病態を考慮する必要のあるアトピー性皮膚炎患者が非常に多い。漢方は心身一如の医学であり，柴胡（さいこ）剤などで身体的なアレルギー素因と精神的なストレスの影響の両方を同時に改善できるところに特質がある。たとえば，イライラして皮膚を掻いてしまうことが増悪因子になっている患者には，抑肝散（よくかんさん）や抑肝散加陳皮半夏（よくかんさんかちんぴはんげ）を併用することが多い。**step3**で紹介する「ストレス病態に対する漢方治療」（**273頁**）の解説も参考にすると良い。

step 3

- プライマリケア漢方のstep3（上級レベル）では，「気・血・水の失調病態」を取り扱う。このステップでは，気・血・水の流れが失調した病態（瘀血・水滞・気逆・気鬱）について理解することによって，婦人科疾患，不定愁訴や自律神経失調症，精神科疾患などに適応となる方剤を使えるようにする。
- ストレスに関係する疾患に適応となる方剤を使い分けるためには，「バランス」を重視した漢方独自の見方を身につけることがポイントになる。

step 3

概要

気と血と水は生体内を滞りなく循環しながら，細胞を取り巻く環境としての役割をはたしている。3-1では血の循環に異常をきたした血の病態について解説し，3-2では水の循環に異常をきたした水滞の病態について解説する。血の流れは血液の循環に対応し，水の流れはリンパ液の循環に対応するのでわかりやすいが，気の流れは目に見えないだけに理解するのが難しい。

経絡理論に基づく鍼灸治療の実践は，気という生命エネルギーが経絡に沿って循環しているのだという考え方が基本になっているが，プライマリケア漢方を実践する際には，気の流れを情報の流れに対応させて理解すると良い。気は生命活動を賦活する役割を担っているが，そこには神経系，免疫系，内分泌系を中心とする情報伝達が深く関与している。その情報の流れを気の流れとしてイメージしながら，3-3の気逆の病態についての解説と，3-4の気鬱についての解説を読んで頂きたい。

3-1～3-4で解説する気・血・水の流れが失調した病態は，人間という複雑な生命システムがバランス異常をきたした病態として理解することもできる。最後の3-5では，ストレス病態に対する漢方治療の実際について紹介しながら，「バランス」を重視した漢方独自の見方を身につけることができるように配慮した。

1 瘀血の症候に対する漢方治療

- ▶本章では，更年期不定愁訴や月経困難症，その他の月経異常といった瘀血の症候に対する漢方治療について解説しながら，瘀血病態の診断とその適応方剤（駆瘀血剤）の使い分けについて理解できるようにする。
- ▶瘀血病態には，step2で既に紹介した微小循環障害の病態と，本章で紹介する女性ホルモンのバランス異常が関与する病態とがあり，いずれもストレスによって悪影響を被る。

1 更年期障害と駆瘀血剤

1. 更年期障害に対する漢方治療の実態

近年わが国では，更年期女性の不定愁訴に対して様々な漢方薬が広く応用されるようになってきている。筆者が担当した産婦人科漢方専門外来において，その実態を調査した結果が参考になるので紹介する[1]。

富山医科薬科大学附属病院産婦人科に漢方専門外来を開設した1999年12月から2003年3月までに受診した更年期障害患者は総数で102例であったが，その全例を対象に受診理由を調査した。その結果，ホルモン補充療法（HRT）が禁忌であった症例が6例（5.9%），HRTが無効あるいは，効果が不十分であった症例が32例（31.4%）で，残りの64例（62.7%）は最初から漢方治療を希望して受診していた。

また，使用頻度の高かった方剤を調べたところ，加味逍遙散（かみしょうようさん）（21.6%），桂枝茯苓丸（けいしぶくりょうがん）（19.6%），温経湯（うんけいとう）（10.8%），女神散（にょしんさん）（5.9%），当帰芍薬散（とうきしゃくやくさん）（4.9%），桃核承気湯（とうかくじょうきとう）（3.9%）の順で，これら6種類の代表的な駆瘀血剤だけで全体の66.7%を占めていた。これらの方剤のうち当帰芍薬散（とうきしゃくやくさん）

を除く方剤は，瘀血と同時に気逆の病態（**3-3**で解説）も改善する作用を併せもっている。

【文献】
1）日高隆雄，他：産婦漢方研のあゆみ．2004（21）：40−4.

step
3

2. 瘀血の病態を示唆する症候や疾患

瘀血の病態には2つの側面がある。その1つは**2-1**で既に述べた微小循環障害の病態であり，循環器系の症候や疾患をひき起こす。もう1つは本章で述べる女性ホルモンのバランス異常が関与する病態であり，婦人科系の症候や疾患をひき起こす。他にも，運動器系，皮膚科系，精神科系といった様々な症候や疾患に瘀血の病態が関与している。

以下に，瘀血の病態を示唆する症候や疾患について整理して示す。これらの症候や疾患に対しては，瘀血の病態を念頭において診断・治療を進めると良い。

①循環器系：下肢静脈瘤，痔疾，霜焼け，レイノー現象，舌裏静脈の怒張，口唇・歯肉・舌の暗赤紫色化，細絡（毛細血管の拡張），皮下溢血，虚血性心疾患，脳血管障害など。

②婦人科系：月経不順，月経困難症，月経前症候群，更年期障害，子宮筋腫，子宮内膜症，過多月経，無月経，不正子宮出血，不妊症など。

③運動器系：肩こり，緊張型頭痛，腰痛，筋肉痛，打撲，関節リウマチなど。

④皮膚科系：顔面の色素沈着，目の下のくま，皮膚甲錯，手掌紅斑など。

⑤精神科系：不眠，嗜眠，精神不穏など。

⑥腹診所見：臍傍（せいぼう）の抵抗・圧痛（臍の左右斜め下2横指と臍の真下2横指），回盲部の抵抗・圧痛，S状結腸部の抵抗・圧痛，胸脇苦満（季肋部の抵抗・圧痛）など。

3. 更年期障害に適応となる駆瘀血剤の使い分け

漢方方剤を選択する際には，患者の漢方医学的な病態（証）を考慮することが原則であり，西洋医学のように病名だけで投与することはできないという難しさがある。これは，疾患に特異的なコアとなる病態を選択的かつ強力に治療する西洋医学のアプローチに対して，漢方医学が疾患に非特異的な病態も含めて多面的かつ穏やかに治療するというアプローチを採用していることに起因する。

しかし，更年期障害の場合には，コアの病態として卵巣機能の急激な衰えによるホルモンバランスの失調があり，それを漢方医学的な瘀血の病態として診断し，駆瘀血剤の中から方剤を選択して治療できるケースが多い。図1には，更年期障害に適応となる6種類の駆瘀血剤を使い分ける際のポイントを示した。

月経異常，肩こり，のぼせ，臍傍の抵抗・圧痛といった症候を呈している更年期障害の場合には，瘀血と気逆の病態がオーバーラップしていることが多く，桂枝茯苓丸（けいしぶくりょうがん）が良い適応となる。桂枝茯苓丸（けいしぶくりょうがん）を投与することによって，瘀血や気逆の病態を改善することが，内分泌系や自律神経系が複雑に関与する更年期障害の病態を改善することに直結しているのである。

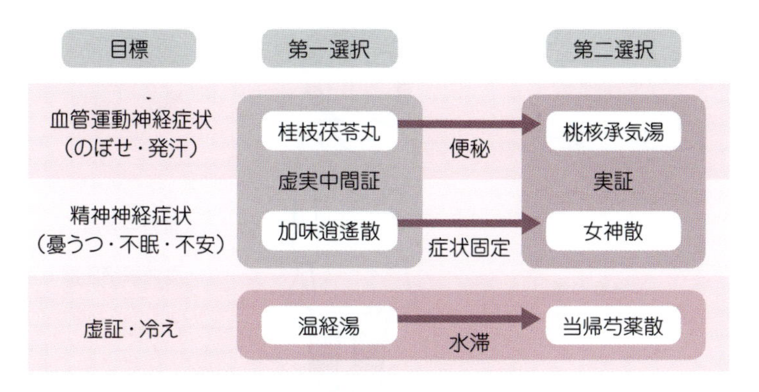

図1　更年期障害に適応となる駆瘀血剤の使い分け

桂枝茯苓丸の鑑別方剤としては，加味逍遙散と桃核承気湯，女神散が重要である。桂枝茯苓丸よりもやや虚証で，イライラして怒りっぽい神経症的な症例には加味逍遙散を使う。桂枝茯苓丸よりも実証で，のぼせの症状が激しく，腹力が充実して，便秘を認めるケースには桃核承気湯を使うと良い。女神散は加味逍遙散と同じように多彩な身体愁訴が特徴であるが，より実証で，症状が比較的固定しているという違いがある。

虚証で冷え症の更年期障害には，温経湯と当帰芍薬散が適応になる。両者の鑑別は，気逆と血虚の程度，水滞の有無である。気逆と血虚の程度が強く，のぼせや皮膚の乾燥症状が目立つ症例には温経湯を使い，気逆と血虚が軽度で，水滞によるむくみを認める症例には当帰芍薬散を使う（水滞の病態については**3-2**で解説）。

桂枝茯苓丸の代表的症例

症例：46歳，女性，会社員（パート）

主訴：発汗，のぼせ，頭痛，肩こり

既往歴：右卵巣腫瘍摘出術（23歳），変形性股関節症（39歳）

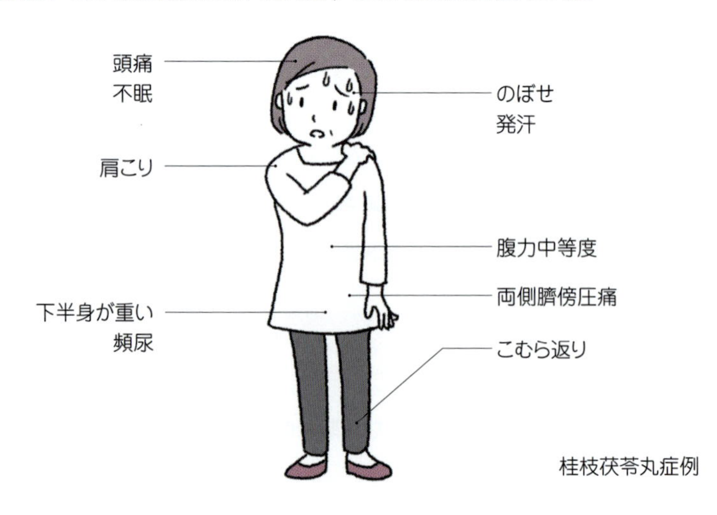

桂枝茯苓丸症例

家族歴：胃がん（父）

現病歴：4年前，閉経後より，発汗，のぼせ，頭痛，肩こりが出現。2年前に大学病院産婦人科を初診，HRTを開始して症状は軽減したが十分な満足が得られなかったため，産婦人科漢方外来に紹介となる。寒くなったり暑くなったりする。立ちくらみがある。下半身が重く，こむら返りがある。不眠で，寝付きが悪い。頻尿（2時間毎）

現症：身長156.0cm，体重61.0kg，血圧126/82mmHg。脈は虚実中間。舌は暗赤色で乾湿中等度の白苔，歯痕あり。腹力は中等度で両側臍傍圧痛を認める

経過：発汗とのぼせが主訴で，脈と腹の所見から虚実中間証，瘀血の病態と診断し，桂枝茯苓丸（けいしぶくりょうがん）エキス（3包/日）を開始した。1カ月の服用で発汗が軽減し，のぼせ，頭痛，肩こりは消失した。下半身の重さやこむら返りも軽快した。5カ月後には，発汗もほとんど気にならなくなった。10カ月後から桂枝茯苓丸（けいしぶくりょうがん）を徐々に減量し，1年1カ月後には桂枝茯苓丸（けいしぶくりょうがん）を中止してHRTだけを継続し，経過は良好

加味逍遙散（かみしょうようさん）の代表的症例

症例：52歳，女性，主婦

主訴：不眠，冷えのぼせ，発作的発汗

既往歴：扁桃腺摘出術（35歳）

家族歴：腸閉塞（父），肺結核（母）

現病歴：6年前から不眠が出現。1年前に閉経する前後から，冷えのぼせ，発作的発汗が出現し，近医婦人科で毎月ホルモン注射（テストステロン・エストラジオール配合剤）を受けているが軽快しない。だるくて，疲れやすい。頭痛，肩こり，耳鳴，動悸，息切れがある。寒がりで暑がり。目が疲れて充血しやすい。すぐアザになる

現症：身長153.0cm，体重47.0kg，血圧120/84mmHg。脈は虚実

中間。舌は淡白紅で微白苔。腹力は中等度で右胸脇苦満，両側腹直筋緊張，両側臍傍圧痛を認める

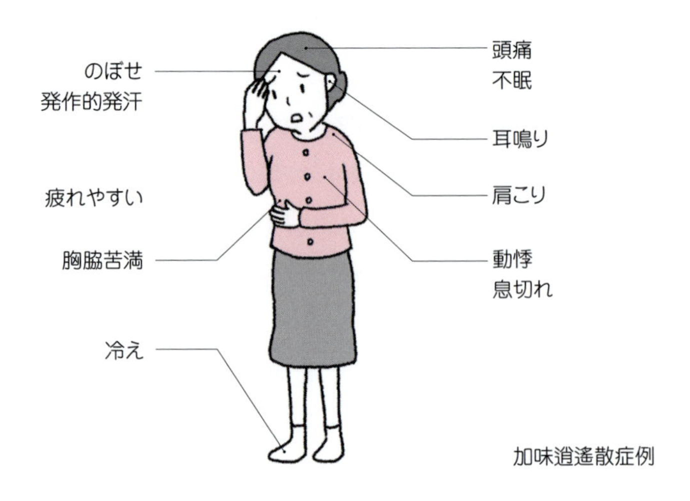

加味逍遙散症例

経過：不眠が強く，身体的な愁訴が多彩で，神経症的傾向を認めたことから，加味逍遙散（かみしょうようさん）（煎じ薬）を開始した。1カ月の服用で，肩こり，頭重，発作的発汗，冷えが軽快した。ホルモン注射も中止できたが不眠は軽快せず，酸棗仁湯（さんそうにんとう）エキスや加味帰脾湯（かみきひとう）エキスを併用したが無効であった。3カ月後に甘麦大棗湯（かんばくたいそうとう）エキスを併用したところ，1カ月で不眠が軽快し眠剤も不要となった

温経湯（うんけいとう）の代表的症例

症例：46歳，女性，主婦

主訴：顔がほてる，疲れやすい

既往歴：左卵巣腫瘍摘出術（44歳）

家族歴：乳がん（母）

現病歴：2カ月前に閉経する前後から，顔のあたりがのぼせる感じが出現。患者の希望で産婦人科漢方外来を受診。疲れやすい，肩がこる，足

が冷える，冬に手が荒れる，口唇が乾燥する，髪の毛が抜けやすい

現症：身長160.0cm，体重60.0kg，血圧104/62mmHg。脈は虚実中間。舌は淡紅色で乾湿中等度の白苔。腹力はやや軟弱で心下痞鞕，左臍傍圧痛を認める

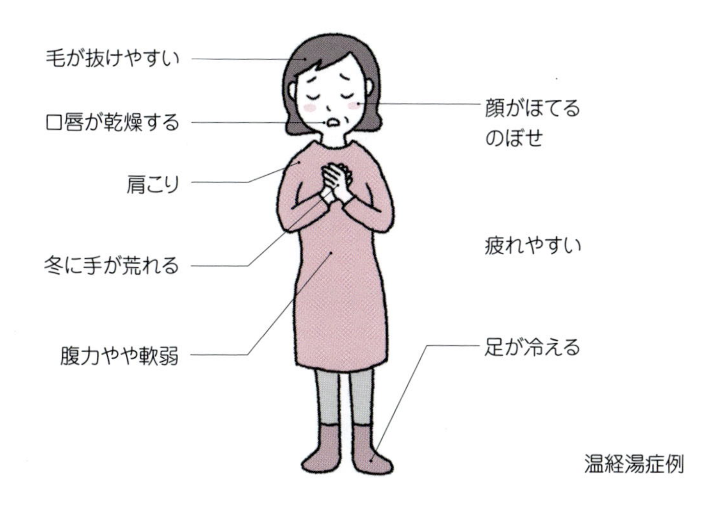

温経湯症例

経過：冷え症と血虚の症状（冬に手が荒れる・口唇が乾燥する・髪の毛が抜けやすい）を目標に温経湯(うんけいとう)エキス（3包/日）を開始した。2週間の服用で，顔のほてりと疲れやすいという症状が消失した。その後も服用していると調子が良く，冬の手荒れも軽くすむようになった

4. 更年期症状に対する適応方剤のまとめ

更年期障害の病態は多様であり，訴える症状にも個人差がある。ホットフラッシュを中心に訴えるケースには駆瘀血剤が奏効することが多いが，強いのぼせに対して黄連解毒湯(おうれんげどくとう)や三黄瀉心湯(さんおうしゃしんとう)が適応になることもある。冷え，動悸，頭痛，めまい，易疲労，肩こりといった自律神経系の失調病態に伴う症状に対しては，瘀血以外の気・血・水の病態も広く考慮して適応方剤を選択することが必要になる。また，不眠，イライラ，憂うつといった精神的な愁訴に対しては，証の心理的側面も考慮す

る必要がある。更年期障害でよくみられる各症状に対する適応方剤を**表1**に整理して示したが，ストレスが影響する自律神経系の失調病態に対する漢方治療や，証の心理的側面を考慮した漢方治療の実際については，**3-5**で詳しく述べることにする。

表1　更年期症状に対する適応方剤

症状	適応方剤
のぼせ	桂枝茯苓丸・桃核承気湯・温経湯・加味逍遙散・女神散・五積散・黄連解毒湯・三黄瀉心湯・温清飲
多汗	防已黄耆湯・五苓散・加味逍遙散・柴胡桂枝乾姜湯・補中益気湯・桃核承気湯・桂枝茯苓丸
冷え	当帰芍薬散・温経湯・桂枝茯苓丸・当帰四逆加呉茱萸生姜湯・五積散・柴胡桂枝乾姜湯・苓姜朮甘湯・温経湯・真武湯・八味地黄丸・牛車腎気丸・桂枝加朮附湯・半夏白朮天麻湯・人参湯・十全大補湯
動悸	苓桂朮甘湯・加味逍遙散・炙甘草湯・柴胡加竜骨牡蛎湯・桂枝加竜骨牡蛎湯・柴胡桂枝乾姜湯・女神散・当帰芍薬散・半夏厚朴湯
不眠	酸棗仁湯・加味帰脾湯・黄連解毒湯・三黄瀉心湯・加味逍遙散・女神散・柴胡加竜骨牡蛎湯・桂枝加竜骨牡蛎湯・芎帰調血飲
イライラ	黄連解毒湯・三黄瀉心湯・桃核承気湯・加味逍遙散・女神散・抑肝散加陳皮半夏・柴胡剤
憂うつ	半夏厚朴湯・香蘇散・加味帰脾湯・加味逍遙散・女神散・柴胡加竜骨牡蛎湯・補中益気湯・芎帰調血飲
頭痛	呉茱萸湯・桂枝人参湯・苓桂朮甘湯・五苓散・温経湯・当帰四逆加呉茱萸生姜湯・桂枝茯苓丸・桃核承気湯・黄連解毒湯・三黄瀉心湯・葛根湯・釣藤散・加味逍遙散・女神散・芎帰調血飲・半夏白朮天麻湯・九味檳榔湯・柴胡剤
めまい	五苓散・苓桂朮甘湯・真武湯・半夏白朮天麻湯・半夏厚朴湯・当帰芍薬散・加味逍遙散・女神散・桂枝茯苓丸・温経湯・芎帰調血飲・釣藤散・黄連解毒湯・三黄瀉心湯・柴胡剤
易疲労	十全大補湯・補中益気湯・加味帰脾湯・人参養栄湯・真武湯・八味地黄丸・六君子湯・人参湯・加味逍遙散・温経湯
肩こり	葛根湯・当帰芍薬散・加味逍遙散・桂枝茯苓丸・桃核承気湯・抑肝散加陳皮半夏・芎帰調血飲・柴胡剤
腰痛	当帰四逆加呉茱萸生姜湯・疎経活血湯・苓姜朮甘湯・五積散・八味地黄丸・牛車腎気丸・桂枝加朮附湯・桂枝茯苓丸

2 更年期障害に対する桂枝茯苓丸と加味逍遙散の効果

1. 研究の目的と対象・方法

更年期障害に対する第一選択薬として頻用される桂枝茯苓丸および加味逍遙散の臨床効果と，適応病態の違いを検討した筆者らの研究について紹介する[1)]。

対象は，富山医科薬科大学附属病院産婦人科漢方外来を受診した更年期障害患者の中で，漢方医学的診断（＝証）を考慮して初診時より桂枝茯苓丸もしくは加味逍遙散エキス（7.5g/日）を4週間以上投与された29例（桂枝茯苓丸投与14例，加味逍遙散投与15例，平均年齢50.9±6.2歳）。

コラム 更年期不定愁訴889例の漢方医学的病態

後山らは，肩こり，ホットフラッシュ，憂うつ，全身倦怠感，発汗，イライラ・不安，不眠，頭痛，動悸，めまいといった様々な不定愁訴で産婦人科更年期外来を受診した1,598例のうち，漢方医学的な病態診断が可能であった889例（年齢43～58歳，平均51.7歳）について報告している。

その報告によると，「寒熱」診断では寒証が54.5％を占め，「虚実」診断では実証はわずかに13.9％であった（虚証41.2％，虚実中間証44.9％）。「気・血・水病態」診断では，最も頻度の高い異常は瘀血の36.5％であった（気逆25.9％，気鬱24.8％，水滞21.5％，気虚21.0％，血虚14.5％）。頭痛を主訴とする症例において最も頻度の高い異常は水滞（48.8％）であり，ホットフラッシュでは瘀血（48.1％），めまいでは水滞（48.0％）であった。また，随証治療を行った889例の51.1％に当帰芍薬散，加味逍遙散および桂枝茯苓丸が処方されていた。

【文献】

後山尚久，他：日東洋医誌．2005；56(5)：779-87.

各症例について投与前および投与4週間後に，**表2**に示した小山らによる簡略更年期指数(SMI)を用いて更年期障害の程度を評価し，治療の前後で比較した。また，SMIの総和が30%以上減少した症例を有効，それ以外を無効と判定し，両方剤の治療前における各症状の程度を有効群，無効群の両群間で比較した。

【文献】
1) 日高隆雄，他：産婦漢方研のあゆみ2003；(20)：37-41.

2. 更年期障害に対する桂枝茯苓丸(けいしぶくりょうがん)と加味逍遙散(かみしょうようさん)の効果

桂枝茯苓丸(けいしぶくりょうがん)投与14例について検討した結果，SMIの総和は治療前55.9±17.9から治療後36.6±13.9へ有意に減少した。血管運動神経症状(顔のほてり，発汗，手足の冷え)および精神神経症状(不眠，イライラ，憂うつ，頭痛)についても各々，治療前16.0±7.2から治療後9.5

表2 小山らの簡略更年期指数(SMI)

症状	症状の程度(点数)			
	強い	中等度	弱い	なし
1 顔がほてる	10	6	3	0
2 汗をかきやすい	10	6	3	0
3 腰や手足が冷えやすい	14	9	5	0
4 息切れ，動悸がする	12	8	4	0
5 寝付きが悪い，または眠りが浅い	14	9	5	0
6 怒りやすく，すぐイライラする	12	8	4	0
7 くよくよしたり，憂うつになることがある	7	5	3	0
8 頭痛，めまい，吐き気がある	7	5	3	0
9 疲れやすい	7	4	2	0
10 肩こり，腰痛，手足の痛みがある	7	5	3	0

1〜3：血管運動神経症状
5〜8：精神神経症状

±5.6へ，治療前21.6±9.6から治療後14.7±7.2へと有意に減少した。

加味逍遙散投与15例について検討した結果，SMIの総和は治療前49.8±12.9から治療後36.1±11.1へ有意に減少した。血管運動神経症状および精神神経症状についても各々，治療前13.9±6.3から治療後10.0±5.5へ，治療前22.7±8.3から治療後15.2±6.6へと有意に減少した。

今回の結果から，桂枝茯苓丸と加味逍遙散はいずれも，更年期における血管運動神経症状ならびに精神神経症状を全般的に軽減させる効果を有することが明らかとなった。

3. 有効群および無効群における症状別の治療前SMI値の群間比較

桂枝茯苓丸は14例中9例に有効で，その有効率は64.3％であった。桂枝茯苓丸有効群（n＝9）と桂枝茯苓丸無効群（n＝5）に分けて，各症状別に訴えの強さを検討した結果を**表3**に示した。有効群における治療前の症状の程度が，無効群に比べて有意に強かったのは「顔のほてり」と「不眠」であった。逆に，無効群のほうが程度の強かった症状は「息切れ・動悸」と「肩こり・腰痛」であった。

加味逍遙散は15例中10例に有効で，その有効率は66.7％であった。加味逍遙散有効群（n＝10）と加味逍遙散無効群（n＝5）に分けて，各症状別に訴えの強さを検討した結果を**表4**に示した。有効群における治療前の症状の程度が，無効群に比べて有意に強かったのは「不眠」と「憂うつ」であった。逆に，無効群のほうが程度の強かった症状は「息切れ・動悸」であった。

4. 適応病態の違いについての考察

更年期障害の病態は非常に複雑である。卵巣機能の急激な低下に起因する女性ホルモンバランスの失調に自律神経系のバランス異常が関与し，さらに精神的ストレスの影響も加わることで個人差が大きくなり，

表3　桂枝茯苓丸投与前における症状別のSMI平均値（有効群と無効群の比較）

	有効群（9例）	無効群（5例）	
顔のほてり	5.2±3.3	1.2±1.6	P<0.05
手足の冷え	6.8±4.0	11.2±4.1	NS
息切れ・動悸	4.9±5.2	10.4±2.2	P<0.05
不眠	8.7±5.4	2.8±4.1	P<0.05
憂うつ	3.8±1.8	3.4±1.6	NS
イライラ	7.1±3.9	4.8±1.8	NS
肩こり・腰痛	5.7±1.4	7.0±0.0	P<0.05

表4　加味逍遙散投与前における症状別のSMI平均値（有効群と無効群の比較）

	有効群（10例）	無効群（5例）	
顔のほてり	4.3±3.4	4.0±3.1	NS
手足の冷え	4.7±4.4	6.8±4.9	NS
息切れ・動悸	2.0±3.3	6.2±2.9	P<0.05
不眠	10.1±4.3	4.6±6.5	P<0.05
憂うつ	6.3±1.0	4.0±2.2	P<0.05
イライラ	5.6±3.9	5.8±4.0	NS
肩こり・腰痛	6.3±2.0	5.6±2.3	NS

症状にもばらつきが生じる。漢方医学ではこれを，証あるいは適応病態の違いとして認識する。

桂枝茯苓丸と加味逍遙散はともに瘀血という漢方医学的な病態に適応となる方剤であり，その意味で，両者の適応病態には本質的に似ているところが存在する。しかし，有効群と無効群に分けて検討した結果から，桂枝茯苓丸有効例は顔のほてりや不眠を強く訴えるのに対して，加味逍遙散有効例は不眠や憂うつを強く訴えるという違いも存在した。

すなわち，両方剤の証あるいは適応病態の違いを認識する際には，顔のほてりと憂うつが臨床的に重要であることが明らかになった。

コラム　動物実験における桂枝茯苓丸と加味逍遙散の作用

更年期障害患者の血中カルシトニン遺伝子関連ペプチド（CGRP）レベルはホットフラッシュ中に増加することが知られている。また，卵巣摘出ラットの静脈内にCGRPを投与すると皮膚温が上昇する。この現象を利用して桂枝茯苓丸の効果を検討した基礎研究がある。それによると，桂枝茯苓丸桂枝茯苓丸と17β-エストラジオールはCGRP投与後の皮膚温上昇を有意に抑制したが，加味逍遙散には皮膚温上昇を抑制する効果を認めなかった。

卵巣摘出マウスに電撃ストレスを7日間与えると，視床下部でのノルアドレナリン代謝回転が亢進し，ペントバルビタール誘発睡眠時間が短縮する。この動物モデルを利用して加味逍遙散の効果を検討した研究がある。それによると，加味逍遙散と17β-エストラジオールはペントバルビタール誘発睡眠時間の短縮を有意に改善したが，桂枝茯苓丸にはそのような効果を認めなかった。

さらに，桂枝茯苓丸や加味逍遙散の作用メカニズムが，女性ホルモンとは異なることも示されている。ラットやマウスの卵巣を摘出すると子宮重量が減少するが，17β-エストラジオールを投与しておくと子宮重量が正常化する。それに対して，桂枝茯苓丸や加味逍遙散にはそのような女性ホルモン様の作用を認めなかった。

漢方医学の臨床的な証の違いの背景には，客観的・科学的に説明できるような適応病態の違いが存在することが示唆される。

【文献】

野口将道：産婦漢方研のあゆみ．2006；(23)：28-34．

step
3

3 月経困難症に対する漢方治療のエビデンス

桂枝茯苓丸(けいしぶくりょうがん)の臨床疫学的エビデンス

研究方法：証を考慮した症例集積研究

対象患者：強度の月経痛を主訴とし，臨床的に子宮内膜症（*n*＝7），子宮腺筋症（*n*＝11），子宮筋腫（*n*＝5），機能性（*n*＝7）と診断された月経困難症30例

薬物投与：証を考慮して，桂枝茯苓丸(けいしぶくりょうがん)エキスを月経開始予定日の3日前より，月経痛が強い期間中投与した。桂枝茯苓丸(けいしぶくりょうがん)の平均内服期間は5.8日であった

結果：visual analogue scale（VAS）を用いて来院時に月経痛の程度を評価し，症状軽快の程度から著効群，有効群，無効群に分けた。桂枝茯苓丸(けいしぶくりょうがん)の月経時短期投与法により，著効は16例（53.3%），有効は8例（26.7%），無効は6例（20.0%）で，有効率は80.0%であった。鎮痛剤の使用は著効，有効群で非服用周期にそれぞれ7.3，8.0個で，服用周期には1.4，4.5個に減少した

【文献】

太田博孝，他：産婦漢方研のあゆみ．2000；(17)：48-50．

芍薬甘草湯(しゃくやくかんぞうとう)の臨床疫学的エビデンス1

研究方法：症例集積研究

対象患者：臥床や鎮痛剤を必要とする中等度以上の月経痛を有する機能性および続発性の月経困難症42例（年齢は14～49歳，平均30.4歳）。機能性月経困難症18例，続発性月経困難症24例（内訳は，子宮筋腫14例，子宮内膜症8例，子宮後屈1例，子宮奇形1例）。過多月経は機能性の4例，続発性の9例にみられた

薬物投与： 芍薬甘草湯（しゃくやくかんぞうとう）エキスを月経開始予定日の5〜7日前より1包/日，月経開始後に3包/日を2〜3日間投与。月経周期の不整な患者に対しては，周期の10日目より前服薬を開始させた

結果： 極度の痛みから無痛までの五段階評価pain scale（PS）を用いて，PSが3以上改善したものを著効，2改善したものを有効，1以下の改善を無効としたところ，著効31.0%，有効57.1%，無効11.9%で，

コラム お腹を耕すための少量連続前投与

月経困難症に対して芍薬甘草湯（しゃくやくかんぞうとう）を前投与しておくアイデアを発想した経緯について，田代氏の著書から引用する。

芍薬（しゃくやく）の主成分はペオニフロリン，甘草（かんぞう）の主成分はグリチルリチンで，ともに配糖体である。配糖体はそのままの形では腸管から吸収されず，腸内細菌で糖鎖が切断されて初めて体内に吸収されるプロドラッグである。ペオニフロリンやグリチルリチンの糖鎖を切断する細菌が少なければ，プロドラッグが活性化されないわけだから，当然，有効成分の吸収もなく，薬効も出てこない。月経が始まってから芍薬甘草湯（しゃくやくかんぞうとう）を服用して効くか効かないかは，代謝にかかる腸内細菌叢の差ということになる。

そこで田代氏は考えた。なぜ細菌は配糖体を切るのだろうか。人間に薬を効かせてやるためか。違う！ 自分が糖を利用するためだ。芍薬甘草湯（しゃくやくかんぞうとう）を投与してやれば，細菌がその糖を利用して増殖するかもしれない。1日1包で良いから，畑を耕すように，腸内細菌叢を整えるために月経の少し前から少量連続投与しておけば，効かなかった症例も効くようにならないだろうか。そして実際にやってみたところ，少なくとも4〜5日前から投与しはじめると，1日1包の芍薬甘草湯（しゃくやくかんぞうとう）で非常に強い月経痛がほとんど出なくなるという経験をしたのである。

【参考図書】

田代眞一：手作りの臨床薬学．じほう，1995，p98．

有効率は88.1%であった。機能性および続発性の有効率は，それぞれ88.9%，87.5%で，両群間で有効率に有意差はなかった。過多月経を有する13例のうち7例（53.8%）において経血量の減少がみられた

【文献】

井上修司, 他：産婦漢方研のあゆみ. 1995；（12）：65-71.

step 3

芍薬甘草湯（しゃくやくかんぞうとう）の臨床疫学的エビデンス2

研究方法：症例集積研究

対象患者：明らかな器質的婦人科疾患を認めなかった中等度から高度の機能性月経困難症15例（平均年齢27.9歳）

薬物投与：芍薬甘草湯（しゃくやくかんぞうとう）エキス（3包/日）を月経開始予定日の7日前から14日間投与を1クールとし，4クール投与した

結果：自覚的疼痛の明らかな軽減，鎮痛薬使用頻度の低下，疼痛の持続日数の短縮のうち，2項目以上該当したものを有効，1項目のみ該当したものを効果不定，どの項目も該当しなかったものを無効と判定した。1クール目には有効6例（40.0%），効果不定2例（13.3%），無効7例（46.7%）であった。1クール目に効果不定であった2例は2クール目以降に有効となり，無効であった7例は4クール目まで無効であった

考察：芍薬甘草湯（しゃくやくかんぞうとう）を2〜3クール服用しても有効な鎮痛効果が得られなければ，他の薬剤への切りかえも考慮すべきである

【文献】

牧田和也, 他：産婦漢方研のあゆみ. 2002；（19）：54-8.

六君子湯と加味逍遙散併用療法の臨床疫学的エビデンス

研究方法：症例集積研究

対象患者：芍薬甘草湯エキスを月経開始予定日の5〜7日前より1包/日，月経開始後に3包/日を3日間投与し，3月経周期の観察で無効であった月経困難症6例（年齢は18〜47歳，平均34歳）。機能性月経困難症4例，続発性月経困難症2例

薬物投与：全月経周期を通して六君子湯エキス（2包/日）を投与し，排卵期から黄体期，月経期にかけて加味逍遙散エキス（2包/日）を併用投与した。観察期間は2月経周期とした

結果：疼痛は五段階評価pain scale（PS）を用いて評価し，PSが3以上改善したものを著効，2改善したものを有効，1以下の改善を無効としたところ，著効2例，有効3例，無効1例で，有効率は83.3%であった

【文献】

清水正彦，他：産婦漢方研のあゆみ．2000；(17)：51-4.

芍薬甘草湯と当帰芍薬散の周期的交互投与療法の臨床疫学的エビデンス

研究方法：症例集積研究

対象患者：中等度から高度の機能性および器質性の月経困難症12例（年齢は22〜46歳，平均33.0歳）。機能性月経困難症4例，器質性月経困難症8例（子宮内膜症7例，子宮腺筋症1例）。3例はGn-RHアゴニスト療法後の再発，2例は2クールのGn-RHアゴニスト療法の既往があり，1例はダナゾール療法後の再発患者であった

薬物投与：芍薬甘草湯エキス（3包/日）を月経開始予定日の7日前より月経終了時まで投与し，その後次の月経開始予定日の7日前まで当帰芍薬散エキス（3包/日）を投与した

結果：鎮痛薬を必要としなくなった場合を著効としたところ，3月経周

期で12例全例が著効となった。効果は1カ月目から認められ，3月経周期以内に月経困難症は消失した

【文献】

田中哲二：漢方医．2002；26(2)：69-73.

コラム　芍薬甘草湯と当帰芍薬散の作用メカニズム

芍薬甘草湯にも当帰芍薬散にもプロスタグランジンの産生抑制が証明されている。芍薬の主成分であるペオニフロリンや，甘草の主成分であるグリチルレチン酸，グリチルリチンには子宮筋の収縮抑制作用が報告されている。また，当帰芍薬散や甘草を内服させた血清にも子宮筋収縮抑制作用が認められている。

一方で，芍薬甘草湯にはテストステロン低下作用やプロラクチン低下作用があり，多嚢胞性卵巣症候群患者に排卵を誘発するという内分泌学的作用も有している。また当帰芍薬散には排卵誘発作用や黄体機能不全改善作用がよく知られており，不妊症患者に広く臨床応用されている。このように，芍薬甘草湯も当帰芍薬散もそれぞれ異なる内分泌機序で排卵誘発作用があることから，芍薬甘草湯と当帰芍薬散の周期的な漢方薬服用が患者に規則的な内分泌学的変化をもたらしているのかもしれない。

【文献】

中島聡子，他：産婦漢方研のあゆみ．2001；(18)：116-9.

4 月経異常に対する漢方治療

1. 骨盤内うっ血症候群

前節(**200頁～**)でエビデンスを紹介した月経困難症の背景には骨盤内うっ血症候群が存在することが多い。骨盤内うっ血症候群とは，骨盤内における静脈系のうっ血によって下半身冷感，下腹部痛，腰背部痛，性交時痛，便通異常，残尿感，排尿障害，骨盤内不快感，月経痛などを呈する病態である。

骨盤内における静脈系は解剖学的にうっ血をきたしやすい構造になっているといわれている。四足歩行から立位歩行への進化の過程で，前屈していた子宮が後屈するようになったことや，妊娠による子宮の構造的変化に対応できるように子宮静脈系が複雑な網状叢を形成していることなどがうっ血をきたしやすい原因であるとされている。

2. 月経困難症に対する漢方治療のまとめ

骨盤内うっ血症候群が背景にあるような月経困難症に対する漢方治療の基本は，駆瘀血剤を虚実に従って使い分けることであり，使い分けるポイントは更年期障害の場合とまったく同じである。実証には桃核承気湯や女神散，虚実中間証には桂枝茯苓丸や加味逍遙散，虚証には当帰芍薬散や温経湯が適応になる。虚証のケースでは，当帰建中湯や当帰四逆加呉茱萸生姜湯も鑑別になる。

瘀血の病態がなければ，芍薬甘草湯を月経時に投与する(少量連続前投与を含む)だけでも効果的であるが，瘀血の病態があれば駆瘀血剤による治療と芍薬甘草湯の月経時投与を組み合わせたほうがより効果的である。田中らが提唱している芍薬甘草湯と当帰芍薬散の周期的交互投与療法(**203～204頁**参照)は治療成績も優れており参考になる。

消化吸収機能の低下した脾虚の病態があれば，駆瘀血剤を使用する前に，六君子湯や人参湯，補中益気湯，小建中湯などであらかじめ脾虚を改善しておくことを考える必要がある。最初から駆瘀血剤を投与すると胃腸障害をきたすこともあるので注意しなければならない。

3. その他の月経異常に対する漢方治療

その他の月経異常に対する漢方治療も月経困難症とほぼ同じと考えて良いが，病態の違いに応じたポイントだけ簡単に解説しておく。

月経前症候群には瘀血だけでなく気鬱や水滞の病態が関与しているケースも多い。したがって，瘀血と気鬱を同時に改善する加味逍遙散（かみしょうようさん）や，水滞を改善する五苓散（ごれいさん）や苓桂朮甘湯（りょうけいじゅつかんとう）のような利水剤も適応になる(水滞と利水剤については**3-2**を参照)。月経前に頭痛を訴えるケースも月経前症候群と同様に考えて良い。

過多月経や機能性子宮出血には，臨床疫学的エビデンスのある芎帰膠艾湯（きゅうききょうがいとう）が第一選択薬となる。

子宮筋腫や子宮内膜症に対してGn-RHアゴニストによる非観血的治療が行われているが，その副作用としての更年期様症状に対しても，駆瘀血剤を中心とした漢方治療の有効性が報告されている。

無月経や不妊症は婦人科専門医が扱う領域になるが，西洋医学的な病態診断の後に漢方治療が適応になるケースもある。

加味逍遙散（かみしょうようさん）の臨床疫学的エビデンス(月経前症候群)

研究方法：症例集積研究

対象患者：月経前の様々な愁訴を主訴としてレディースクリニックに来院した月経前症候群(PMS) 33例(年齢は10代1例，20代5例，30代20例，40代7例)。婦人科的器質性疾患を合併している者，精神科・心療内科で治療中の者は除外した

薬物投与：漢方薬服用後，2周期の月経を経た後に効果判定した。使用した漢方薬は加味逍遙散（かみしょうようさん）のみ25例，加味逍遙散（かみしょうようさん）に当帰芍薬散（とうきしゃくやくさん）/苓桂（りょうけい）

朮甘湯/五苓散/当帰建中湯のいずれかを併用した7例，桂枝茯苓丸のみ1例

結果：効果判定時に症状が改善し，引き続き漢方薬継続を望んだ者24例（有効例），効果不十分で他の治療を望んだ者4例（無効例），脱落・中止が5例であった。投薬前後における改変PMSスコア（精神症状・頭痛・乳房痛・浮腫・下腹痛/腰痛の5項目それぞれをスコア0－2の3段階評価して合計）は，有効例で平均4.4から1.5に低下し，特に精神症状と頭痛に対して効果的であった

【文献】

川口恵子，他：日東洋医誌．2005；56(1)：109-14.

五苓散の臨床疫学的エビデンス（月経前症候群）

研究方法：症例集積研究

対象患者：月経前の黄体期に多彩な身体・精神症状を呈するPMSのうち，むくみ，腹痛，乳房緊満感，下痢，頭痛といった身体的症状を不快と感じている50例（年齢は10代2例，20代20例，30代17例，40代11例）

薬物投与：五苓散エキス（2～3包/日）を予定月経5～7日前より服用開始し，月経が開始してPMSの症状が消失したら服用を中止

結果：症状が消失あるいは著効27例（54%），有効17例（34%），やや有効5例（10%），無効1例（2%）で，有効率（有効以上）は88%であった。無効例は抑肝散に変更して症状は改善した

【文献】

金丸みはる：産婦漢方研のあゆみ．2004；(21)：45-7.

step 3

芎帰膠艾湯(きゅうききょうがいとう)の臨床疫学的エビデンス(機能性子宮出血)

研究方法：トランサミン® ＋オフタルムK® とのランダム化比較試験

対象患者：子宮内膜組織検査で機能性子宮出血と確診した閉経前成熟期婦人183例(年齢は21～50歳，平均41.3歳)。実薬群93例と対照群90例は来院順に振り分けた。両群の年齢や子宮内膜組織像の分布に有意差を認めなかった。消化器の副作用が出現した2例(実薬群1例，対照群1例)と子宮内膜組織像が月経前期像・炎症像・異型増殖症像を呈した15例(実薬群6例，対照群9例)は除外した

薬物投与：実薬群には芎帰膠艾湯(きゅうききょうがいとう)エキス(3包/日)，対照群にはトランサミン® (3錠/日)とオフタルムK® (3錠/日)を7日間投与した

結果：実薬群の平均止血日数は4.3±1.5日で，対照群(5.5±2.1日)と比較し有意に短かった。7日目までに止血した症例を有効とした結果，実薬群の有効率は94.6%で，対照群(72.2%)と比較し有意に高かった

備考：芎帰膠艾湯(きゅうききょうがいとう)の止血日数は虚実の各証間では有意差がなかった

【文献】

岩淵愼助：日東洋医誌. 2000；50(5)：883-90.

当帰芍薬散(とうきしゃくやくさん)・加味逍遙散(かみしょうようさん)・桂枝茯苓丸(けいしぶくりょうがん)の臨床疫学的エビデンス Gn-RHアゴニストによる更年期様症状

研究方法：症例集積研究

対象患者：正常月経周期を有する子宮筋腫患者26例(平均年齢41.4歳)

薬物投与：酢酸リュープロレリン3.75mgを皮下注射にて6カ月間投与。1カ月後に血中エストラジオール値が10pg/mL以下になっていることを確認したのち，当帰芍薬散(とうきしゃくやくさん)(9例)，加味逍遙散(かみしょうようさん)(10例)，桂枝茯苓丸(けいしぶくりょうがん)(7例)のいずれか1製剤(3包/日)を1～2カ月間投与した

結果：簡略更年期指数の平均値は，当帰芍薬散(とうきしゃくやくさん)投与前後で48.9➡28.4，加味逍遙散(かみしょうようさん)与前後で46.3➡23.5，桂枝茯苓丸(けいしぶくりょうがん)投与前後で48.8

➡30.4とそれぞれ有意に低下したが，加味逍遙散が最も効果的であった。また，全症例において子宮の縮小化に成功したが，桂枝茯苓丸併用群において子宮筋腫の縮小効果が最も大きかった。なお，3方剤すべてにおいて併用後に血中エストラジオール値の上昇は認めなかった

【文献】

星本和倫，他：日東洋医誌．2002；53(5)：537-43.

4. 当帰建中湯が適応になる婦人科疾患の病態

本田らの報告[1]によると，1カ月以上にわたり当帰建中湯の投薬を受けた婦人科外来患者27例中，著効が12例，有効が6例で，有効率は66.7％であった。

著効および有効18例（平均年齢30.7±10.9歳）の特徴を検討したところ，主訴として多かったのは下腹痛，腰痛，不正子宮出血であり，診断として多かったのは子宮内膜症，月経困難症，子宮筋腫，不正子宮出血であった。漢方医学的にはやや虚証に偏り，腹直筋の緊張を12例，瘀血所見を9例に認めた。下腹痛と腰痛以外の自覚症状として多かったのは，身体がだるい，寝起きが悪い，手足が冷える，寝汗をかく，疲れやすいなどであった。また，平均身長は157.3cmで，平均体重は49.1kgであった。

20歳代から30歳代で，下腹痛や腰痛を主訴として来院する冷え症で虚証の婦人科疾患患者に対して，腹直筋の緊張を目標に当帰建中湯を投与することは多いが，その際に筆者が注意して観察しているポイントがある。それは，腹壁全体における緊張の亢進所見である。腹直筋の部分が緊張しているだけでなく，腹直筋の外側においても腹壁が板状に緊張していることが多く，当帰建中湯を投与して効果があれば腹壁の緊張も緩んでくるのが特徴的である。

【文献】

1）本田達雄，他：漢方診療．1993；12(7)：18-22.

コラム　不妊症に対する漢方治療

わが国における漢方不妊治療の大家である寺師氏は，母体づくり，すなわち妊娠しやすい体にしていくことが漢方不妊治療の要諦であると述べている。当帰芍薬散(とうきしゃくやくさん)や温経湯(うんけいとう)といった不妊症の頻用処方の効果が出やすいような体にしていくために，証に従って治療することを推奨している。個々の患者の体質・証を見きわめるには腹診を最重視しながら，以下の７タイプに分けて治療すると良い。

①色白でやせ型，虚弱体質で貧血タイプ（当帰芍薬散(とうきしゃくやくさん)）

②足腰が冷え，冷えると腹部が痛むタイプ（当帰四逆加呉茱萸生姜湯(とうきしぎゃくかごしゅゆしょうきょうとう)）

③胃腸が弱く，体全体に活力がないタイプ（六君子湯(りっくんしとう)，小建中湯(しょうけんちゅうとう)，人参湯(にんじんとう)など）

④中肉で血色がよく，瘀血が中心のタイプ（桂枝茯苓丸(けいしぶくりょうがん)）

⑤中肉中背で，腹部がガスで張るタイプ（折衝飲(せっしょういん)：医療用エキス製剤なし）

⑥体格がよく，心下から脇腹が張るタイプ（大柴胡湯(だいさいことう)，大柴胡湯合桂枝茯苓丸(だいさいことうごうけいしぶくりょうがん)）

⑦水太りで，疲れやすく汗が多いタイプ（防已黄耆湯(ぼういおうぎとう)）

【参考図書】

寺師睦宗，他：漢方診療二頁の秘訣．金原出版，2004，p140-1．

2 水滞の症候に対する漢方治療

- 水滞を改善する方剤を「利水剤」という。西洋医学の利尿剤とは違って，腎尿細管に直接働きかけて利尿作用を発揮するだけでなく，血管内外や細胞内外の水バランスを調整し，細胞間質に停滞した水をうまく巡らせて，最終的に尿として排泄するのが利水剤の特徴である。
- 本章では，排尿異常，嘔吐・下痢，めまい，炎症に伴う諸症状に対する漢方治療の実際について紹介しながら，水滞の病態と利水剤の使い分けについて解説する。

1 排尿異常と利水剤

1. 利水剤と利水作用

利水剤（漢方薬）の作用は，利尿剤（西洋薬）の作用とは少し意味が異なるということを最初に指摘しておきたい。利水作用とは，体内の水分布のバランス異常を正常な状態に回復する働きのことであり，体内の過剰な水分を尿として体外に排泄する利尿作用よりも複雑な内容を含んでいる。

ここで体内の水分布について簡単に整理しておくと，身体の約60％は水分であり，残りの約40％は筋肉，脂肪，骨などから構成されている。60％の水分の内訳は，40％が細胞内液で，残りの20％が細胞外液（15％が間質液，5％が血漿）である。加齢とともに体液量は全体で50％近くにまで低下するが，細胞外液量はほぼ一定で，もっぱら減少するのは細胞内液量である。

たとえば，浮腫の病態では間質液が増加するために，血管内外や細胞内外の水バランスが異常になっている（このような水の偏在を漢方医学では「水滞」と呼んでいる）。このとき，血管外の間質液を血管内に移動させたり，細胞外の間質液を細胞内に移動させたりすることによって，水分布の量的バランスを回復させるのが利水剤の働きである。体内の水分量が全体として過剰であれば，もちろん尿量を増加させる作用も発揮するが，血管内や細胞内が脱水状態にあれば尿量の増加はみられないこともある。

コラム　利水作用の本体にせまる人体実験

田代氏は，利水作用の本体を以下のような人体実験（自分自身が被験者）によって明らかにし，五苓散の利水作用とラシックス®の利尿作用の違いを，身をもって証明した。

田代氏の舌は腫れぼったくて（腫大），歯形が見事についており（歯痕），水滞の病態を呈しており，被験者として適任であると考えられた。膀胱カテーテルを留置後，水を経口と点滴で同時に負荷して浮腫の病態を作り上げ，尿量の変化を連続的に記録した。その結果，水負荷の約2時間後にようやく尿量が平衡に達することがわかった。その後，五苓散エキス1日分を1回で服薬すると，50分後に尿量が増加し，その効果は50分ほど持続して元に戻った。

次は浮腫のない状態で実験した。実験前日の夜にラシックス®を服用したところ，4リットルの尿が出て，翌朝には喉が渇いて仕方がない脱水の病態が作り上げられた。同じように五苓散エキスを服用すると，まったく同じ時間経過で，50分後から50分間ほど尿量が変化した。しかし，その変化は浮腫の病態時とは逆に尿量が減少するという結果であった。さらにその後でラシックス®を服用したところ，脱水状態であるにもかかわらず，尿量は著明に増加した。

【参考図書】

田代眞一：手作りの臨床薬理．じほう，1995，p101－15．

2. 口渇・尿不利に五苓散(ごれいさん)

口渇があって尿量が少なければ(尿不利)，体内の水分量が不足した脱水の病態を考えるのが普通であろう。しかし，喉が渇いて冷たい水を飲みたいと感じるにもかかわらず，実際に飲んだ水は体内に吸収されてから尿として十分に排泄されず，体内に停滞してしまう病態がある。

心不全や肝不全で胸水や腹水が貯留する場合にもこの病態が出現する。血管外の間質にも水が停滞し，下腿や眼瞼の浮腫を認めるにもかかわらず，激しい口渇を訴えるのが特徴である。漢方医学的には五苓散(ごれいさん)が適応となる病態であり，西洋医学の利尿剤で効果が得られなかったにもかかわらず，五苓散(ごれいさん)が有効であったとする報告は数多い。

五苓散(ごれいさん)の臨床疫学的エビデンス

研究方法：症例集積研究

対象患者：利尿剤により腹水の消失を認めない難治性肝硬変(非代償性)患者15例(肝がん非合併10例，肝がん合併5例)

薬物投与：利尿剤のみによる治療後に，五苓散(ごれいさん)エキス(2～3包/日)を併用投与

結果：五苓散(ごれいさん)併用により15例中9例(60%)に尿量増加を認め，肝がん非合併例では10例中5例に，肝がん合併例では5例中4例において尿量増加を示した。腹水については15例中6例(40%)に減少を認め，肝がん非合併例では10例中4例に，肝がん合併例では5例中2例において腹水減少が得られた。また，15例中10例(66.7%)に体重減少を認め，五苓散(ごれいさん)併用前値が54.3kgから併用後には52.8kgと有意に低下した。血液生化学的検査所見(血清Na，K，Cl，BUN，Cr，UA)においては有意な変化を示さなかった

【文献】

高森成之，他：漢方医．1989；13(10)：300-5.

3. 五苓散(ごれいさん)の作用メカニズム

浮腫性疾患において尿量が減少している場合，何らかの理由で有効循環血液量が低下していることが考えられる。その結果，圧受容器は体内に水が不足していると誤認して，バソプレシン（AVP）の分泌を亢進し，交感神経系やレニン・アンジオテンシン・アルドステロン系を賦活化することによって水を体内に貯蔵しようとするのである。

利尿剤は腎臓の尿細管におけるナトリウム再吸収を抑制することによって強制的に尿量を増加させるため，有効循環血液量の低下に拍車をかけて，上述の病態を悪化させる。それに対して五苓散(ごれいさん)のような利水剤やその構成生薬には，有効循環血液量を維持する働き（**下記コラム**参照）

step
3

コラム　五苓散(ごれいさん)による血管内refillingの促進

川嶋らは，無尿の血液透析（HD）患者の血管内refillingが五苓散(ごれいさん)によって促進された1例について報告している。

症例は64歳の糖尿病性腎症によるHD患者（透析歴約4年）で，HD中に収縮期血圧が100mmHg以下に低下し，HD困難となり，HD終了後も全身倦怠，嘔吐，下肢つりのため就寝まで起居不能状態であった。そこで，クリットラインモニターを装着し，除水量を一定（800mL/h）とし，HD開始後2時間の時点での血液量の変化率を測定した。五苓散(ごれいさん)エキス（1包）をHD前に内服して測定したところ，血液量は2％減少しただけで，HD終了後の自覚症状も軽快した。

透析低血圧を呈する患者では血液量が10％前後減少した時点で血圧低下を認める例が多いが，本症例は五苓散(ごれいさん)による血管内refilling促進効果によって血液量の減少が抑制されたものと考えられた。

【文献】

川嶋　朗，他：日東洋医誌．2000；50(6)：164．

や，AVPやアンジオテンシンの作用を抑制する作用が報告されている[1)]。

五苓散(ごれいさん)が全身の細胞に存在するアクアポリン（AQP）と呼ばれる水チャネルにも作用することが明らかになり，水の偏在を正常化するメカニズムとしてAQP機能阻害の可能性が注目されている。長井らはAQPのcRNAを注入したアフリカツメガエル卵母細胞を用いた実験において，五苓散(ごれいさん)の構成生薬である蒼朮(そうじゅつ)に含まれるMn^{2+}がAQP4およびAQP5に対して細胞膜水透過性阻害作用を有することを明らかにした[2)]。

【文献】
1）小林みい，他：和漢医薬誌．2001；18：71．
2）長井一史，他：和漢医薬誌．2004；21（増刊号）：83．

4．口乾・夜間尿に八味地黄丸(はちみじおうがん)

加齢とともに全身諸臓器の様々な能力が低下するが，腎臓においては尿を濃縮する能力の低下が問題となる。尿濃縮力が低下すると，一定量の老廃物を処理するために，より多量の水を尿として排泄する必要が生じる。これが高齢者に特有の頻尿や夜間尿の主たる原因であり，漢方医学的には腎虚を示唆する重要な症候となる。

尿量の増加は結果的に，高齢者に特有の頻尿や夜間尿となって現れるが，それと同時に体内の水分量が徐々に減少する。その際，減少するのは細胞内液であり，全身の細胞が干からびてくると言い換えても良い。そうなると，口が乾いて頻回に湯茶を飲むようになる（高齢者の場合，渇中枢の機能低下によって口渇を呈さないケースが多い）。

このような口乾と夜間尿を特徴とする病態では，全身の水分量は不足傾向にあるが，細胞内と細胞外の水分バランスでみると，細胞外に水分が偏在していることになる。漢方医学的には腎虚に水滞を兼ねた病態であり，補腎と利水の効能を有する八味地黄丸(はちみじおうがん)が適応となる。

八味地黄丸の鑑別方剤として六味丸と牛車腎気丸がある。口乾と夜間尿だけでなく冷えも同時に訴える寒証の患者には八味地黄丸が適応となるが，寒証がない場合には八味地黄丸から桂皮と附子を取り除いた六味丸が適応となる。八味地黄丸に牛膝と車前子を加えると牛車腎気丸になる。牛膝は瘀血を改善し，車前子は水滞を改善することから，下半身の血流障害や浮腫を伴う症例には牛車腎気丸を用いると良い。

八味地黄丸の臨床疫学的エビデンス（作用メカニズム）

研究方法：症例集積研究

対象患者： 夜間排尿量および排尿回数の多い高齢患者7例（男性4例，女性3例，年齢61～72歳）。疾患は動脈硬化症，高血圧症，前立腺肥大，脂質異常症

薬物投与：八味地黄丸エキス（2包/日）を2カ月投与

結果：21時から翌日6時までの夜間尿量は646±92mLから363±99mLへと有意に減少し，夜間排尿回数は3.6±0.8回から1.4±1.1回へと有意に減少した。血漿AVP濃度（5時，11時，17時，23時，翌日の5時に採血）を測定したところ，八味地黄丸服用前には低レベルで日内リズムが認められなかったが，服用2カ月後では23時が最高，5時と11時が最低の有意な日内リズムが認められた。ACTHとコルチゾールについても同様に測定を行ったところ，午前中をピークとする日内リズムの回復を認めた

考察：八味地黄丸による夜間尿の改善効果は，夜間をピークとする日内リズムを回復したAVP（抗利尿ホルモン）が遠位尿細管集合管における水の再吸収を促進させたことによる

【文献】

有地　滋，他：医と薬学．1982；8(5)：1935-8．

八味地黄丸(はちみじおうがん)の代表的症例

症例：82歳，男性

主訴：夜間頻尿

既往歴：胃潰瘍手術（25歳），糖尿病（40歳内服中）

家族歴：糖尿病（母）

現病歴：1年前から頻尿傾向となり，日中は3時間毎だが，夜間に2時間毎にトイレに起きる。近医にて前立腺肥大の治療薬を処方されているが効果はない。夜間に覚醒後は再入眠しづらく寝不足で，日中に眠気がある。夜間にこむら返りがある，足が冷える，下腿浮腫が軽度ある，口渇はないが湯茶をよく飲む。便通1回/日，普通便

現症：身長159.6cm，体重52.6kg，体温35.6℃，血圧144/64mmHg，脈拍数65rpm。脈は浮・緊・虚実中間。舌は淡紅色。腹力は軟弱で，小腹不仁と鼓音を認める

八味地黄丸症例

経過：高齢者の夜間頻尿で小腹不仁と冷えを認めることから腎虚と寒証の病態と診断し，八味地黄丸(はちみじおうがん)（煎じ薬）を開始した。2週間の服用で足の冷えが軽減し，こむら返りも減ってきた。1カ月後には夜間尿が2回

となり，睡眠状態も改善してきた。3カ月後には夜間尿が1回の日も出てきたので，同処方を継続中である

5. 排尿障害に猪苓湯（ちょれいとう）

頻尿，排尿困難，排尿時不快感，残尿感，排尿痛などの排尿障害を訴える場合，その原因として最も多いのは尿路感染症である。しかし，尿所見に明らかな感染症の所見を認めないにもかかわらず，これらの症状を訴える症例も少なくない。このような排尿障害に対して，第一選択薬となるのが猪苓湯（ちょれいとう）である。

尿路感染症に対しては抗菌薬が投与されることが多いが，猪苓湯（ちょれいとう）を併用することによって自覚的な排尿障害や尿所見の異常が速やかに改善するという報告がある。また尿路感染症が軽度であれば，抗菌薬を使用せずに猪苓湯（ちょれいとう）だけで治癒することもよく経験する。特に，軽度の尿路感染症を頻回に繰り返す症例では，猪苓湯（ちょれいとう）で対処することによって抗菌薬の使用量を少なくできれば，耐性菌の問題をひき起こさずにすむ。

猪苓湯（ちょれいとう）の鑑別方剤には，猪苓湯合四物湯（ちょれいとうごうしもつとう）と清心蓮子飲（せいしんれんしいん），竜胆瀉肝湯（りゅうたんしゃかんとう）などがある。猪苓湯合四物湯（ちょれいとうごうしもつとう）の使用目標は血虚の存在であるが，一般には尿路感染症が慢性化しているケースや，顕微鏡的血尿を伴うケースに使用する。また，猪苓湯（ちょれいとう）を服用すると胃腸障害をきたすような虚証の患者や，排尿障害以外に様々な不定愁訴を訴える患者に対しては清心蓮子飲（せいしんれんしいん）が適応となる。逆に，猪苓湯（ちょれいとう）よりも実証の患者や，湿熱による陰部の湿疹・瘙痒症を伴う患者に対しては竜胆瀉肝湯（りゅうたんしゃかんとう）を用いると良い。

猪苓湯（ちょれいとう）の臨床疫学的エビデンス

研究方法：症例集積研究

対象患者：抗精神病薬の服用によって排尿障害（頻尿，排尿困難，排尿時不快感，残尿感，排尿痛など）を訴える統合失調症患者40例（男性

17例，女性23例，平均年齢41.1歳）

薬物投与：猪苓湯（ちょれいとう）エキス3包/日から投与を開始し，2週間後の判定で効果がみられなかった症例については1日投与量6包/日に増量。投与期間は1カ月。服薬中の抗精神病薬のハロペリドール換算量は平均26.9mg/日であった

結果：著明改善（排尿障害をまったく訴えなくなった）22例（66.7%），中等度改善（排尿障害の程度，頻度は明らかに改善した）3例（9.1%），軽度改善（投与前と比較すると排尿障害の程度が幾分軽快した）0例，不変（投与前とまったく症状の変化はない）8例（24.2%），悪化（排尿障害が増悪する）0例で，中等度以上の改善が75.8%を占めた（ただし，臭化ジスチグミンが投与され，その効果が無効であった重症7例は別に解析した）

【文献】

岩崎真三，他：漢方医．1996；20(5)：153-8．

2 嘔吐・下痢と利水剤

1．急性胃腸炎の嘔吐・下痢に五苓散

小児科領域のプライマリケアでは，急性胃腸炎や感冒に伴う嘔吐・下痢が問題になるケースが少なくない。嘔吐や下痢が長びいて脱水状態になると，点滴による補液が必要となり，その対応には非常に苦労する。一方，小児に漢方薬を投与する際には，注腸や坐薬を使用したり，砂糖を加えたりするといった様々な工夫が必要となる。

以下に五苓散の臨床疫学的エビデンスを紹介するが，急性胃腸炎に伴う嘔吐に対しては五苓散の注腸や坐薬が有効であり，感冒性胃腸症に伴う下痢に対しては五苓散の経口投与が有効であったとする報告がある。

五苓散は水滞の病態を改善する利水剤の代表であり，消化管内に水が偏在した病態に対しても優れた効果を発揮する。消化管内の水の偏在を示唆する所見としては，胃部振水音が最も重要であるが，嘔吐や下痢を呈する場合には，胃部振水音を証明できなくとも消化管内における水の偏在があると診断して差し支えない。

五苓散の臨床疫学的エビデンス1（嘔吐）

研究方法：症例集積研究

対象患者：急性胃腸炎に伴う嘔吐を主訴に来院した患児211例（平均年齢3.7歳）

薬物投与：五苓散エキス2.5gを温生理食塩水20mLに溶解し，カテーテルを用いて注腸投与した

結果：有効（嘔吐が止まった）とやや有効（嘔吐が軽快した）を合わせた有効率は82.9％であった

【文献】

福富　悌，他：小児臨．2000；53(6)：967-70.

五苓散(ごれいさん)の臨床疫学的エビデンス2（下痢）

研究方法：症例集積研究

対象患者：感冒性胃腸症と診断した嘔吐のない下痢のある患児360例（平均年齢3.8歳）。五苓散(ごれいさん)単独投与群120例のうち服用できた62例（51.7%）と，砂糖併用群240例のうち服用できた230例（95.8%）を解析の対象とした

薬物投与：五苓散(ごれいさん)エキス2.5～5.0g/日，分2（5歳以上または体重20kg以上では1回2.5gを微温湯60mLに，それ以下では1回1.25gを微温湯30mLに溶解）。砂糖併用群では，砂糖3.5gを五苓散(ごれいさん)溶液に加えた

結果：著効（1日で下痢が止まった）と有効（3日以内に下痢が止まった）を合わせた有効率は，五苓散(ごれいさん)単独投与群が77.4%，砂糖併用群が

コラム　ノロウイルス感染症に対する漢方治療

ノロウイルスによる感染性胃腸炎に対するファーストチョイスもまた五苓散(ごれいさん)であるが，病態（六病位）に応じて以下に紹介する五苓散(ごれいさん)以外の方剤も使い分けたほうが良い。

発病初期で，脈浮，悪寒，発熱，頭痛などがみられる太陽病期の下痢に対しては，葛根湯(かっこんとう)が適応になる。吐き気や嘔吐を伴う場合には，葛根湯(かっこんとう)と小半夏加茯苓湯(しょうはんげかぶくりょうとう)を併用すると良い。

亜急性期で，舌白苔と胸脇苦満を認める少陽病期の下痢に対しては，小柴胡湯(しょうさいことう)と五苓散(ごれいさん)の合方である柴苓湯(さいれいとう)が適応になる。胃部膨満感を伴う下痢に対しては，平胃散(へいいさん)と五苓散(ごれいさん)の合方である胃苓湯(いれいとう)も用いられる。

比較的初期から倦怠感と寒気が強く，虚証と寒証の病態を呈する太陰病期や少陰病期の下痢に対しては，桂枝人参湯(けいしにんじんとう)や真武湯(しんぶとう)が適応になる。桂枝人参湯(けいしにんじんとう)の使用目標が頭痛と心下痞鞕であるのに対して，真武湯(しんぶとう)の使用目標はめまい感と小腹不仁である。

81.3%であった

【文献】
橋本　浩：漢方医. 2001；25(4)：178-80.

2. 妊娠悪阻に小半夏加茯苓湯

妊娠中は薬を飲まないほうが良いのは言うまでもないが，症状が強いときに妊娠中でも比較的安全に使える漢方薬がいくつかある。腹痛や習慣性流産には当帰芍薬散，妊婦の感冒には参蘇飲，長びく咳には麦門冬湯がそれぞれよく使われている。妊娠悪阻にも漢方薬が使われることが多いが，何も内服することができない重症例には鍼灸治療も考慮すると良い。

小半夏加茯苓湯は妊娠悪阻の第一選択薬である。半夏・生姜・茯苓という3種類の生薬で構成されており，即効性を期待できる。漢方薬は一般に，構成生薬の数が少ないほど効果が強いとされている。吐き気が強いときには冷服が原則であり，冷たいまま服用させたほうがコンプライアンスが良い。また，食用のショウガをすりおろして，その絞り汁を数滴混ぜて服用すると止嘔効果が高まる。

小半夏加茯苓湯の鑑別方剤として，半夏厚朴湯と茯苓飲合半夏厚朴湯がある。小半夏加茯苓湯に厚朴と蘇葉を加えた半夏厚朴湯は，気鬱の病態を改善する作用を兼ね備えている（気鬱の病態については**3-4**を参照）。したがって，吐き気や嘔吐だけでなく不安や抑うつなどの精神症状も同時に訴える患者には半夏厚朴湯が適応となる。胃部振水音の程度が強く，小半夏加茯苓湯や半夏厚朴湯が無効の症例には，茯苓飲と半夏厚朴湯を合方した茯苓飲合半夏厚朴湯を試みると良い。

3. 慢性下痢症に真武湯

器質的な疾患がないにもかかわらず下痢をしやすいのは，虚弱体質の特徴である。すぐに下痢をするので食事を十分に摂取できず，摂取した食事も十分に消化・吸収できない。したがって，気の産生も不十分で虚弱な体質から抜け出すことができない。新陳代謝は全般的に低下しており，冷え症でもある。冷たいものを飲んだり，食べたりすると下痢がひどくなるので，温かいものしか摂取しない。また，なるべく冷えないように，身体を温めるように工夫しているが，積極的に運動することが苦手なために熱産生量が低いままである。

このような虚弱体質で冷え症の慢性下痢に対して，ファーストチョイスとなるのが真武湯（しんぶとう）である。真武湯（しんぶとう）には，生体の新陳代謝機能を全般的に賦活し，その結果として大腸内に偏在した水分がうまく吸収されるようにする利水剤としての働きが備わっている。冷えの程度が強い場合に

コラム 胃内停水と胃部振水音

胃の中に水が過剰に停滞することを「胃内停水」というが，胃の中に停滞した過剰な水分は消化管の活動に悪影響を及ぼす。しかし，適度な水分は消化管の正常な活動に必要不可欠であり，水分の不足もまた消化管の活動を阻害する。ここでもまた，水分量の適度なバランスが重要な意味をもつことがわかる。

胃内停水は，胃の運動機能が低下した気虚の病態でよくみられる病理現象であり，吐き気，心下部不快感，胃もたれ，食欲不振，消化不良，軟便，下痢といった症状の原因となる。このような気虚（胃気の不足）に伴う水滞を改善するのが，人参（にんじん）と朮（じゅつ）あるいは茯苓（ぶくりょう）の組み合わせである。

腹診において胃部振水音を証明すれば，胃内停水が存在すると言える。胃内停水に伴う消化器症状を改善する代表的な方剤として，六君子湯（りっくんしとう），茯苓飲（ぶくりょういん），啓脾湯（けいひとう），半夏白朮天麻湯（はんげびゃくじゅつてんまとう），小半夏加茯苓湯（しょうはんげかぶくりょうとう），半夏厚朴湯（はんげこうぼくとう），茯苓飲合半夏厚朴湯（ぶくりょういんごうはんげこうぼくとう），二陳湯（にちんとう），平胃散（へいいさん），胃苓湯（いれいとう）などがある。

step 3

は，附子を1日1.0gから3.0g程度まで徐々に追加，増量していくと良い。

真武湯の鑑別方剤として人参湯と啓脾湯がある。人参湯の使用目標は心下痞鞕であり，下部消化管よりも上部消化管の症状が目立つ場合に用いる。冷えが強いケースでは，人参湯に附子を追加しても良い（これを附子理中湯という）。過敏性腸症候群の下痢型には，啓脾湯が良い適応になる。真武湯や人参湯で効果がみられない，心身症タイプの慢性下痢症にも啓脾湯を試してみると良い。

真武湯の代表的症例

症例：76歳，女性

主訴：慢性下痢，体重減少

既往歴：高血圧症（64歳内服中）

家族歴：卵巣がん（妹）

現病歴：5年前に胃がんで胃全摘術を施行した後より下痢が続いており，体重は15kg減少した。食事は少量しか摂取できない。立ちくらみあり，手足が冷える，下腿浮腫あり，口渇なし。尿は7～8回/日で夜間尿は3回。便通は3回/日で水様便が便器にフワフワ浮いている

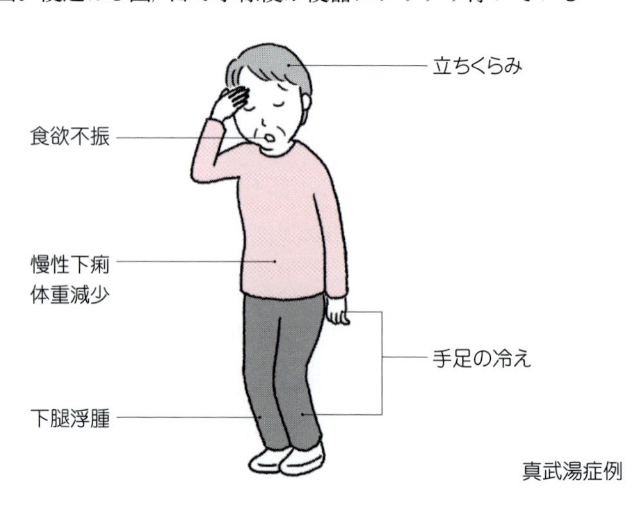

真武湯症例

現症：身長153.8cm，体重43.8kg，体温35.8℃，血圧169/78mmHg，脈拍数63rpm。脈は沈・緊・弱。舌は淡紅色。腹力は非常に軟弱で，左側の腹直筋緊張と心下悸，臍上悸，臍下悸，小腹不仁を認める

経過：立ちくらみ，下腿浮腫，水様下痢は水滞の症候であり，虚弱の状が著しいことから真武湯(しんぶとう)（煎じ薬）を開始した。2週間の服用で手の冷えが軽減し，便も有形となってきた。1カ月後には体力がついて，食後の倦怠感が消失した。3カ月後にはさらに元気になり，午後も寝ることなく毎日掃除ができるようになった。便もやや硬めで，小指程度の太さのものが毎日出ている。体重は1.6kg増加した

3 めまいと利水剤

1. めまいに対する漢方治療

めまいは水滞を示唆する症候であり，どのようなタイプのめまいであるかによって，適応となる方剤が異なる。回転性のめまいや比較的強い非回転性のめまいには五苓散（ごれいさん），立ちくらみには苓桂朮甘湯（りょうけいじゅつかんとう），浮遊感（雲の上を歩いているようなフワフワした感じ）や斜行感（まっすぐ歩いているつもりなのに右か左に曲がっていってしまう）には真武湯（しんぶとう）がそれぞれ適応になる。

五苓散（ごれいさん）の使用目標は前述のように口渇と尿不利である。苓桂朮甘湯（りょうけいじゅつかんとう）は起立性低血圧を目標に用いるが，五苓散（ごれいさん）が糖尿病患者の起立性低血圧に対して有効であったとするエビデンスもある。真武湯（しんぶとう）は虚弱体質で下痢しやすく，冷え症の患者がめまいを訴える場合に使用する。めまいに適応となる利水剤としては，他にも半夏白朮天麻湯（はんげびゃくじゅつてんまとう），半夏厚朴湯（はんげこうぼくとう），当帰芍薬散（とうきしゃくやくさん）などがあるが，いずれも中等度から軽度の非回転性めまいに用いられることが多い。それぞれの特徴を利水剤選択チャート（図1）にまとめて示した。

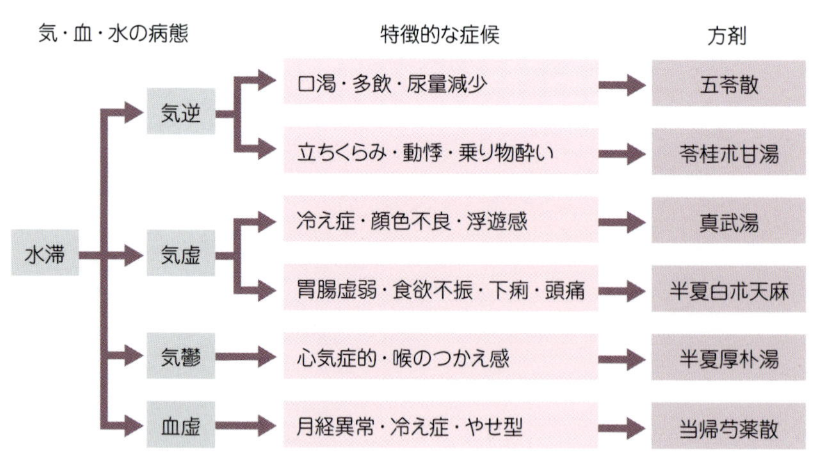

図1　めまいに対する利水剤選択チャート

コラム 水滞による頭痛の特徴

水滞を示唆する症候として，排尿異常，嘔吐・下痢，めまい（めまい感・立ちくらみ）について述べてきたが，頭痛（頭重感・拍動性の頭痛）もまた水滞を示唆する重要な症候である。特に，めまいと頭痛を同時に訴えるケースでは，五苓散，苓桂朮甘湯，半夏白朮天麻湯，当帰芍薬散の4方剤を使い分けると良い。

水滞による頭痛には2つのタイプがあり，その1つは頭が重い感じである。気鬱では，頭に帽子を被せられたような頭冒感が特徴だと言われているが，水滞でも頭冒感が出現することがあるため，水滞による頭痛と気鬱による頭痛の鑑別は難しい。さらに，気鬱によってもめまいが出現することから，両者を自覚症状だけで見分けることは容易ではない。そこで，どういうときに頭痛やめまいが出現するかを問診することが必要になる。気候や気圧の変化に影響される場合には水滞の可能性が高く，精神的なストレスの影響を強く受けている場合には気鬱の可能性が高い。

水滞による頭痛のもう1つのタイプは，ズキンズキンと脈が打つような拍動性の頭痛であり，片頭痛がこれに相当する。このタイプは，水滞だけでなく気逆の病態も併存することによって出現することが多く，水滞と気逆を同時に改善する五苓散と苓桂朮甘湯が良い適応となる〔気逆による頭痛については**3-3（243頁）**を参照〕。

2. 起立性調節障害に苓桂朮甘湯（りょうけいじゅつかんとう）

起立性調節障害の診断基準には，立ちくらみ，起立時の気持ち悪さ，朝なかなか起きられないといった起立性低血圧に伴う症状だけでなく，漢方医学的に水滞あるいは気虚の病態を示唆する症状があげられている。めまい，動悸，息切れ，頭痛，乗り物に酔いやすいといった症状は水滞の存在を示唆しており，顔色が青白い，食欲不振，倦怠感，易疲労といった症状は気虚の存在を示唆している。

大症状の立ちくらみ・めまいが訴えの中心になる起立性調節障害患者に対しては苓桂朮甘湯（りょうけいじゅつかんとう）が第一選択薬となる。苓桂朮甘湯（りょうけいじゅつかんとう）は動悸，息切れ，頭痛，乗り物酔いといった水滞に関係した症状を全般的に改善する方剤であるが，それと同時に気虚を示唆する症状に対しても少なからず効果を期待できる。しかし，水滞よりも気虚に関する訴えが中心の起立性調節障害患者に対しては，小建中湯（しょうけんちゅうとう）や補中益気湯（ほちゅうえっきとう）などが適応となる。また，腹痛を伴う症例に対しては小建中湯（しょうけんちゅうとう）や柴胡桂枝湯（さいこけいしとう）などが用いられる。

苓桂朮甘湯（りょうけいじゅつかんとう）の代表的症例

症例：15歳，男性

主訴：朝の不調，立ちくらみ

既往歴：鼠径ヘルニア手術（幼児期），過敏性腸症候群（12歳）

家族歴：高血圧（祖母）

現病歴：1年前から朝の目覚めが悪くなり起きられなくなった。夜は12時に就寝し，朝は8時頃に覚醒するが，ベッドの中で昼まで寝過ごしてしまう。立ちくらみがときどきあり，梅雨時に悪化する。頭痛はたまにあるが鎮痛剤は服用しない。近医でカウンセリングを受けながら，低血圧症治療薬（アメジニウムメチル硫酸塩）とベンゾジアゼピン系抗不安薬（メダゼパム）を処方されているが効果は不十分。倦怠感，易疲労，

冷えのぼせがある。尿は2～3回/日で夜間尿はない。便通は1回/日で普通便だが，たまに下痢する

現症：身長166.7cm，体重47.2kg，体温35.6℃，血圧99/59mmHg，脈拍数84rpm。脈は虚実中間。舌は淡紅色で腫大・歯痕あり。腹力はやや軟弱で，両側の腹直筋緊張と臍上悸，胃部振水音，小腹不仁を認める

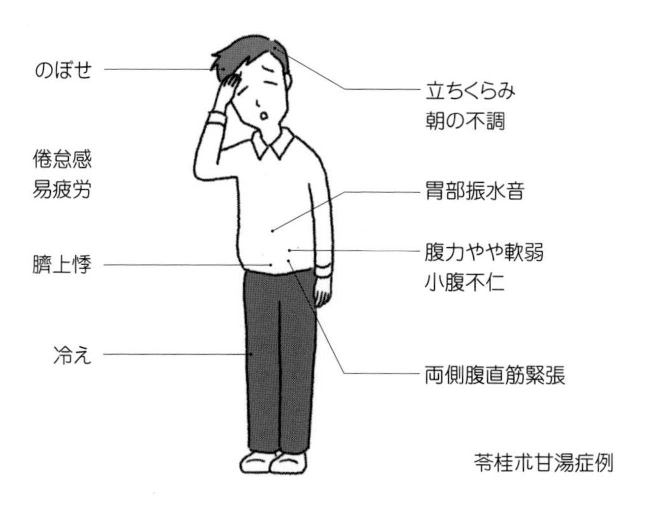

苓桂朮甘湯症例

経過：水滞に気逆と気虚を伴う起立性調節障害と診断し，苓桂朮甘湯（りょうけいじゅつかんとう）（煎じ薬）を開始した。4週間の服用で，立ちくらみと頭痛はほぼ軽快した。4カ月後には，朝10時くらいにベッドから起きられるようになった。6カ月後には，朝の目覚めも良くなって，意識もはっきりするようになってきた。寺澤の気・血・水スコア（初診時➡6カ月後）は，気虚54➡32，気鬱24➡16，気逆46➡24，血虚26➡20，瘀血13➡18，水滞33➡20とそれぞれ変化し，気虚と気逆と水滞の改善が顕著であった。

真武湯（しんぶとう）の代表的症例

症例：71歳，女性

主訴：浮遊感，斜行感，両膝関節痛

既往歴：高血圧症（55歳～内服中），白内障手術（68歳）

家族歴：糖尿病（父），高血圧症（母）

現病歴：20年前に変形性膝関節症と診断され，両膝の鈍痛が持続している。4年前から回転性めまいが1年に1～2回出現している（最後は4カ月前）。2カ月前から体が浮いているような感覚で，軽い吐き気と気分不快がある。歩いていても右側へ行ってしまう。全身倦怠感，易疲労，日中の眠気あり。足が冷える，汗をかく，口渇なし。尿は頻回（1時間毎）で夜間尿は3～4回。便通は1回/日

現症：身長147.5cm，体重68.2kg，体温36.6℃，血圧123/62mmHg，脈拍数78rpm。脈は虚実中間。舌は淡紅色で腫大あり。腹力は軟弱（かえる腹），右側の胸脇苦満と心下痞鞕，胃部振水音，右臍傍と回盲部の抵抗・圧痛を認める

経過：特徴的なめまいの性状から真武湯（しんぶとう）（煎じ薬）を開始し，防已黄耆湯（ぼういおうぎとう）エキス（2包/日）を兼用した。4日間の服用でめまいは消失した。1カ

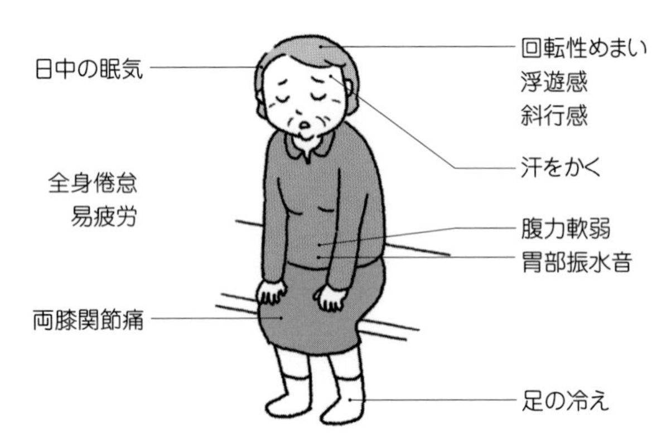

真武湯症例

月後には冷えがやや軽減し，夜間尿の回数も少し減ってきた。その後は煎じ薬を防已黄耆湯(ぼういおうぎとう)に変更しているが，めまいの再燃はない

半夏白朮天麻湯(はんげびゃくじゅつてんまとう)の臨床疫学的エビデンス

研究方法：症例集積研究

対象患者：中枢性疾患が否定された末梢性めまい患者で，メニエール病，良性発作性めまい，前庭神経炎の診断基準に合致しない21例（男性13例，女性8例，平均年齢63.4歳）

薬物投与：半夏白朮天麻湯(はんげびゃくじゅつてんまとう)エキス（3包/日）を8週間投与

結果：自覚症状と他覚所見で評価した全般改善度は，著明改善1例，改善7例，やや改善6例，不変5例，悪化0例で，改善以上が38.1%，やや改善以上が66.7%であった（2例は初診時以降来院しなかった）。症状別改善度では，めまい感の強さ，平衡障害の程度，めまい発作の頻度において有意な改善を認めた（頭痛・頭重，首・肩のこり，耳鳴，耳閉感については有意差なし）。他覚的にMann試験，足踏み検査において有意な改善を認めた

【文献】

木村貴昭，他：耳鼻と臨．1999；45(5)：443-9.

3. 水滞によるめまいと瘀血によるめまい

更年期症状に対する適応方剤をまとめた表（3-1 **表1**，194頁）の中で，めまいに対して五苓散・苓桂朮甘湯・真武湯・半夏白朮天麻湯・半夏厚朴湯・当帰芍薬散・加味逍遙散・女神散・桂枝茯苓丸・温経湯・芎帰調血飲・釣藤散・黄連解毒湯・三黄瀉心湯・柴胡剤が適応になることを示した。利水剤以外に，当帰芍薬散・加味逍遙散・女神散・桂枝茯苓丸・温経湯・芎帰調血飲などの駆瘀血剤が目立つ。したがって，**表1**に示したように水滞によるめまいと，瘀血によるめまいを鑑別して，利水剤と駆瘀血剤を使い分けることが必要である。

表1　水滞によるめまいと瘀血によるめまいの違い

水滞によるめまいの特徴	瘀血によるめまいの特徴
低気圧の接近や雨天で悪化する	月経の前後に悪化する
立ちくらみや，車酔いをしやすい	ふだんから肩こりが強い
頭に帽子を被ったような感じがある	頭が締め付けられるように痛む
吐き気や嘔吐を伴うことがある	吐き気や嘔吐は伴わない
下肢に浮腫を認める	下肢に細絡や静脈瘤を認める
舌の腫大・歯痕を認める	舌裏静脈の怒張を認める
腹診において胃部振水音を認める	腹診において臍傍圧痛を認める

4 炎症に伴う諸症状と利水剤

1. 炎症と水滞

炎症に伴って必ずみられる腫脹という病理現象は，細胞間質液が炎症反応の場において滞留していることを示している。炎症反応の場において，白血球が血管透過性を亢進させる化学物質を分泌すると，血管内から細胞間質に水が移動し，結果的に腫脹という現象がみられるようになる。したがって，炎症反応が終息するまでは，その部位に水滞が存在するのである。

炎症に伴う水滞の病態に適応となるのが越婢加朮湯である。越婢加朮湯の構成生薬である麻黄には強力な抗炎症作用を認めるが，麻黄に石膏を組み合わせることで熱を冷まし，朮を組み合わせることで水滞を改善するようにできている（麻黄は炎症を改善する作用に優れており，朮は水滞を改善する作用に優れているが，基本的に麻黄も朮も抗炎症作用と利水作用を併せもっている生薬である）。越婢加朮湯が変形性膝関節症やアレルギー性鼻炎，湿疹・皮膚炎など，様々な炎症反応を改善することについてはstep2において既に述べた通りである。

炎症に伴う水滞の病態には，桂枝加朮附湯や防已黄耆湯も適応になる。桂枝加朮附湯における附子と朮の組み合わせや，防已黄耆湯における防已と朮の組み合わせについては，それぞれの生薬の薬理作用も含めて既に詳細に解説した（104～106頁参照）。

2. 気道炎症と鼻汁・喀痰

上気道や下気道の炎症によって汚染された間質液は，鼻汁や喀痰などの分泌液として体外に排泄される。副鼻腔炎，鼻炎，咽頭炎，気管支炎などの炎症性疾患に対する漢方治療においては，鼻汁や喀痰の量や性状を参考にしながら，利水作用を併せもった方剤を使い分けていくことになる。

水様性の鼻汁や喀痰に対しては，小青竜湯と苓甘姜味辛夏仁湯が適応になる。アレルギー性鼻炎に対する両方剤のエビデンスを**2-4**（**166～169頁**）で紹介したが，気管支喘息や慢性気管支炎のような下気道の炎症においても，水様性で泡沫状の喀痰を目標に使うことができる。小青竜湯には麻黄が含まれており，強力な抗炎症作用を期待できるが，麻黄によって胃腸障害をきたすような症例には苓甘姜味辛夏仁湯を使うことになる。

苓甘姜味辛夏仁湯の代表的症例

症例：65歳，女性

主訴：泡沫状の喀痰と咳，呼吸困難

現病歴：3年前から気管支喘息の内服治療を続けており，1年半前にステロイド吸入を開始してから発作回数は減少したが，夜間に咳き込んで泡沫状の喀痰が出ることと，坂道や階段で息苦しくなることが辛い。胃は弱いほうで，食欲があまりない。足が冷えて，寝付きが悪い。頻尿（1～1.5時間毎）で1回量は少ない，夜間尿は2回。便通は毎日

現症：身長156.0cm，体重46.3kg，体温36.1℃，血圧125/69mmHg，

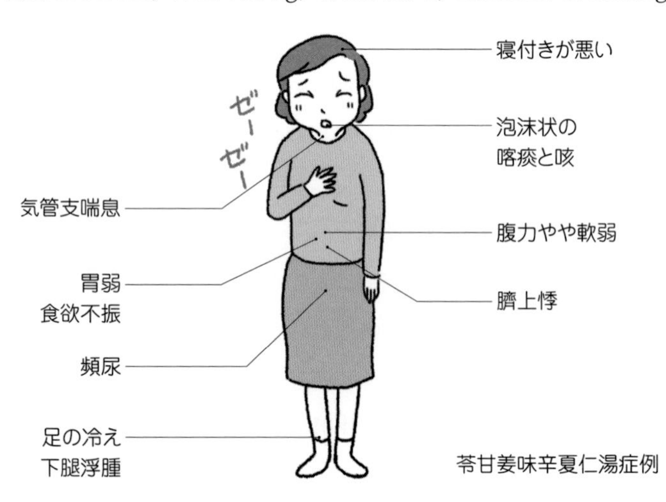

苓甘姜味辛夏仁湯症例

脈拍数74rpm。下腿浮腫あり。呼吸機能検査で肺活量83.9%，1秒率51.1%。脈は沈・やや弱。舌は淡紅色で，微白苔。腹力はやや軟弱で，臍上悸・左臍傍と回盲部の圧痛・鼓音を認める

経過：泡沫状の喀痰と下腿浮腫から水滞と診断し，全体にやや虚証でかつ寒証であることから，苓甘姜味辛夏仁湯（煎じ薬）を開始した。1カ月後には夜間の咳は消失し，痰もほとんど出なくなり，浮腫も軽減した。2カ月後には階段を途中で休まずに上れるようになり，食欲も出て，寝付きも良くなった。呼吸機能検査も肺活量94.5%，1秒率80.4%と改善した

3. 慢性炎症と柴苓湯

柴苓湯は慢性の炎症を改善する小柴胡湯と，水滞を改善する五苓散の合方である。**表2**に示すように，各種の慢性炎症性疾患に対して，柴苓湯が有効であるとするエビデンスが多数報告されている。これらの疾患のほとんどは，ステロイドが適応となる難治性の疾患であるが，柴苓湯はステロイドと同等の治療効果を示すことが多く，さらにステロイドの減量効果や，ステロイドの副作用軽減効果も認める。

動物実験によって明らかにされている柴苓湯の薬理作用としては以下のようなものがある。

①抗炎症作用：ステロイド様作用，内因性ステロイド増強作用，活性酸素産生抑制作用，線維芽細胞増殖抑制作用，血管透過性亢進抑制作用，抗アレルギー作用。

②免疫活性化作用：マクロファージ活性化作用，補体活性化作用，インターフェロン誘導作用。

③膜の調節作用：細胞膜安定作用。

④代謝調節作用：脂質代謝改善作用，蛋白合成促進作用，サイクリックAMPの活性亢進作用。

⑤抗凝固作用：血小板抑制作用，線溶系活性化作用。

表2　柴苓湯の臨床疫学的エビデンス

対象疾患	研究デザイン	エビデンスの概要
潰瘍性大腸炎	症例集積研究	サラゾスルファピリジン減量・離脱率が42.3%，ステロイドの離脱は11例中9例に可能であった（n=26）
腎炎・ネフローゼ症候群	多施設症例集積研究	蛋白尿の減少効果が46.8%，腎機能（CCr）の改善効果が15.9%に認められた（n=227）
透析関連骨関節症	症例集積研究	疼痛に対する有効率（やや有効以上）は61.1%，ステロイドの離脱率は44.4%であった（n=18）
関節リウマチ	ランダム化比較試験	全般改善度の有効率（改善以上）は38.9%で，DMARDs群と有意差がなかった（n=18/n=20）
変形性膝関節症	症例集積研究	自覚症状に対する有効率（改善以上）は50.0%であった（n=20）
サルコイドーシスの眼病変	症例集積研究	前眼部炎症，硝子体混濁，網膜白斑，静脈炎の所見が有意に改善した（n=35）
滲出性中耳炎	比較臨床試験	有効率（改善以上）は46%で，消炎剤24%，抗アレルギー剤35%よりも高かった（n=50）
自己免疫異常不育症	症例集積研究	妊娠率43.0%，流産阻止率64.2%，生児獲得率27.6%であった（n=228）
末梢性顔面神経麻痺	比較臨床試験	治癒までの日数は20.5日で，ステロイド投与群より有意に短かった（n=22/n=43）
帯状疱疹後神経痛	症例集積研究	痛みに対する有効率（有効以上）は亜急性期症例で69.2%，慢性期症例で60.0%（n=51）

（参考図書：寺澤捷年，喜多敏明，関矢信康編：EBM漢方．第2版．医歯薬出版．2007．）

3 気逆の症候に対する漢方治療

- 3-1の更年期障害でみられたのぼせ，動悸，イライラ，頭痛はいずれも気逆の症候であり，駆瘀血剤以外にも適応となる方剤が多数ある。
- 本章では，これら気逆の症候に対する漢方治療の実際について紹介しながら，気逆病態の診断とその適応方剤（降気剤（こうきざい））の使い分けについて理解できるようにする。

1 のぼせと降気剤

1. のぼせを呈する2タイプの気逆

のぼせは漢方医学的に重要な症候であり，気の上衝がその原因であると考えられている。気の上衝とは，気の流れに異常をきたして，上方向に激しく流れる病態を表現したものであり，本来は下方向に流れるべき気が逆流したという意味で，気逆と呼ばれるようになった。

気逆の病態の主たる特徴は，症候が発作的に出現するところにある。更年期障害でみられるホットフラッシュは，急に顔がカーッと熱くなる発作が1日に何度も繰り返されることから，典型的な気逆の症候であると言える。ホットフラッシュの場合には，更年期に出現する女性ホルモンの異常をベースにした血管運動神経の失調病態であると理解されている。また，更年期以外にみられるのぼせに関しても，自律神経の失調病態や過剰反応，すなわちバランス異常に随伴することが多い。

のぼせを改善する生薬として，桂皮（けいひ）と黄連（おうれん）がある。桂皮（けいひ）は熱薬であり，冷えを温める効能を有するのに対して，黄連（おうれん）は寒薬であり，熱を冷ます効能を有する。したがって，冷えを伴わない熱盛（ねつせい）のぼせタイプには黄連含有方剤を用いることが多いが，冷えのぼせタイプには桂皮含有方剤が良い適応になる。気逆の病態では，冷えのぼせを呈することが多いので，実際には黄連含有方剤よりも桂皮含有方剤のほうがよく使われる。

2. 冷えのぼせタイプの適応方剤

足が冷えて顔がのぼせる，下半身が冷えて上半身は熱っぽい，あるいは足は冷えるが手は温かいというのが冷えのぼせの特徴であり，寒と熱のバランスを上下でうまく調整できない病態である。冷えのぼせの症候があれば，**表1**に示した桂皮を含有する方剤の中から鑑別診断を行えば良い。

桂枝茯苓丸は瘀血に気逆を伴うタイプに用いられ，更年期障害や月経不順に伴う冷えのぼせの第一選択薬となる。桂枝茯苓丸の鑑別方剤としては桃核承気湯と温経湯が重要である。より実証の桃核承気湯はのぼせが強いのに対して，より虚証の温経湯は冷えが強いのが特徴である。神経症傾向を有し，イライラを伴うような症例には加味逍遙散や女神散が用いられる。

苓桂朮甘湯は水滞に気逆を伴うようなタイプに用いられ，慢性頭痛や起立性調節障害に伴う冷えのぼせには第一選択薬となる。苓桂朮甘湯の鑑別方剤としては五苓散が重要である。苓桂朮甘湯は水滞よりも気逆の病態が強く，動悸や臍上悸が目立つ症例に適応となるのに対して，

表1　冷えのぼせタイプの適応方剤

病態	方剤
気逆+瘀血	桂枝茯苓丸・桃核承気湯・温経湯
気逆+瘀血+気鬱	加味逍遙散・女神散
気逆+水滞	苓桂朮甘湯・五苓散
気逆+寒証	柴胡桂枝乾姜湯・当帰四逆加呉茱萸生姜湯・五積散

五苓散（ごれいさん）は気逆よりも水滞の病態が強く，浮腫や胃部振水音が目立つ症例に用いられる。また，過去の異常な恐怖体験によって心的外傷後ストレス障害に類似した気逆病態を呈する症例には，苓桂朮甘湯（りょうけいじゅつかんとう）に桂枝加竜骨牡蛎湯（けいしかりゅうこつぼれいとう）を合方すると効果的だとする報告がある[1)]。

冷え症の人は風呂に入って温まると楽になることが多いが，中には湯船に長く入っているとのぼせてしまう人もいる。あるいはエアコンで部屋全体を暖房すると足元は冷えるのに，顔だけが熱くほてってしまう人もいる。こういう人に附子（ぶし）の入った方剤を使うと，下半身だけでなく上半身も含めて全身を温めてしまうので，のぼせが悪化する場合があり，注意が必要である。温めるとのぼせるタイプの冷え症（気逆＋寒証）には，柴胡桂枝乾姜湯（さいこけいしかんきょうとう），当帰四逆加呉茱萸生姜湯（とうきしぎゃくかごしゅゆしょうきょうとう），五積散（ごしゃくさん）などが良い適応となる。

【文献】

1）川田信昭，他：日東洋心身医研．1997；11：72-8.

桃核承気湯（とうかくじょうきとう）の代表的症例

症例：49歳，女性，主婦

主訴：のぼせ，発汗

既往歴：虫垂炎手術（19歳），副鼻腔炎（27歳，42歳）

家族歴：糖尿病・高血圧（父），高血圧（母）

現病歴：3年前からのぼせ，発汗が出現したため，近医産婦人科を受診。HRTを受けたが効果が不良であった。月経は不順で2カ月前が最後であった。肩こり，腰痛がある。発汗のために寝付きが悪い。便秘で下剤を使用している

現症：身長150.0cm，体重41.0kg，血圧116/72mmHg。脈は虚実中間。舌は暗赤色で乾湿中等度の白苔が厚い。腹力は中等度で左臍傍圧痛とS状部の圧痛を認める

step
3

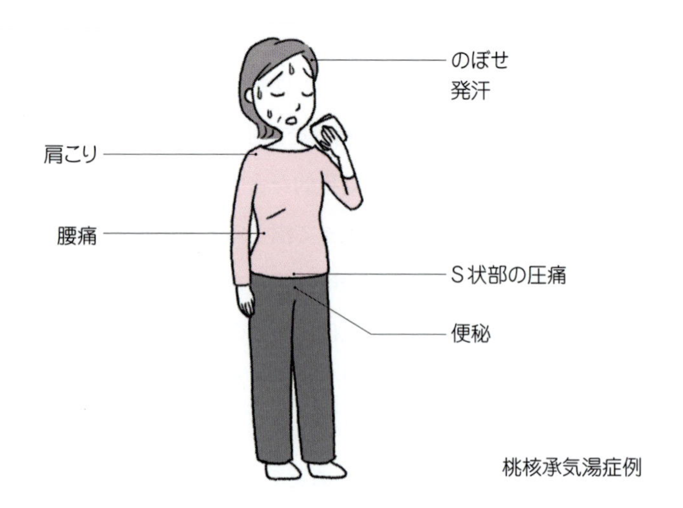

桃核承気湯症例

経過：激しいのぼせ（10回/1時間）とS状部の圧痛，便秘を目標に桃核承気湯（とうかくじょうきとう）エキス（3包/日）を開始した。2週間の服用でのぼせが半減，汗も減って寝付きも良くなった。軟便が頻回（7～8回/日）なので同エキスを2包/日に減量して継続したところ，2カ月後にはのぼせ，発汗が消失した。便通も2～3回/日で特に気にならなくなった

女神散（にょしんさん）の代表的症例

症例：50歳，女性，会社員

主訴：のぼせ，動悸，全身倦怠感

既往歴：扁桃腺摘出術（13歳），子宮内膜症（42歳），痔瘻（49歳）

家族歴：糖尿病・高血圧（父），高血圧（母）

現病歴：1年前から月経が不順となり，のぼせ，動悸，全身倦怠感が出現。2カ月前に近医産婦人科を受診し，HRTを開始したが，調子が悪くて近くのスーパーにも行けない状態であった。また，不正性器出血が頻回に出現するためホルモン剤の内服は中止した。喉がつかえた感じと，耳閉塞感（耳鼻科では異常なし），吐き気がある。イライラする，

くよくよする

現症：身長159.0cm，体重64.0kg，血圧134/86mmHg。脈は虚実中間。舌は淡紅色で乾湿中等度の白黄苔，歯痕あり。腹力はやや充実し両側臍傍圧痛を認める

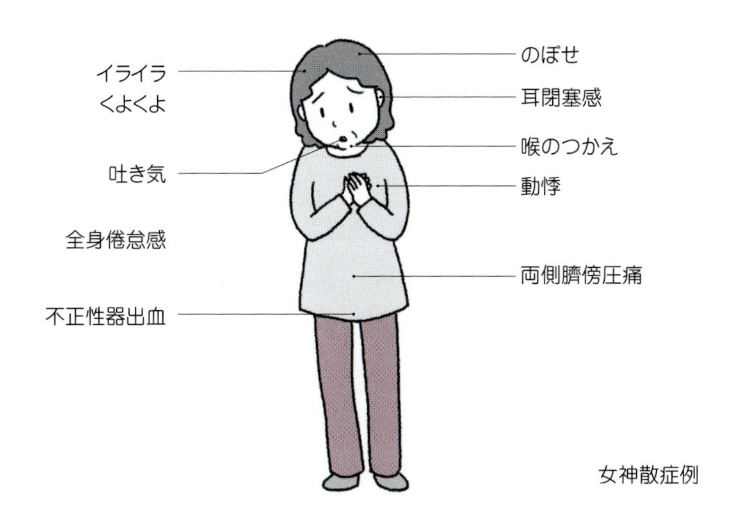

女神散症例

経過：喉のつかえた感じを目標に半夏厚朴湯(はんげこうぼくとう)エキス（3包/日）を開始したが諸症状は不変で，のぼせがむしろ増悪した。2週間後，血と気逆，気鬱を目標に女神散(にょしんさん)エキス（3包/日）に変更したところ，1カ月の服用でのぼせが少し改善した。2カ月後にはのぼせ以外の症状も少しずつ改善傾向にあった。6カ月後には1泊2日の旅行に行けるくらい調子が良くなった

3. 熱盛のぼせタイプの適応方剤

ふだんから赤ら顔で目が充血し，舌の色は赤味が強く，のぼせたり，イライラしたり，怒ったり，興奮しやすく，皮膚は化膿しやすいというのが熱盛のぼせの特徴である。熱盛のぼせの症候があれば，**表2**に示した黄連(おうれん)を含有する方剤の中から鑑別診断を行えば良い。

熱盛のぼせタイプの第一選択薬は黄連解毒湯(おうれんげどくとう)である。黄連解毒湯(おうれんげどくとう)は

表2　熱盛のぼせタイプの適応方剤

病態	方剤
気逆＋熱証	黄連解毒湯・三黄瀉心湯・清上防風湯
気逆＋熱証＋気虚	半夏瀉心湯・黄連湯
気逆＋熱証＋血虚	温清飲・荊芥連翹湯・柴胡清肝湯

気逆と熱証の病態を同時に改善することによって，高血圧，心悸亢進，不眠，ノイローゼ，更年期障害，胃炎，口内炎，湿疹，皮膚瘙痒症，尋常性痤瘡，脳卒中，諸種の出血などに広く応用されている。便秘があれば，黄連解毒湯（おうれんげどくとう）の代わりに三黄瀉心湯（さんおうしゃしんとう）を用いると良い。また，尋常性痤瘡に対しては清上防風湯（せいじょうぼうふうとう）がファーストチョイスとなる。

気逆と熱証の病態に加えて，脾胃の働きが低下した気虚の病態を認める場合には半夏瀉心湯（はんげしゃしんとう）と黄連湯（おうれんとう）が適応となる。いずれも急性および慢性の胃炎に応用されているが，腹鳴や下痢を伴う症例には半夏瀉心湯（はんげしゃしんとう），胃痛を伴う症例には黄連湯（おうれんとう）を選択する。

気逆と熱証の病態に加えて，血虚による皮膚の乾燥を認める場合には温清飲（うんせいいん），荊芥連翹湯（けいがいれんぎょうとう），柴胡清肝湯（さいこせいかんとう）が適応となる。温清飲（うんせいいん）は皮膚疾患に使用されることが多いが，黄連解毒湯（おうれんげどくとう）と同じように広く臨床応用することが可能である。荊芥連翹湯（けいがいれんぎょうとう）と柴胡清肝湯（さいこせいかんとう）は皮膚疾患だけでなく，耳鼻咽喉科の炎症性疾患（慢性鼻炎・慢性副鼻腔炎・扁桃炎・咽頭炎・喉頭炎・アデノイド，中耳炎など）に用いられている。

2 発作性の頭痛と降気剤

1. 発作性の頭痛に対する漢方治療

発作性の頭痛は，漢方医学的には気逆の病態を示唆する重要な症候であり，嘔吐を伴うような激しい頭痛に対しては，呉茱萸湯が第一選択薬となる。

呉茱萸湯の構成生薬をみると，冷えを温めながら気逆を改善する呉茱萸に，脾胃の働きを改善する人参・大棗・生姜が組み合わされている。したがって，胃の消化・吸収機能が低下しているところに冷えが加わることによって気の流れが失調し，その結果として発作性の頭痛と嘔吐を呈するのが呉茱萸湯の適応病態だということがわかる。

呉茱萸を含む方剤には，呉茱萸湯以外にも当帰四逆加呉茱萸生姜湯と温経湯がある。いずれも頭痛を改善する作用をもっているが，発作時には呉茱萸湯の効果が最も優れており，当帰四逆加呉茱萸生姜湯や温経湯は発作間欠期に服用すると良い。

呉茱萸は冷えによる発作性の頭痛に対して有用な生薬であるが，その苦味が強いためにどうしても服用できない患者がいる。その場合には，桂枝人参湯が呉茱萸湯の代用になる。呉茱萸湯の構成生薬は呉茱萸・人参・生姜の組み合わせが中心であるが，桂枝人参湯の場合には桂皮・人参・生姜の組み合わせが中心になっており，両方剤の適応病態は似通っている。五苓散や苓桂朮甘湯にも桂皮が入っているが，これらの方剤は水滞に気逆を伴うような発作性の頭痛に用いられる。

呉茱萸湯の臨床疫学的エビデンス

研究方法：レスポンダー限定二重盲検ランダム化比較試験

対象患者：1カ月に1回以上の定期的な頭痛発作がある慢性頭痛患者91例のうち，呉茱萸湯エキス（3包/日）の4週間投与に反応したレスポンダー60例（男性7例，女性53例，平均年齢41.5±12.9歳）。内訳は，片頭痛42例，緊張型頭痛4例，混合型14例。4週間の休薬後，呉茱萸湯群28例とプラセボ群25例に振り分けた（他の7例は脱落）

薬物投与：呉茱萸湯エキス（3包/日）またはプラセボ（3包/日）を12週間投与

結果：呉茱萸湯群の頭痛発作日数減少は2.6±3.7日（平均11.0日➡8.5日）で，プラセボ群の0.3±4.0日（平均10.2日➡9.9日）に比較して有意に高値であった。また，頭痛薬の服用回数は呉茱萸湯群で平均7.7回から5.5回に有意に減少したが，プラセボ群では有意な変化がなかった。さらに，冷えや月経痛，肩こりなどの随伴症状も呉茱萸湯群の50%以上で改善が認められた

【文献】

Odaguchi H, et al：Curr Med Res Opin. 2006；22(8)：1587-97.

呉茱萸湯と桂枝人参湯の臨床疫学的エビデンス

研究方法：ランダム化比較試験

対象患者：神経内科外来を受診した慢性頭痛患者88例（男性33例，女性55例，平均年齢55.2歳）。内訳は，緊張型頭痛81例，混合型7例。封筒法により呉茱萸湯群44例，桂枝人参湯群44例に振り分けた

薬物投与：呉茱萸湯エキス（3包/日）または桂枝人参湯エキス（3包/日）を4週間投与

結果：自覚症状改善度では，軽度改善以上は呉茱萸湯群35例（79.5%），桂枝人参湯群27例（61.4%）で，呉茱萸湯群で多いが有意差はなかった。副作用は呉茱萸湯群の3例でγ-GTP，GOT，GPTの軽度上昇または皮疹を認めたが，臨床上の問題はなかった。証の検討では，呉茱萸湯は肥満傾向，便秘がちで足冷えのある症例で有効例が多く，桂枝人参湯はやせ型で軟便傾向の症例で有効例が多い傾向がみられた

考察：呉茱萸湯と桂枝人参湯は，片頭痛だけでなく緊張型頭痛に対しても有効な方剤であることが示唆される

【文献】

関　久友，他：Pharm Med. 1993；11(12)：288-91.

コラム　桂枝人参湯が有効であった常習頭痛例の検討

藤平氏は，自分自身が常習頭痛の経験者であり，次のように述べている。かつては呉茱萸湯がよく応じたのに，ここ数年それが応じなくなり，ふとした機会に，頭痛，嘔吐，下痢，脈浮という状態の頭痛発作から，桂枝人参湯証に思いがおよび，それを服用したところ頓挫的に発作が治まった。これを数日服用することによって，以後頭痛の発作が出現しなくなった。この自らの経験に基づいて，常習頭痛に桂枝人参湯を応用したところ，かなりの効果を得ることができた，と。

そして，桂枝人参湯が有効であった常習頭痛24例（男性4例，女性20例）について検討したところ，本方剤の使用目標を以下のように整理することができた。

①虚証であること。

②脈は弱，沈，細など。

③舌は乾湿その他がまちまちで一定しない。

④腹力は中等度以下で，軽度の心下痞を認める。

⑤胃部振水音はある場合とない場合とがある。

⑥胃症状（胃部のもたれ感，膨満感，不快感など）を認める。

⑦下痢は認めないことのほうが多い。

【文献】

藤平　健：日東洋医誌. 1964；15(2)：65-9.

苓桂朮甘湯(りょうけいじゅつかんとう)の代表的症例

症例：30歳，女性

主訴：頭痛，悪心，嘔吐

既往歴：月経困難症（初潮時），腰椎椎間板ヘルニア（4カ月前）

家族歴：特記すべきことなし

現病歴：約6年前から右こめかみに発作性の頭痛が出現。頭痛は拍動性で前兆はないが，ひどいときには悪心，嘔吐を伴う。1カ月前から頭痛が毎日出現するようになり，市販の鎮痛薬も効かなくなってきた。全身倦怠感（月経前の10日間），足の冷え，手のほてりがある。食欲正常，小便は7回/日，夜間尿なし，便通は1回/日，睡眠正常

現症：身長160.5cm，体重49.5kg，体温35.8℃，血圧102/64mmHg，脈拍数88rpm。脈は弱。舌の色はやや赤味が強く，腫大あり。腹力はやや軟弱で，臍上悸，胃部振水音を認める

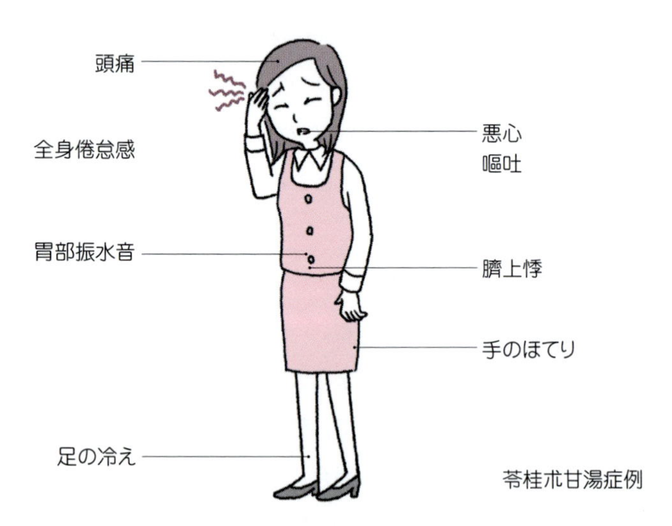

苓桂朮甘湯症例

経過：水滞に気逆と気虚を伴う片頭痛と診断し，苓桂朮甘湯(りょうけいじゅつかんとう)エキス（3包/日）を開始したところ，2日間の服用で鎮痛薬が不要となった。その後，頭痛は1カ月に1回程度に減少し，その程度も軽減した。月経前の全身

倦怠感も消失し，月経痛も軽くなった

2. 気逆による頭痛と気鬱による頭痛

更年期症状に対する適応方剤をまとめた表（3-1 **表1**，194頁）中で，頭痛に対して呉茱萸湯（ごしゅゆとう）・桂枝人参湯（けいしにんじんとう）・苓桂朮甘湯（りょうけいじゅつかんとう）・五苓散（ごれいさん）・温経湯（うんけいとう）・当帰四逆加呉茱萸生姜湯（とうきしぎゃくかごしゅゆしょうきょうとう）・桂枝茯苓丸（けいしぶくりょうがん）・桃核承気湯（とうかくじょうきとう）・黄連解毒湯（おうれんげどくとう）・三黄瀉心湯（さんおうしゃしんとう）・葛根湯（かっこんとう）・釣藤散（ちょうとうさん）・加味逍遙散（かみしょうようさん）・女神散（にょしんさん）・芎帰調血飲（きゅうきちょうけついん）・半夏白朮天麻湯（はんげびゃくじゅつてんまとう）・九味檳榔湯（くみびんろうとう）・柴胡剤（さいこ）が適応になることを示した。

降気剤以外に，釣藤散（ちょうとうさん）・加味逍遙散（かみしょうようさん）・女神散（にょしんさん）・芎帰調血飲（きゅうきちょうけついん）・九味檳榔湯（くみびんろうとう）・柴胡剤（さいこ）などの理気剤（りき）が目立つ。したがって，**表3**に示したように気逆による頭痛と，気鬱による頭痛を鑑別して，降気剤と理気剤を使い分けることが必要である（気鬱の病態と理気剤については3-4で解説する）。

片頭痛患者では気逆に水滞を伴っていることが多く，緊張型頭痛患者では気鬱に瘀血を伴っていることが多い。しかし，瘀血に気逆を伴うケースや，水滞に気鬱を伴うケースもある。瘀血に気逆を伴う頭痛に対しては，冷えのぼせタイプに適応となる桂枝茯苓丸（けいしぶくりょうがん）・桃核承気湯（とうかくじょうきとう）・温経湯（うんけいとう）・加味逍遙散（かみしょうようさん）・女神散（にょしんさん）などを用いると良い。水滞に気鬱を伴う頭痛に対しては，九味檳榔湯（くみびんろうとう）が有効であったとする報告があるので紹介する。

表3　気逆による頭痛と気鬱による頭痛の違い

気逆による頭痛の特徴	気鬱による頭痛の特徴
頭痛は発作性である	頭痛は持続性である
頭痛の部位は限局性である	頭痛の部位は広範性である
頭痛の性状は鋭く，激烈である	頭痛の性状は鈍く，重い感じである
吐き気や嘔吐を伴うことがある	吐き気や嘔吐は伴わない
ふだんの肩こりは強くない	ふだんから肩こりが強い
水滞を伴うことが多い	瘀血を伴うことが多い
腹診において臍上悸を認める	腹診において胸脇苦満を認める

3. 九味檳榔湯が適応になる頭痛の病態

木村らの報告[1)]によると，他の漢方製剤（五苓散・呉茱萸湯・釣藤散など）で無効ないし有効性の低かった慢性頭痛患者20例（男性6例，女性14例，平均年齢58.0歳）に対して，九味檳榔湯エキス（3包/日）を2週間投与した結果，著効5例，有効11例，無効4例であった。

著効および有効例の特徴を検討したところ，水滞の症状がみられたものが16例中13例，気鬱の症状がみられたものが16例中14例と多かった。九味檳榔湯の投与目標の1つとされる腓腹筋の把握痛は1例のみであった。以上より，水滞に気鬱を伴う慢性頭痛に対しては，利水と理気の作用を併せもつ九味檳榔湯が有効であると考察している。

九味檳榔湯キスには桂皮と呉茱萸も含まれており，水滞と気鬱だけでなく気逆にも対応できる処方構成になっていることから，慢性頭痛に対する適応の範囲はかなり広いと考えられる。実際，木村の報告においても，著効例5例中，緊張型頭痛が3例，片頭痛が2例で，どちらにも奏効する可能性が示唆される。

【文献】

1）木村裕明，他：日東洋医誌．2002；53（6）：657−62．

3 動悸と降気剤

1. 気逆による動悸に対する漢方治療

動悸に対する漢方治療において，最も頻用されているのは炙甘草湯である。炙甘草湯は不整脈や甲状腺機能亢進症といった基礎疾患がある場合にも効果的である。しかし，気逆による動悸に対しては，炙甘草湯よりもむしろ桂枝加竜骨牡蛎湯と柴胡桂枝乾姜湯がよく使われる。

桂枝加竜骨牡蛎湯はパニック障害のような不安発作に伴う動悸に対して効果がある。桂枝加竜骨牡蛎湯が適応となるのは虚証の患者であり，実証の患者には柴胡加竜骨牡蛎湯を用いる。桂皮と竜骨，牡蛎を含むこれら2方剤には，不安や驚きやすさを軽減することによって，動悸が出現するのを防ぐといった働きを期待できる。

柴胡桂枝乾姜湯はいわゆる自律神経失調症に伴う動悸に対して効果がある。動悸以外にも多くの不定愁訴を伴うのが特徴であり，冷えのぼせタイプの気逆に分類される方剤である。熱盛のぼせタイプの気逆で動悸を訴える患者には，黄連解毒湯を用いると良い。

桂枝加竜骨牡蛎湯の代表的症例

症例：56歳，女性

主訴：不安感，動悸，めまい

既往歴：特記すべきことなし

家族歴：胃がん（父），糖尿病・腎臓病・高血圧症・脳出血（母）

現病歴：7カ月前より手足の冷えを自覚するようになったが，暖かいところではのぼせる。4カ月前から不安感や動悸，めまいなどの症状が出現。2カ月前から抑肝散加陳皮半夏エキスと抗不安薬が開始され，左首筋のこりが良くなったが，主訴は改善しない。首筋のこりが強くなるとイライラする。夜間途中覚醒が2時間毎にある

現症：身長159.7cm，体重47.2kg，体温36.8℃，血圧136/72mmHg，脈拍数96rpm。脈は沈・数・弱・小。舌は淡白色で歯痕あり，腹力は非常に軟弱で，両側腹直筋の緊張，臍上悸，胃部振水音，小腹不仁を認める

step **3**

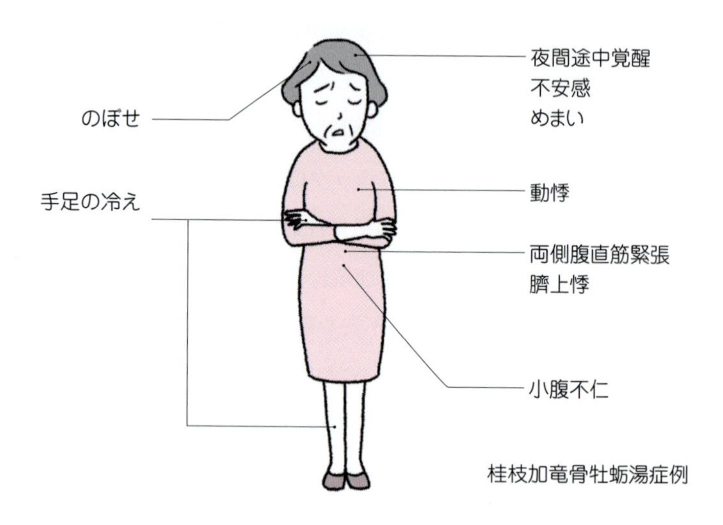

桂枝加竜骨牡蛎湯症例

経過：不安感と動悸は気逆によるものと診断し，抑肝散加陳皮半夏（よくかんさんかちんぴはんげ）エキスは中止して桂枝加竜骨牡蛎湯（けいしかりゅうこつぼれいとう）（煎じ薬）を開始したところ，2週間の服用で体に力がついて，自信が出てきた。動悸はたまに出るだけとなり，のぼせと手足の冷えも改善した。1カ月後には不安感も軽減したので，抗不安薬は1日3回を2回に減量できた。3カ月後には，起床後のフワーッとした感じのめまいも消失し，6カ月後には首筋のこりが軽快し，夜間の途中覚醒も1回となった

柴胡加竜骨牡蛎湯(さいこかりゅうこつぼれいとう)の代表的症例

症例：61歳，女性

主訴：抑うつ，不安感，動悸，胸部圧迫感

既往歴：特記すべきことなし

家族歴：アトピー性皮膚炎（娘）

現病歴：3年前に家族の看護がストレスで抑うつ状態となり，エチゾラムなどを内服している。7カ月前に愛犬が死去後に気分の落ち込みがひどくなり，不安感や動悸，胸部圧迫感も出現。6カ月前から加味帰脾湯(かみきひとう)（煎じ薬）を服用しているが一進一退。軽い動悸が毎朝，起床時に出現し，外出時にも緊張してドキドキする。尿は7回/日で，夜間尿はない。便通はほぼ毎日で普通便

現症：身長156.0cm，体重47.9kg，体温35.9℃，血圧112/65mmHg，脈拍数71rpm。脈は沈・渋。舌はやや淡白色で腫大・歯痕あり。腹力は中等度で，両側腹直筋の緊張，左胸脇苦満，心下痞鞕，臍上悸，左右の臍傍圧痛を認める

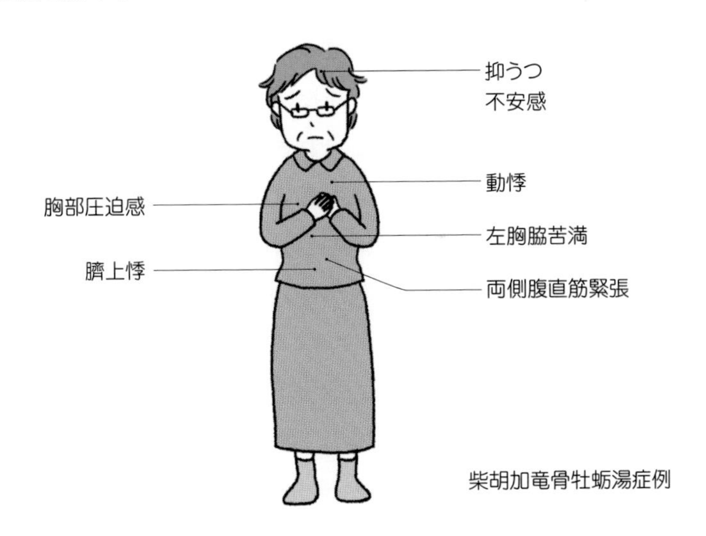

柴胡加竜骨牡蛎湯症例

経過：不安感と動悸は気逆によるものと診断し，柴胡加竜骨牡蛎湯去大黄（煎じ薬）に変更したところ，1カ月後には胸部圧迫感が軽減し，食欲も改善してきた。3カ月後には，動悸も少なくなってきたが，気分の落ち込みにはまだ波があるため，半夏厚朴湯エキスを追加して継続中

備考：柴胡加竜骨牡蛎湯は一般に実証向けの方剤とされているが，本症例のような虚実中間証の病態にも幅広く使える。煎じ薬の場合，便秘がなければ大黄を去って用いることが多いが，エキスの場合には大黄を含まないメーカーの製剤と，大黄を含むメーカーの製剤を使い分けると良い

コラム　甲状腺機能亢進症の心不全に対する柴胡加竜骨牡蛎湯の効果 ―

甲状腺機能亢進症の経過中に生ずる心不全は治療に対し抵抗性を示すとされている。雪村氏は，心不全の生じた本症患者8例（男性2例，女性6例，年齢30～71歳）に柴胡加竜骨牡蛎湯エキスを投与することで，心不全からの回復が得られたと報告している。

その報告によると，8例中5例は抗甲状腺剤とβ遮断剤による治療中，3例は未治療中に，下肢浮腫から肺水腫までの心不全を生じた。①5例には抗甲状腺剤とβ遮断剤を投与，②2例には抗甲状腺剤を投与，③1例には両剤とも投与せず，それぞれに柴胡加竜骨牡蛎湯エキスを投与したところ，①～③のすべてで3週から3日の経過で血圧や脈拍が正常化するとともに，心不全徴候（息切れ，起坐呼吸，胸部湿性ラ音，心拡大，肝腫大，浮腫など）の消失が得られた。また，漢方医学的には全例に胸脇苦満と臍上悸を認めた。

甲状腺機能亢進症では交感神経優位となっており，精神神経過敏，不穏，振戦，胸腹の動悸が生じ，場合により高拍出性心不全を生ずる。この病態が，柴胡加竜骨牡蛎湯の適応証に一致する可能性が示唆された。

【文献】

雪村八一郎：日東洋医誌．1986；36(3)：197-204.

柴胡桂枝乾姜湯(さいこけいしかんきょうとう)の代表的症例

症例：38歳，女性

主訴：動悸，ほてり，肩こり，腰痛，足のだるさ，手足の冷え，易疲労

既往歴：胆石，蕁麻疹（36歳～）

家族歴：腎臓がん（祖母）

現病歴：10年以上前から肩こり，腰痛，足のだるさ，手足の冷え，易疲労がある。6カ月前から動悸とほてりも自覚するようになった。口渇があり，温かいものをよく飲む。夏でも汗は出ない。小便は7回/日で，夜間尿は3回。便通は1回/日。睡眠は寝付きが悪く，途中で覚醒する。朝は寝起きが悪く，午前中はだるくて身体が重い。月経は順調だが，痛みがある

現症：身長160.1cm，体重51.3kg，体温36.0℃，血圧90/57mmHg，脈拍数94rpm。脈は沈・数・弱・小。舌はやや淡白色で舌尖紅，湿潤した白苔あり。腹力は軟弱で，両側腹直筋の緊張，臍上悸，胃部振水音，右臍傍の圧痛を認める

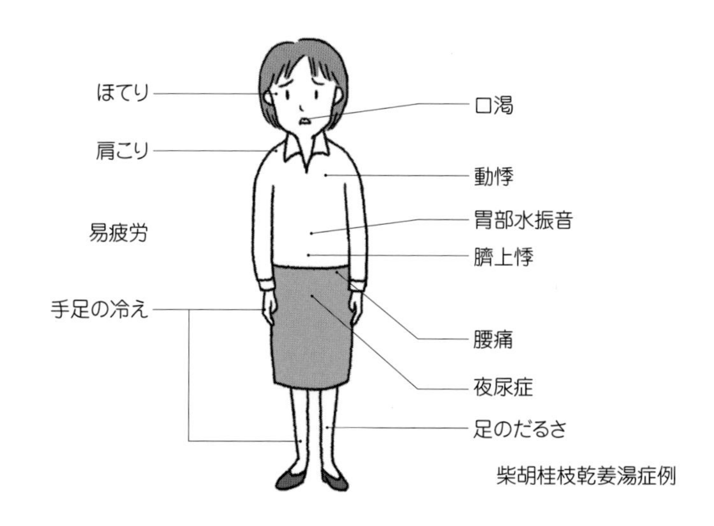

柴胡桂枝乾姜湯症例

step
3

経過：いわゆる自律神経失調症の患者であるが，新しく出現した動悸とほてりを気逆によるものと診断した。柴胡桂枝乾姜湯（さいこけいしかんきょうとう）（煎じ薬）を開始したところ，2週間の服用で肩こり，腰痛，足のだるさが半減し，朝も早起きできるようになった。動悸も2週間で1回出現しただけであった。のぼせと手足の冷えも改善した。2カ月後には冷えが軽減し，夜間尿も1回に減った。動悸も消失している。1年間の服用で夏に汗をかくようになり，ほてりも気にならなくなった。寺澤の気・血・水スコア（初診時➡1年後）は，気虚：40➡34，気鬱：8➡0，気逆：50➡18，血虚：26➡26，瘀血：20➡10，水滞：24➡10とそれぞれ変化し，特に気逆の改善が顕著であった

4 気鬱の症候に対する漢方治療

- 喉のつかえ，胸のつかえ，季肋部のつかえ，腹部のガス貯留，食欲不振（意欲低下），心因性背部痛などの身体症状はいずれも気鬱を示唆する症候であり，ストレスによって悪影響を受けやすい。抑うつや不安といった精神症状もまた気鬱でよくみられる症候である。
- 本章では，気鬱の症候に対する漢方治療の実際について紹介しながら，気鬱病態の診断とその適応方剤（理気剤）の使い分けについて理解できるようにする。

1 身体的な愁訴と理気剤

1．咽喉頭異常感症に半夏厚朴湯(はんげこうぼくとう)

咽喉頭異常感症とは，嚥下の際に感じた違和感を意識しすぎて，そのために喉がつまって苦しいといった異常な痞塞感(ひそくかん)が増幅される神経症の一種である。心理的・社会的なストレスが原因であると言われているが，嚥下という無意識に行っている活動に対して，過剰に注意を向け，関心を払うことで悪循環が形成される。

咽喉頭異常感症のことを，漢方では「咽中炙臠(いんちゅうしゃれん)」と呼んできた。咽の中にあぶった肉片（これが炙臠の意味である）があるようで，飲み込もうとしても飲み込めず，吐き出そうとしても吐き出せない状態を表している。この咽中炙臠には半夏厚朴湯(はんげこうぼくとう)がファーストチョイスになる。

しかし，半夏厚朴湯(はんげこうぼくとう)が適応となる身体症状は必ずしも咽中炙臠だけではない。実際，咽喉頭異常感症以外の身体表現性障害に対しても，比較的軽症から中等症であれば半夏厚朴湯(はんげこうぼくとう)で奏効することが多い。

咽喉頭異常感症に対する3方剤の臨床疫学的エビデンス

研究方法：症例集積研究

対象患者：咽喉頭異常感症と診断された622例中，CMI健康調査表（安部法変法）によって自律神経失調症型か心身症型（自律神経失調症＋神経症型）に分類された患者165例

薬物投与：32例に柴胡加竜骨牡蛎湯エキス（3包/日），29例に半夏厚朴湯エキス（3包/日），21例に柴朴湯エキス（3包/日），24例に抗不安薬ロフラゼプ酸エチル製剤（2mg/日），29例に自律神経調整剤トフィソパム（150mg/日）をそれぞれ2週間投与し，残る30例は無投薬（週1回外来通院で説得のみ）とした

コラム　半夏厚朴湯証の患者の特徴

大塚氏は，半夏厚朴湯証の患者の特徴を実にうまく表現しているので，以下にその文章を引用し，その雰囲気を伝えたい。

「半夏厚朴湯証の患者は，不安のために1人で道を歩けないとか，家にいるときでも誰かそばに人がいないと動悸がして気分が悪くなるとか，あるいは1人で外出するときは，住所と姓名を明記した札を帯の間に入れておく。これは途中でもし人事不省になるとか，死ぬとかいうときに，すぐさま自宅に知らせてもらうための用意である。この用意周到さが半夏厚朴湯を用いる1つの目標である。また一体に，半夏厚朴湯証の患者は容態を話すに，形容詞を多く用いて，こまごまと述べたてる。中には手帳にすっかり症状を箇条書きにしたためてきて，それをみながら述べるものもある」

【参考図書】

大塚敬節：症候による漢方治療の実際．南山堂，1972，p204．

結果：治療前の症状の強さ（程度＋頻度）を10とし，治療後の点数が5以下になったものを有効とした。自律神経失調症型に対する有効率（治療終了後1週目）は，トフィソパム：75％，ロフラゼプ酸エチル：67％，柴胡加竜骨牡蛎湯（さいこかりゅうこつぼれいとう）：64％，柴朴湯（さいぼくとう）：58％，無投薬：50％，半夏厚朴湯（はんげこうぼくとう）：29％であった。自律神経失調症＋神経症型に対しては，トフィソパム：65％，柴胡加竜骨牡蛎湯（さいこかりゅうこつぼれいとう）：61％，半夏厚朴湯（はんげこうぼくとう）：55％，柴朴湯（さいぼくとう）：50％，ロフラゼプ酸エチル：44％，無投薬：40％であった

【文献】

山際幹和：日東洋医誌．1996；46(5)：765-72.

2. 腹満・腹痛・便通異常に香蘇散（こうそさん）

土佐らは香蘇散（こうそさん）が有効であった過敏性腸症候群10症例（著効5例，有効5例）について，自覚症状，漢方医学的症候，注腸造影所見を検討し，香蘇散（こうそさん）の適応病態を明らかにしている[1]。

自覚症状の検討では，腹満，腹鳴，排ガスが多いなどのいわゆるガス症状が全例に認められた。腹痛も著効群の全例と有効群の2例にみられ，残る3例も「何となく腹が痛む」といった程度の症状はみられた。便通異常は下痢便秘交替型5例，便秘型4例（便が少しずつしか出ず，すっきり出ない痙攣性便秘）であった。また，香蘇散（こうそさん）の効果は2週間以内の比較的短期間に発現していた。

漢方医学的症候の検討から，香蘇散（こうそさん）の使用目標として次の項目が示唆された。①脈は弦やや弱，②腹力はやや軟弱，③剣状突起直下の圧痛，④臍上悸が明らか，⑤右に軽度の胸脇苦満，⑥腹直筋の緊張はみられない，⑦軽度の臍傍圧痛を右に認める，⑧皮膚は軽度に粗造である場合が多い。これ以外に，腸管内ガス貯留による腹満や鼓音の所見は気鬱の症候としても重要である。

注腸造影所見の検討では，脾彎曲や肝彎曲が高度に屈曲しているものが多く，生理的収縮を高頻度に認めた。またS状結腸の高さは骨盤腔内

にとどまり，屈曲は3回以上の高度屈曲例が多かった。これらの所見は，便やガスが通過しにくく，腹満・腹痛・便通異常といった自覚症状の要因となっている可能性が示唆された。

【文献】
1）土佐寛順，他：日東洋医誌．1990；41（2）：77-86.

コラム 香蘇散(こうそさん)運用のコツ

花輪氏は，「香蘇散(こうそさん)は胃腸虚弱の風邪薬だけでなく，虚証の気鬱を目標に多くの疾患に応用できる」と述べており，そのコツを以下のようにまとめている。

①香蘇散(こうそさん)は中高年の虚弱者の風邪にきわめてよく効く。回復を早めたり，予防効果もある。ただし，高熱時や咳嗽がひどいときは無効である。

②便通異常への応用が可能である。

③食事性蕁麻疹・小児アトピー性皮膚炎・喘息などアレルギー性疾患に応用できる。ただし，皮疹は軽度のものに有効。

④種々の不定愁訴・慢性肝炎・パーキンソン病などにも応用できる。

⑤神経質症・過敏症・服薬コンプライアンスの悪い患者への応用が可能である。

⑥香蘇散(こうそさん)の漢方所見は一般に，舌：湿・無苔微白苔，脈：沈・細，腹力：虚，心下痞または軽度の心下痞鞕，腹部動悸，小腹不仁を認めることが多い。

【文献】
花輪壽彦：日東洋医誌．2000；51（3）：407-16.

芎帰調血飲（きゅうきちょうけついん）の代表的症例

症例：64歳，女性

主訴：腹部膨満感，便秘，不眠

既往歴：ヘバーデン結節（53歳～），回転性めまい（60歳）

家族歴：高血圧（父），腎臓病（母），糖尿病（姉・弟）

現病歴：14年前から不眠気味となり，2年半前から睡眠薬を常用するようになった。半年前から腹部膨満感，しくしくする痛み，便秘があり，1カ月前から市販の整腸剤を服用するも症状が改善しない。喉や胸のつかえた感じ，げっぷ，ガスが多い，皮膚枯燥，眼精疲労，顔色不良，こむら返り，浮腫あり。便通は1回/2～3日，コロコロになって出にくい

現症：身長153.4cm，体重50.4kg，体温36.0℃，血圧152/70mmHg，脈拍数72rpm。脈は浮・弦・やや実。舌はやや暗赤色，亀裂あり，乾湿中等度の白苔。腹力は中等度で臍上悸と胃部振水音を認める

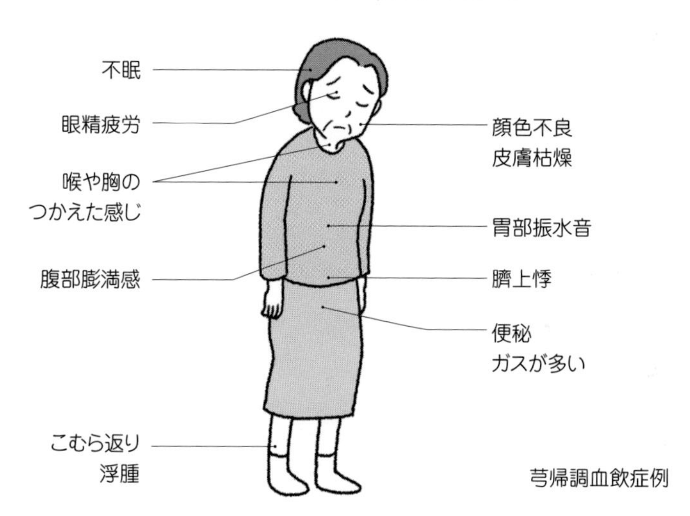

芎帰調血飲症例

経過：気鬱の症候（喉や胸のつかえた感じ，げっぷ，ガスが多い）に血虚の症候（皮膚枯燥，眼精疲労，顔色不良，こむら返り）を兼ねた病態と診断し，芎帰調血飲（きゅうきちょうけついん）（煎じ薬）を開始。2週間で便通が順調になり，腹

痛のない日が10日間続いた。眠気を感じて入眠できるようになったが，途中で1回は覚醒する。1カ月後には，腹部膨満感が程度・持続時間ともに軽減してきた。4カ月後には，腹部不快感や膨満感は消失した

考察：気鬱の病態は香蘇散(こうそさん)と類似するが，さらに血虚の病態を兼ねるところに芎帰調血飲(きゅうきちょうけついん)の特徴がある

3. 食欲不振・意欲低下に六君子湯(りっくんしとう)

食欲がないということは，食べたいという意欲の低下した状態に陥っていることを示している。したがって，食欲以外の欲求も低下していることが多い。たとえば，雑誌やテレビもみたくない，人と会って話をしたくない，ひどい場合には何をするのも億劫になってしまう。

食欲不振と意欲低下を呈する患者の多くは，気虚だけでなく気鬱の病態も併せもっている場合が多い。六君子湯(りっくんしとう)には気虚と気鬱の両方を改善する作用があるが，そのような病態には六君子湯(りっくんしとう)以外にも補中益気湯(ほちゅうえっきとう)や加味帰脾湯(かみきひとう)が適応になる(**図1**)。

補中益気湯(ほちゅうえっきとう)は，精神症状よりも全身倦怠感や易疲労感といった全身症状が目立つ患者に良い適応となる。一方，加味帰脾湯(かみきひとう)は全身症状よりも憂うつ気分や抑うつ状態といった精神症状が目立つ患者に良い適応

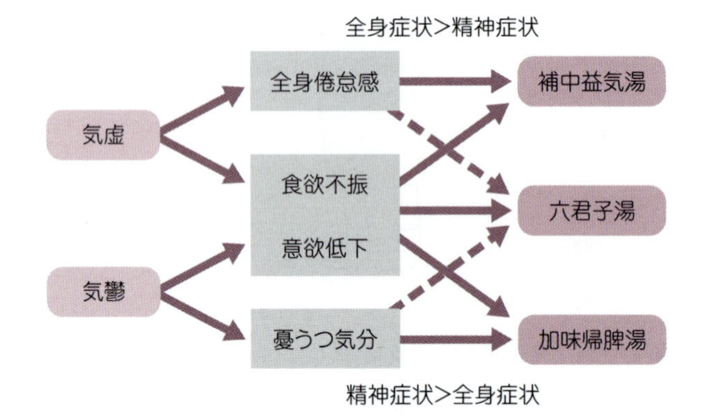

図1　食欲不振・意欲低下の漢方治療

となる。そして，消化器症状が目立つ患者に良い適応となるのが六君子湯である。気鬱の程度が強いケースでは，六君子湯と香蘇散を合方するとより効果的である（**276～277頁**の症例参照）。

4. 加味逍遙散有効例における身体的愁訴の特徴

加味逍遙散が有効であったいわゆる不定愁訴患者9例（男性2例，女性7例，平均年齢50.3歳）を対象に，自律神経失調症の問診票（43項目の身体的愁訴）を実施し，投与前と3カ月後における愁訴の変化について検討した[1)]。

その結果，身体的愁訴の数は平均19.9から9.1に減少した。身体的愁訴を7つのカテゴリーに分けて平均訴え率を検討したところ，投与前に頻度が高かったのは運動器と疲労に関する愁訴であった。頭痛・めまい，循環・呼吸器ならびに血管運動神経系に関する愁訴がそれらについで多かったが，消化器に関する愁訴は比較的少なかった。訴える頻度の高かった愁訴を**表1**に整理して示した。

加味逍遙散投与後には，身体的愁訴全般に平均訴え率の減少を認めた。最も改善率が高かったのは頭痛・めまいの63.5％で，運動器は

表1　加味逍遙散有効例で頻度の高い身体的愁訴

分類	身体的愁訴
運動器	肩や首筋がこる，足がだるい，腕がだるい，体のどこかにしびれや痛みがある
疲労	疲れてぐったりすることがよくある，特に夏になるとひどく体がだるい，仕事をすると疲れきってしまう，朝起きるといつも疲れきっている，ちょっと仕事をしただけで疲れる
頭痛・めまい	いつも頭が重かったり痛んだりするため気がふさぐ，たびたびひどいめまいがする，気が遠くなって倒れそうな感じになることがある
循環・呼吸器	よく息苦しくなる，人より息切れしやすい
血管運動神経	体がカーッとなって汗の出ることがある
その他	気候の変化によって体の調子が変わる

60.9%であった。それ以外の疲労，循環・呼吸器，血管運動神経系，消化器に関する愁訴の改善率は50～60%であった。

【文献】
1）喜多敏明，他：日東洋医誌．1997；48(2)：217-24.

加味逍遙散（かみしょうようさん）の臨床疫学的エビデンス

研究方法：症例集積研究

対象患者：背部痛を主訴としてペインクリニック外来を受診した患者のうち，まず神経ブロック療法を行い，椎間関節ブロック終了後にも同部位の痛みが変わらないか残存している患者18例（全例女性，平均年齢48.3歳）を対象とした。部位の内訳は頸胸部9例，腰部9例。罹病期間は平均17.6カ月

薬物投与：加味逍遙散（かみしょうようさん）エキスを2週間投与

結果：投与前の疼痛を10，無痛を0とする11段階評価で，0～2を著効，3～5を有効，6～8をやや有効，9～10を無効としたところ，著効4例，有効7例，やや有効2例，無効5例で，有効率（有効以上）は61.1%であった。また，X線所見陽性11例の有効率は45.5%であったのに対して，陰性7例の有効率は85.7%であった。さらに，MMPI異常（心気症・ヒステリーなど）8例の有効率は87.5%であったのに対して，正常10例の有効率は40.0%であった

考察：単純X線写真で異常がなく，MMPIで性格異常を認める（心因性背部痛の可能性が高い）症例に対して，加味逍遙散（かみしょうようさん）は非常に高い効果を認める可能性が示唆された

【文献】
山上裕章，他：日本東洋医学雑誌．1991；42：41-6.

2 精神的な愁訴と理気剤

1. 抑うつ状態に対する漢方治療

気鬱の病態において最も重要な精神症候は「抑うつ状態」である。抑うつ状態のタイプとしては気分障害（うつ病・躁うつ病）や抑うつ神経症といった精神症状を中核とするものだけでなく，仮面うつ病のように身体症状が前面に現れる場合もあり，その重症度も自殺念慮をもつ重症のものから軽症うつ病まで様々である。

プライマリケア漢方において，自殺念慮をもつ患者を対象とすることはあまりないであろうが，比較的重症のうつ病を漢方で治療する際には，精神科あるいは心療内科専門医との連携が必要となる。その際，西洋薬の使用を嫌がる患者に対しても，必要最低限の使用は仕方がないことを了解してもらわなければならない。その上で，漢方薬を服用することによって病状が改善し，西洋薬の減量・中止ができるように努めていけば良い。

2. 抑うつ状態の適応方剤

松橋の報告によると，単極性うつ病と両極性うつ病（躁うつ病）は漢方医学的に虚実の違いがある[1)]。

単極性うつ病には虚証タイプが多く，半夏厚朴湯（はんげこうぼくとう），抑肝散加陳皮半夏（よくかんさんかちんぴはんげ），当帰芍薬散（とうきしゃくやくさん），加味逍遙散（かみしょうようさん），柴胡桂枝乾姜湯（さいこけいしかんきょうとう），補中益気湯（ほちゅうえっきとう），加味帰脾湯（かみきひとう），香蘇散（こうそさん）などが用いられる。一方，両極性うつ病には実証タイプが多く，黄連解毒湯（おうれんげどくとう），三黄瀉心湯（さんおうしゃしんとう），四逆散（しぎゃくさん），柴胡加竜骨牡蛎湯（さいこかりゅうこつぼれいとう），大柴胡湯（だいさいことう）などが用いられる。いずれにしても，うつ病の漢方治療には柴胡（さいこ）剤の使用度が高い。

筆者は，病前性格において循環気質（人付き合いが得意な打ち解けるタイプ）と執着気質（几帳面性，対人的な円満への配慮性，熱中性・徹底性）がみられる比較的典型的な単極性うつ病に対しては加味帰脾湯（かみきひとう）をファーストチョイスにして好成績を得ている。加味帰脾湯と類似しているが，抑うつの程度は比較的軽く，心気症的なケースには半夏厚朴湯を用いることが多い。また，気分の変動が不安定で，時折興奮状態もみられ，抗うつ薬が効きにくい非定型タイプのうつ病に対しては，実証から虚実中間証まで柴胡加竜骨牡蛎湯を幅広く応用している。一方，循環気質の性格傾向がみられず，人付き合いが苦手で打ち解けないタイプの抑うつ神経症的な患者には，柴胡桂枝乾姜湯を用いることが多い（打ち解けるタイプと打ち解けないタイプについては**282頁**を参照）。

【文献】

1）松橋俊夫：日東洋医誌．1986；37(1)：53-9.

加味帰脾湯の臨床疫学的エビデンス

研究方法：証を考慮した症例集積研究

対象患者：DSM-Ⅳの大うつ病エピソードを満たし，ハミルトンのうつ状態評価尺度（HRS）30点以下で，漢方医学的には虚証の軽うつ病患者30例（男性7例，女性23例，平均年齢男性63.7歳，女性61.7歳）

薬物投与：加味帰脾湯エキス（3包/日）を1～8週間（平均3.5週間）投与。抗うつ薬は併用せず，必要に応じてベンゾジアゼピン系抗不安薬，催眠誘導剤を24例に併用し，食欲不振には十全大補湯エキスを4例に併用した

結果：投与前後におけるHRSの改善率が90％以上を著効，80～89％を有効，50～79％をやや有効，49％以下を無効として評価したところ，著効7例，有効7例，やや有効9例，無効および中止7例で，有効率（やや有効以上）は76.6％であった

【文献】

中田輝夫：日東洋医誌．1997；48(2)：205-10.

半夏厚朴湯(はんげこうぼくとう)の臨床疫学的エビデンス

研究方法：症例集積研究

対象患者：抑うつ状態の強い神経症患者22例（男性13例，女性9例，平均年齢33.7歳）。病型診断は，心気神経症7例，不安神経症6例，恐怖症4例，強迫神経症2例，神経衰弱症2例，ヒステリー1例。平均罹病期間は3.4年

薬物投与：半夏厚朴湯(はんげこうぼくとう)エキス（3包/日）を3週間投与。併用薬（眠剤）はありが3例，なしが19例

結果：最終全般改善度は，著明改善2例，中等度改善6例，軽度改善9例，不変5例，悪化なしで，軽度改善以上が17例（77.3%）であった。症状別改善度では，易疲労，不眠，不安，焦燥感，意欲減退，易怒，運動系症状，心血管系症状，呼吸器系症状に対して50%以上の有効率を認めた

【文献】
大原健士郎，他：新薬と臨．1985；34(1)：131-41.

柴胡加竜骨牡蛎湯(さいこかりゅうこつぼれいとう)の臨床疫学的エビデンス

研究方法：症例集積研究

対象患者：難治遷延性のうつ状態患者23例（男性3例，女性20例，平均年齢42歳）。疾患の内訳は，うつ病6例，躁うつ病11例，統合失調症5例（急性期を過ぎ，陰性症状を示す），てんかん性精神病1例。罹病期間は平均18.5年

薬物投与：従来の向精神薬に加えて，柴胡加竜骨牡蛎湯(さいこかりゅうこつぼれいとう)エキス（3包/日）を追加投与

結果：明らかに症状が改善されたもの（著効）7例，かなり改善されたもの（有効）11例，やや改善されたもの（やや有効）5例で，無効例はな

かった

【文献】

田中朱美, 他：漢方医. 1990；14(8)：279-84.

step 3

3. 加味逍遙散(かみしょうようさん)有効例における精神的愁訴の特徴

加味逍遙散(かみしょうようさん)が有効であったいわゆる不定愁訴患者9例（男性2例, 女性7例, 平均年齢50.3歳）を対象に, CMI健康調査表（51項目の精神的愁訴）を実施し, 投与前と3カ月後における愁訴の変化について検討した[1)]。

その結果, 精神的愁訴の数は平均16.7から9.3に減少した。精神的

コラム 慢性ストレスによる抑うつ状態の発症機序と柴胡加竜骨牡蛎湯(さいこかりゅうこつぼれいとう) ―

うつ病患者では視床下部－下垂体－副腎皮質系（HPA axis）の機能障害や前頭前野の機能低下がしばしば観察される。溝口氏はこれら2つの要因に着目し, 一連の研究成果から次のような仮説を提唱するに至った。

その仮説とは,「慢性ストレスにより前頭前野におけるグルココルチコイド受容体（GR）が減少すると, GRを介した反応が減弱する。その結果としてHPA axisの機能障害が発生するとともに, 前頭前野のドーパミンおよびセロトニン神経の機能が低下する。そして, この機能低下に基づいて作業記憶障害や抑うつ状態が発生する」というものである。

また柴胡加竜骨牡蛎湯(さいこかりゅうこつぼれいとう)は右図に示すように, 慢性ストレスによる前頭前野のGRの減少を改善し, 前頭前野のフィードバック機能の低下とHPA axisの機能障害を改善するとともに, 前頭前野のドーパミンとセロトニン放出量の減少および抑うつ状態を改善することが明らかとなり, 柴胡加竜骨牡蛎湯(さいこかりゅうこつぼれいとう)の新たな作用機序による抗うつ作用が見出された。

うつ病の再発や難治遷延性に関与している可能性が疑われている

愁訴をCMIの6つのカテゴリー（M〜R）に分けて平均訴え率を検討したところ，投与前に頻度が高かったのは過敏と怒りに関する愁訴であった。不安と不適応に関する愁訴がそれらについで多かったが，緊張と抑うつに関する愁訴は比較的少なかった。訴える頻度の高かった愁訴を**表2**に整理して示した。

加味逍遙散（かみしょうようさん）投与後には，精神的愁訴全般に平均訴え率の減少を認めた。最も改善率が高かったのは不安の55.0％で，最も低かったのは不適応の37.1％であった。それ以外の怒り，過敏，緊張の改善率は40〜45％であった。

【文献】

1）喜多敏明，他：日東洋医誌．1997；48（2）：217-24．

HPA axisの機能障害を改善することにより抗うつ作用を示した柴胡加竜骨牡蛎湯（さいこかりゅうこつぼれいとう）には，うつ病を効果的に治療しうる可能性が期待される。ちなみに，抗うつ薬であるトラゾドンとデシプラミン（2023年現在は販売中止）は，慢性ストレスによるGRの異常やHPA axisの機能障害を改善しなかったが，前頭前野のドーパミンとセロトニン放出量を増加させることによって抑うつ状態を改善した。

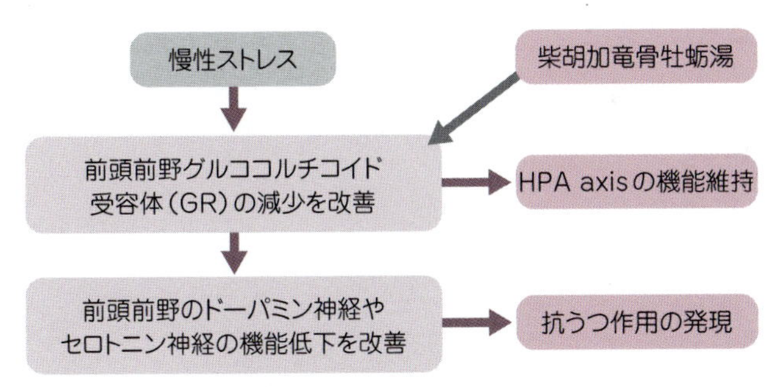

柴胡加竜骨牡蛎湯の抗うつ作用

【文献】

溝口和臣：脳21．2006；9（1）：27-31．

表2　加味逍遙散有効例で頻度の高い精神的愁訴

分類	精神的愁訴
過敏	ひどくはにかみやか，神経過敏なたちである，感情を害しやすい，人から批判されるとすぐ心が乱れる
怒り（焦燥感）（易怒性）	何かしようと思ったらいてもたってもいれなくなる，すぐカーッとなったり，イライラしたりする，ちょっとしたことが勘にさわって腹がたつ，人の言動が気にさわってよくイライラする
不安（神経質）	ちょっとしたことでも気になって仕方ない，人から神経質だと思われている
不適応（混乱）（依存）	物事を急いでしなければならないときには頭が混乱する，少しでも急ぐと誤りをしやすい，いつも決心がつきかねる，いつも相談相手がそばにいてほしい

4. CMIで示された有効方剤と否定的感情との関係

加味逍遙散だけでなく，柴胡加竜骨牡蛎湯や抑肝散加陳皮半夏が有効であった不定愁訴患者についても同様の検討を行った[1]。

その結果，加味逍遙散群と抑肝散加陳皮半夏群では過敏や怒りに関する訴えが多いのに対して，柴胡加竜骨牡蛎湯群では緊張（恐れや驚き）や抑うつに関する訴えが多いという違いを認めた（**図2**）。また，CMI精神的愁訴のカテゴリー別訴え率を説明変量として判別分析（変数増減法）を行ったところ，加味逍遙散や抑肝散加陳皮半夏が有効な患者と，柴胡加竜骨牡蛎湯が有効な患者を77.8～88.9％という高い正答率で判別することができた。

【文献】
1）喜多敏明：日東洋医誌．1999；49(5)：760-6.

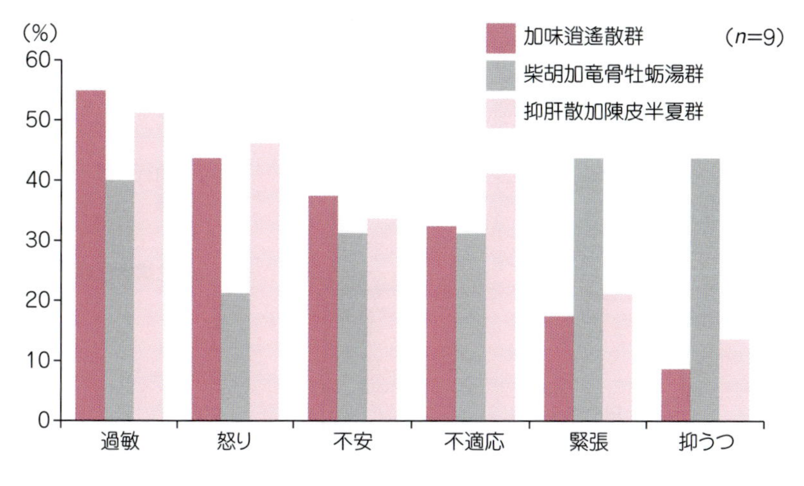

図2 CMI精神的愁訴のカテゴリー別平均訴え率の比較

抑肝散加陳皮半夏(よくかんさんかちんぴはんげ)の代表的症例

症例：51歳，女性

主訴：頭痛，肩こり，のぼせと発汗

既往歴：虫垂炎（18歳），痔疾（39歳），高血圧（45歳）

家族歴：高血圧・脳血管障害（父）

現病歴：4年前に子宮筋腫の手術を受けた（卵巣は残っている）。2年前から主訴が出現したため，大学病院産婦人科を初診。乳腺症の既往があるため患者の希望で産婦人科漢方外来に紹介となる。動悸，息切れ，ふらつき，疲れやすい，怒りやすい，イライラする，足が冷える

現症：身長160.0cm，体重62.5kg，血圧144/92mmHg。脈は虚実中間。舌は暗赤色で乾湿中等度の白苔。腹力は中等度で両側腹直筋緊張と両側臍傍圧痛を認める

経過：虚実中間証，瘀血の病態と診断し，桂枝茯苓丸(けいしぶくりょうがん)エキス（3包/日）を開始したところ，2週間の服用でのぼせと発汗が軽減し，イライラしなくなった。しかし，1カ月後には忙しさのためにイライラが再燃し，

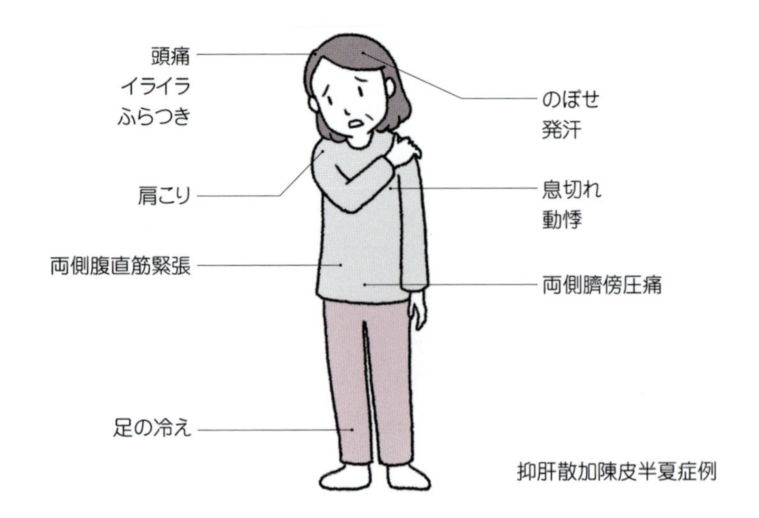

抑肝散加陳皮半夏症例

頭痛，肩こりはむしろ悪化していた。よく話を聞いてみると，娘の結婚が決まって夫が荒れて困ると愚痴をこぼしたので，抑肝散加陳皮半夏(よくかんさんかちんぴはんげ)エキス（3包/日）に変更したところ，2カ月で頭痛が消失，ふらつきも軽減し，血圧も安定した

5. 憂慮過多タイプの気鬱と緊張過多タイプの気鬱

気鬱の病態には，憂慮過多タイプと緊張過多タイプが存在し，同じように精神的なストレスに起因する病態ではあるが，認知・感情といった精神的側面においても，身体的側面においても特徴的な違いがみられ，適応となる方剤も異なる。

たとえば，喉のつかえ感は気鬱を示唆する症候の1つであり，半夏厚朴湯(はんげこうぼくとう)の使用目標として重要な症候である。一方，季肋部のつかえ感は，他覚的には胸脇苦満に相当する症候であり，柴胡(さいこ)剤の使用目標として重要である。同じように気鬱の病態であっても，半夏厚朴湯(はんげこうぼくとう)や六君子湯(りっくんしとう)などが適応になるのは「憂慮過多タイプの気鬱」であり，四逆散(しぎゃくさん)や抑肝散加陳皮半夏(よくかんさんかちんぴはんげ)，加味逍遙散(かみしょうようさん)などの柴胡(さいこ)含有方剤が適応になるのは「緊張過多タイプの気鬱」である。気鬱の2つのタイプそれぞれの特徴を

表3　気鬱の2タイプ

憂慮過多タイプの気鬱の特徴	緊張過多タイプの気鬱の特徴
ストレスを与えた相手よりも，ストレスを受けて傷ついた自分自身に関心を向ける傾向が強い	ストレスを与えた相手（ストレッサー）のほうに，強い関心を向ける傾向が強い
憂いや悲しみの感情，憂うつな気分が主になる	怒りや恐れの感情，イライラした気分が主になる
訴えが執拗で，かつ心気症的である	肩こりや頭痛，痙攣といった過緊張による身体症状を認める
胃気失調による消化器症状を認めることが多い	肝気鬱結による胸脇苦満を認めることが多い
水滞を伴いやすい	瘀血を伴いやすい
半夏厚朴湯，平胃散，六君子湯，半夏白朮天麻湯などが適応になる	四逆散，抑肝散加陳皮半夏，加味逍遙散などが適応になる

（参考図書：喜多敏明：やさしい漢方理論．医歯薬出版，2001，p100.）

表3に整理した[1)]。気鬱のタイプを大きく2つに分けることで，気鬱の病態に適応となる方剤をうまく使い分けることが容易になる。

【文献】

1）喜多敏明：やさしい漢方理論．医歯薬出版，2001，p100.

コラム 肝気鬱結(かんきうっけつ)

緊張過多タイプの気鬱で認める肝気鬱結の病態を例にしながら，バランスを重視する漢方医学の特質について説明する。

下図に示したように，人間は昼の動的活動と夜の静的活動を1日24時間の周期で繰り返している。この日内リズムと緊張－弛緩のバランスを支えているのは自律神経系や内分泌系の働きであり，漢方医学では「肝」の働きであると考えている。肝気鬱結とは，動的活動から静的活動への移行が，ストレスのために障害された病態であり，精神的，身体的な過緊張状態を呈するのが特徴である。そして漢方医学は，ストレスによってひき起こされた緊張－弛緩のバランス異常（肝気鬱結の病態）を回復するために，肝の働きを調整する柴胡剤(さいこざい)を活用しているわけである。

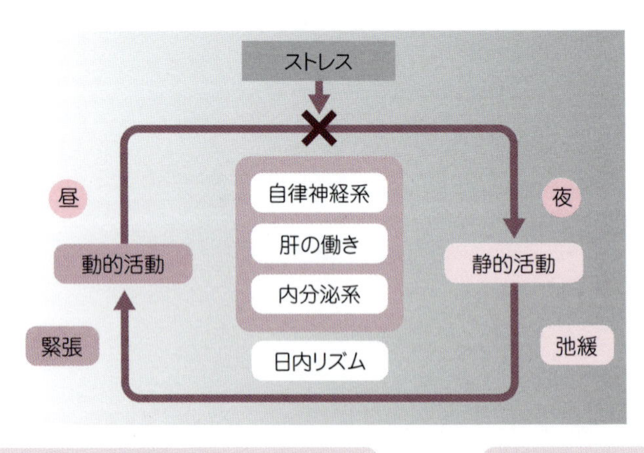

肝気鬱結の病態

5 ストレス病態に対する漢方治療

- 最後のまとめとして，ストレス病態に対する漢方治療の基本的な考え方を整理する。
- step1で紹介した気・血・水の不足した病態と，ここまで述べてきた気・血・水の失調した病態について理解することができれば，ストレスによって悪影響を受けている様々な疾患や病態を漢方医学的に診断・治療することが可能になる。
- しかし，重症例や難治例では，証の心理的側面を考慮することも必要になるということを最後に指摘しておきたい。

1 ストレス病態の漢方医学的診断と治療

1. 総合的に認識する漢方医学の視点

図1には，局所的な異常（＝疾患）を分析的に認識する西洋医学的な視点と全体的な不調（＝病人）を総合的に認識する漢方医学的な視点をわかりやすく示した。

西洋医学は，疾患を診断する際に，臓器レベルから細胞レベル，そして分子レベルへと細分化する方向に進歩してきた。細胞レベルの病理診断の時代から，分子レベルの遺伝子診断の時代へと進歩してきたと言い換えることもできる。西洋医学の分析的な視点によって，新しい治療方法が開発され，その恩恵を多くの病人が享受しているのは事実である。

それに対して漢方医学の診断は，病人の全体的な不調や自然治癒力の低下した状態を総合的にとらえるために，個人差をカテゴリーに分類する。たとえば，自律神経・内分泌・免疫系（生体恒常性維持システム）の働きに相当する気・血・水に注目することによって，気虚・気鬱・気逆・

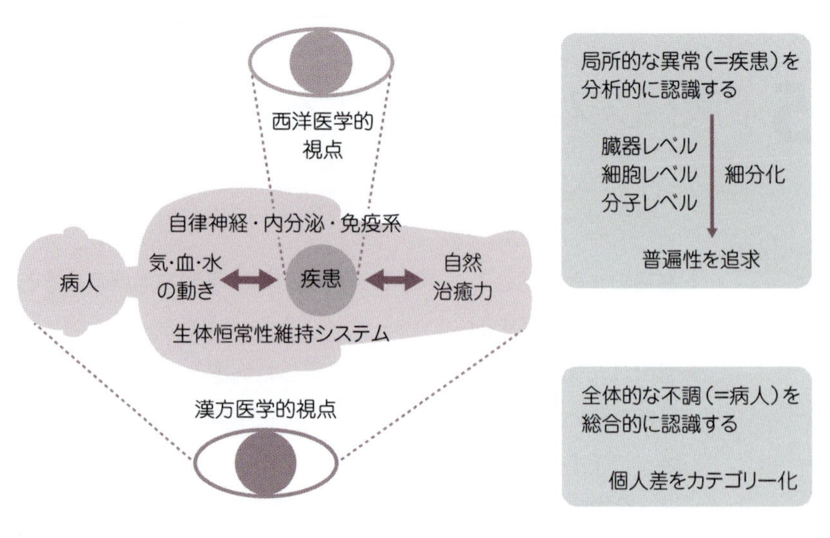

図1　西洋医学と漢方医学の視点の違い

血虚・瘀血・津虚・水滞という7つのカテゴリーに分けて診断することができる。気・血・水のほかにも，陰陽・虚実・寒熱・表裏といった漢方医学独自の概念を駆使し，多次元的にカテゴリーを分類することによって，病人が呈する全体的な不調のバリエーションをうまくとらえる技術を進歩させてきたのである。

2. ストレスの影響を重視してきた漢方医学の歴史

約2000年前に執筆された漢方医学の古典である『黄帝内経素問』の移精変気論篇には右のような記述が残されており，漢方医学は成立当初からストレスの影響を重視してきたようである。

この記述から，漢方薬や鍼灸がストレスの問題に対処するために必要となった経緯が伺われる。現代社会におけるストレスの問題は，約2000年前の中国とは比較にならないかもしれないが，ストレスの影響を考慮して成立した漢方医学の診断・治療体系は今でも十分に通用するのである。

『黄帝内経素問』移精変気論篇の記述

昔の人々は，鳥や動物の間に住むような簡素な生活で，寒ければ体を動かし，暑ければ涼しいところに避けるだけであった。心には未練も気懸かりもなく，外では出世を求めることもなかった。このような平和でのびやかな世では，邪気が深く人に入り込む余地もなかったのである。そこで薬も鍼も治療に用いる必要はなく，祈りで気を変えれば，病気は治ってしまった。

今はそうではない。心配事が内から，労苦が外からその人の体を傷つける。また四季の変化についてゆけず，たびたびいろんな悪い気の侵略を受ける。このようなことだから，ちょっとした病気も必ずひどくなり，大きな病気は必ず死を招き，祈りでは病を癒せなくなってしまったのである。

3. ホメオスタシスの破綻と気・血・水の異常

ストレスは脳で認知され，様々な情動反応をひき起こすと同時に，自律神経系や内分泌系，免疫系を介して全身の諸臓器に影響を及ぼす。強いストレスや長びくストレスによって，生体恒常性維持機能（ホメオスタシス）が破綻すると，各種のストレス性疾患の発症につながる。最近になって明らかにされたこのようなストレス反応のメカニズムを，漢方医学は気・血・水の異常として認識する診断手法を構築し，その病態の多様性にも対応できるような治療方剤の開発にも成功している。

ホメオスタシスの破綻したストレスの病態を，漢方医学では気・血・水の異常として認識しているということをわかりやすく示したのが**図2**である。気・血・水の循環とバランスが正常に維持されている状態が，ホメオスタシスが正常に働いている状態に相当する。このようなストレスの病態は，新たなストレスに対する抵抗力の低下をきたすために，悪循環を形成するのが特徴である。

ストレスの病態を漢方医学的に治療する際には，患者が自覚している

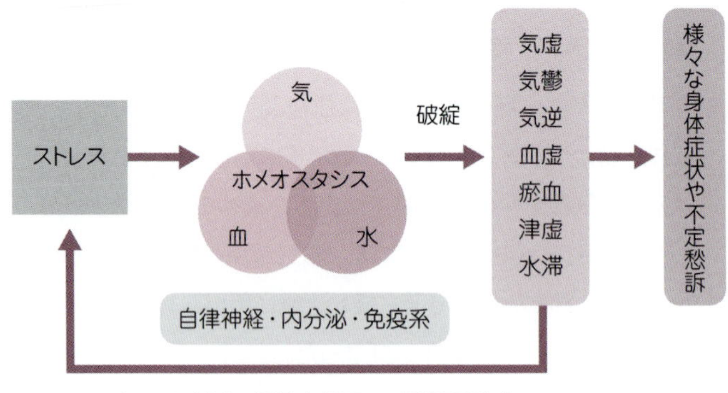

図2　ホメオスタシスの破綻と気・血・水の異常

様々な身体症状や不定愁訴から，気・血・水の異常を診断し，適応となる方剤を選択するだけで良い。次に代表的な症例を提示する。

ストレス病態の代表的症例

症例：58歳，女性

主訴：胃がチクチク痛む，腹部膨満感

現病歴：約2年前にスポーツクラブで運動中に胃～食道にかけて不快感が出現した。上部消化管内視鏡検査で萎縮性胃炎と逆流性食道炎，十二指腸潰瘍の瘢痕，ピロリ菌陽性と診断され，2カ月間の内服治療で症状は改善した。4カ月前に自宅で接待の準備をしているときから同様の不快感が出現。今は朝起床時に胃のあたりがチクチクした痛みがあり，摂食にて消失する。腹部膨満感あり。空腹時や疲労時，人と会うときに胃食道にかけて不快感が出現する。2カ月前からエチゾラム（0.5mg，1日2錠）を服用しているが，7人家族でストレスが多く，1日6回の送り迎えが大変である

現症：身長158.5cm，体重61.2kg，体温35.3℃，血圧115/56mmHg，脈拍数73rpm

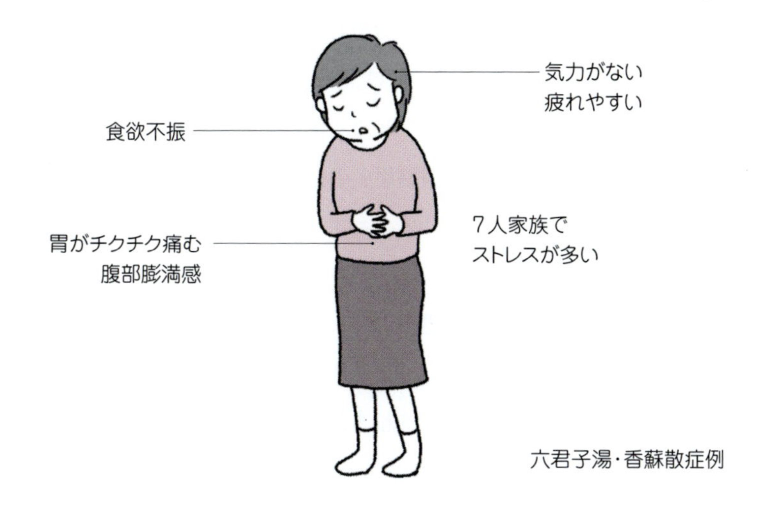

経過：気力がない，疲れやすい，食欲不振といった症候から「気虚」の病態と診断し，六君子湯(りっくんしとう)エキス（3包/日）を開始したところ，2週間後には胃～食道にかけての不快感と，胃の痛みは消失した。少し気力が出てきて家の中の片付けができるようになった。6週間後から「気鬱」の病態に対して香蘇散(こうそさん)エキスを併用したところ，さらに調子が良くなって，腹部膨満感も改善し，エチゾラムも中止できた

4. 西洋医学と原因追究型アプローチ

患者の問題を西洋医学的に解決する際には，その問題の原因を追究するアプローチが採用される。この原因追究型アプローチでは，問題の原因は「悪者」であるとみなされるために，「原因追究＝悪者探し」➡「問題解決＝悪者退治」という構図が自然に生まれてしまうところに特徴がある。

たとえば，上述の患者は胃がチクチク痛むという問題を自覚していたが，その原因としての胃炎＝悪者という構図が生まれ，胃炎という悪者を退治する治療が問題解決の手段として採用された。ここで胃炎が問題であると設定しなおせば，胃炎の原因を探し出すことで，より根本的な問題解決につながる。

このように問題の要因を分析し続けることによって，より本質的な原因を発見することができれば，根本的な問題解決が可能になる。胃・十二指腸潰瘍の原因としてピロリ菌が発見されたことによって，再発を繰り返す胃・十二指腸潰瘍患者の根本的な治療が可能になったのは1つの具体例である。

5. 漢方医学と状態改善型アプローチ

患者の問題を漢方医学的に解決する際には，原因という悪者を探し出して退治するという発想を根本的に変える必要がある。それでは，患者が抱えている問題を漢方医学ではどのようにとらえているのであろうか。

漢方医学がめざしているのは問題の解決ではなく，問題からの解放であると表現したほうがイメージしやすいかもしれない。患者の状態を望ましい方向へと変化させることによって，問題からの解放を実現しようとしているのが漢方医学である。これを，状態改善型アプローチと呼ぶこともできる。

原因追究型アプローチが因果関係を重視するのに対して，状態改善型アプローチは，状態が変化するプロセスを重視するところに特徴がある。たとえば，患者の気が不足している状態を望ましい方向へと変化させるためには，気を補うような治療をする。気が鬱滞していれば気をうまく巡らせることを考える。そして，漢方医学的な診断と治療が適切でさえあれば，自然治癒力が回復することによって患者の状態は良い方向に変化すると期待できるのである。

2 証の心理的側面を考慮した漢方治療

1．精神状態を手がかりにする

最後に，精神症状を訴える患者に対して筆者が実践している，証の心理的側面を考慮した漢方治療について紹介する[1)]。

気分障害や不安障害という精神医学的な病名も大切ではあるが，それよりも患者がどういう精神状態なのか，抑うつ状態にあるのか，不安状態にあるのかといった精神状態を手がかりにして，気・血・水の異常とも結びつけながら治療するのが第一歩になる。とりあえず，漢方で問題となる精神状態として以下の3種類を考えると良い。

①抑うつ・無力状態：抑うつ状態には「気鬱」の病態が関係し，無気力でやる気がない意欲低下状態には「気虚」の病態も関係している。

②不安・緊張状態：「気鬱」の病態でも不安になったり緊張したりするが，「気逆」の病態でよくみられる。パニック発作も気逆の病態としてとらえる。

③興奮・焦燥状態：イライラする焦燥状態は「血虚」を示唆する症候であるとされているが，「気逆」の病態でもみられる。

これら3種類の精神状態が，それぞれ気虚，気鬱，気逆，血虚と1対1で対応しているわけではないが，これらの精神状態から漢方医学的な病態をある程度類推し，適応となる方剤を選択する際のヒントにすることができる。**表1**には，ストレス病態に頻用されている10種類の方剤がそれぞれどのような精神状態に対して適応があるのかまとめて示した（性格特性の欄については後で説明する）。

【文献】

1）喜多敏明：日東洋医誌．2007；58(1)：34-9.

表1　頻用方剤が適応となる精神状態と性格特性

方剤	抑うつ・無力	不安・緊張	興奮・焦燥	性格特性
加味帰脾湯	◎	△	△	打ち解ける
補中益気湯	◎	△	×	中間
香蘇散	◎	○	×	中間
半夏厚朴湯	○	○	×	打ち解ける
柴胡加竜骨牡蛎湯	○	◎	○	中間
桂枝加竜骨牡蛎湯	△	◎	△	打ち解けない
柴胡桂枝乾姜湯	△	○	△	打ち解けない
加味逍遙散	△	○	○	打ち解ける
抑肝散加陳皮半夏	△	○	◎	打ち解けない
酸棗仁湯	×	○	◎	―

2. 証の心理的側面をとらえる

証を診断する際に，身体的な側面で考えた場合，診察の所見から非常にたくさんの情報を得ることができる。自覚症状を問診するだけでなく，診察して脈を診たり，舌を診たり，あるいは腹診をして，多くの情報を手がかりにして，そこから1つの証を構成していくわけである。証というものをうまく構成していくためには，情報がある程度十分になければならない。

したがって，証の心理的側面をとらえる際にもより多くの情報を手に入れる必要がある。**図3**に示したように，抑うつ・無力，不安・緊張，興奮・焦燥といった精神状態は，その時点でその患者が表している状態(state)であり，これが証の診断において重要であることは既に指摘した。もう1つ，証の診断において重要なのが，その人が生まれながらにもっている精神的な特質(trait)である。身体的な側面でいえば体質に相当するが，精神的にも気質といったものがあるわけで，心理学の世界ではこれを性格特性と呼んでいる。

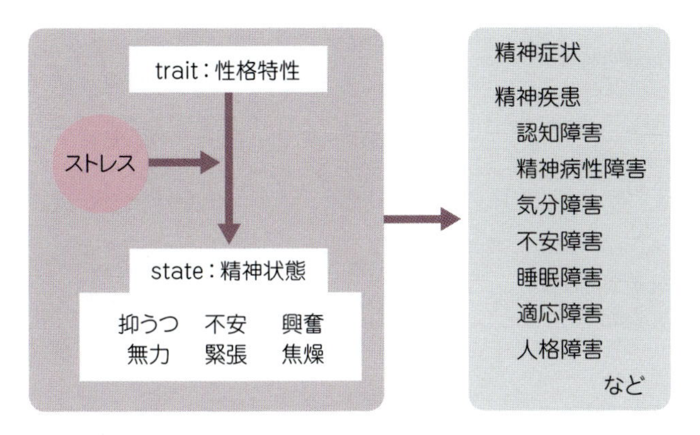

図3　証の心理的側面をとらえる

3. 証と性格特性の関係を研究する

不安神経症傾向を有する患者に頻用される3方剤，加味逍遙散，抑肝散加陳皮半夏，桂枝加竜骨牡蛎湯の証と性格特性との関係について，16PF人格検査を用いて検討した。16PF人格検査とは，因子分析研究で実証された16個の独立した性格特性を詳細かつ簡便に測定できる客観的検査法である。

その結果，6つの因子については3群で共通の性格特性（情緒不安定，慎重，物おじする，如才ない，自信がない，固くなる）を示したが，因子A（打ち解ける－打ち解けない）と因子E（独断－謙虚），因子L（疑り深い－信じやすい）については各群に特徴的な違いを認めた（結果は図4を参照）。

加味逍遙散と抑肝散加陳皮半夏と桂枝加竜骨牡蛎湯の証は，精神状態（state）の部分だけではそれぞれ重なり合う部分が非常に多くて，診断・鑑別が難しいのだが，図4に示したように性格特性（trait）の違いを加味することによって，より精度の高い詳細なカテゴリー分類が可能になることが示唆された。

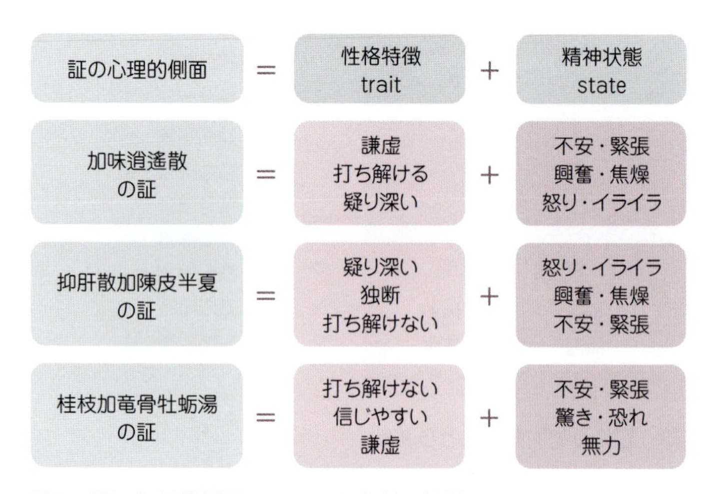

図4　証の心理的側面における3方剤の特徴

4. 打ち解けるタイプと打ち解けないタイプ

随証治療が有効であった不定愁訴患者189例について，因子Aの結果から3群（打ち解けるタイプ－中間タイプ－打ち解けないタイプ）に分け，各群別に有効方剤の使用頻度を集計した。そして，使用頻度が上位9方剤について，どのタイプに属する傾向が強いかを検討した。

加味逍遙散(かみしょうようさん)と同じように打ち解けるタイプに偏っている方剤としては，半夏厚朴湯(はんげこうぼくとう)と加味帰脾湯(かみきひとう)があった。一方，抑肝散加陳皮半夏(よくかんさんかちんぴはんげ)や桂枝加竜骨牡蛎湯(けいしかりゅうこつぼれいとう)と同じように打ち解けないタイプに偏っている方剤としては，柴胡桂枝乾姜湯(さいこけいしかんきょうとう)があった。そして，柴胡加竜骨牡蛎湯(さいこかりゅうこつぼれいとう)，香蘇散(こうそさん)，補中益気湯(ほちゅうえっきとう)は中間のタイプであることが示された（結果は**表1**，**280頁**参照）。

性格特性の中でも，打ち解けるタイプか，打ち解けないタイプかというのは漢方医学的な証を判別する際に有用な指標となることが明らかになったわけであるが，心理テストを実施しなくとも，診察室における患者の医師に対する態度や話の内容などから，この性格特性のタイプを伺い知ることができる。

たとえば，打ち解けるタイプの患者は診察室で医師のほうに椅子を近づけるか，身を乗り出すようにして話しかけてくるし，その内容も初診時から個人的な身の上話に及ぶことが多い。逆に，打ち解けないタイプの患者は椅子を後ろに引くなどして，なるべく医師との距離をとろうとするし，個人的な話題はなるべく控えようとする。中間のタイプは人間関係における距離の取り方が不安定であり，ヤマアラシのジレンマ状態（**下記コラム**参照）に陥ることが多い。

コラム　ヤマアラシのジレンマ

寒い冬の日，互いを温め合おうとした2匹のヤマアラシがいたが，近づきすぎると体のとげで傷つけ合うし，離れすぎると温め合うことができない。このヤマアラシのジレンマは，ドイツの哲学者ショーペンハウアーの寓話から引用されており，「自己の自立」と「相手との一体感」という2つの欲求によるジレンマ，対人関係の二律背反性をあらわす用語となっている。

しかし，ヤマアラシは，近づいたり離れたりを繰り返した挙げ句，適度に暖かく，そして，あまりお互いを傷つけないですむようなちょうど良い距離を見つけ出したという後日談もあり，紆余曲折の末，両者にとってちょうど良い距離に気づくという肯定的な意味として使われることもある。

5. バランスを重視する

人間関係における距離の取り方が不安定な患者は，相手に近づいて一体感を求めることと，相手から離れて自立を維持することのバランスをうまく調整できないでいる。打ち解ける側に偏りすぎる患者も，打ち解けない側に偏りすぎる患者も， やはりバランスがとれていないのである。ここでもまた，バランスを重視する漢方医学の見方を身につけることの有用性を再認識できるであろう。

人間という複雑な生命システムは，身体的な活動のプロセスにおいても，精神的な活動のプロセスにおいても，適度なバランスを常に保持しながら健康な状態を形成しつつあるのである。そのような生命観，健康観をもちながら，バランスの異常を漢方医学的な病態として認識することができれば，プライマリケア漢方のstep3（上級レベル）を修得したと言える。

漢方医学において最も重要な「陰陽」という考え方は，実はこのバランス異常を診断・治療する極意を伝える深遠な原理である。森羅万象を「陰」と「陽」という２つの相反する要素に分けながら，刻一刻と変化するプロセスが両者の動的なバランスによって見事に形成されつつあることを理解するための原理である。陰陽の原理には次のような３つの原則がある。

①陰が盛んになれば陽が衰え，陽が盛んになれば陰が衰える

②陰が極まれば陽に変化し，陽が極まれば陰に変化する

③陰の中には陰と陽があり，陽の中にも陰と陽がある

陰と陽の動的なバランスを常に意識しながらプライマリケア漢方を実践し続けることで，やがて生命現象のプロセスがどのように形成されつつあるかを何となく察知できるようになる。そうなれば，目の前の患者にとって適切な方剤を自在に使いこなせる師匠レベルに一歩近づいたと言える。本書でプライマリケア漢方の基本（初級～上級）を修得した読者には，師匠レベルへ向けてさらなるステップアップを期待したい。

step 4

- プライマリケア漢方のstep4は「漢方臨床実践のヒント集」である。このステップでは，ここまで本書で学んでこられた読者が，実際の臨床で遭遇する様々な課題を乗り越えることができるように，また，プライマリケア漢方の実力を継続的に伸ばしていくことができるように，漢方臨床実践のヒントを初診時と再診後に分けて紹介する。
- さらに，プライマリケアにおいて患者の健康づくりをサポートする際に役立つように，漢方医学的な考え方に基づく養生支援のヒントを最後にまとめておく。

step 4

概要

step1～step3では，プライマリケアでよく遭遇する疾患や症状を，漢方医学的に正しく診断し，その病態にあった方剤を正しく選択するための知識を伝授してきた。しかし，実際に漢方薬を処方するとなると，ここまで学んできた知識だけでは不十分であることに気づくであろう。医学部を卒業したばかりの医者が，すぐに患者を診療することができないのと同じように，漢方医学の診断・治療を体系的に学んだだけでは，足りないところがあるのである。その足りないところを身につけるためには実践を積み重ねていくしかないわけだが，そのときに的確なアドバイスをもらえると非常に助けになる。

4-1と4-2では，プライマリケア漢方の臨床実践において遭遇する様々な課題に対するアドバイスが，初診時と再診後に分けてヒント集の形で記述されている。このヒント集をあらかじめ熟読してから臨床の実践に臨めば，自信をもって漢方薬を処方できるだけでなく，プライマリケア漢方の実力を継続的に伸ばしていくことにもつながるようになっている。

4-3では，ここまで触れてこなかった養生の重要性と，実際に養生を支援する際に役立つヒントが記述されている。漢方の臨床を実践すればすぐに気づくことであるが，養生に取り組む患者と取り組まない患者では，漢方薬の効果に大きな違いが出る。プライマリケア漢方を学習する最後に，養生支援のスキルを身につけておくことは大いなるアドバンテージとなるであろう。

1 初診時のヒント

1 疲労・冷え・頭痛に注目する

プライマリケア漢方の実力を伸ばすために最も重要なことは，患者が訴える症状の背後に，どのような漢方医学的病態が存在するのかを診断して治療する技術を磨くことである。この技術を磨くための効果的な方法として，疲労・冷え・頭痛という「未病3大症状」に注目するアプローチを最初に紹介する。

4-3の「養生支援のヒント」において詳しく述べるが，未病とは不健康な状態であり，心身全体が不調を呈している状態であり，病気になりやすい状態であり，病気が治りにくい状態である。この未病の状態でよくみられる症状が，疲労と冷えと頭痛であり，その背後には多種多様な病態が存在する。その病態を診断・治療する経験を積み重ねることで，プライマリケア漢方の実力は確実に伸びていく。

1. 疲労に注目する

気・血・水の不足した「虚」の病態で最もよく自覚される症状が疲労感や倦怠感である。患者が，「疲れやすい」「疲れがとれない」「だるい」といった症状を訴えているときには，漢方の腕を磨くチャンスだと考えて，積極的に取り組むとよい。

その背後には，気虚，気血両虚，腎虚といった病態が存在することが多いので，step1で学んだことを活用しながら，代表的な補剤（補中益気湯(ほちゅうえっきとう)，十全大補湯(じゅうぜんたいほとう)，人参養栄湯(にんじんえいようとう)，八味地黄丸(はちみじおうがん)など）の使い分けを実践的に体得することができる。

このとき，必ずしてもらいたいことがある。それは，「寝たら疲れが軽くなりますか？」と患者に質問することである。睡眠中に疲労が回復するメカニズムが正常に働いていれば，朝起きた時に少しは疲れが軽くなっているものである。しかし，血虚や気逆，気鬱の病態が存在すると，この疲労回復メカニズムの働きが悪くなり，患者は「寝ても疲れが取れず，朝起きた時から調子が悪い」と答えることが多い。

血虚の病態については，上述の代表的な補剤で対応可能なことが多いが，気逆や気鬱の病態が存在する場合には他の方剤を考える必要があり，step3で学んだことを応用しなければならない。方剤の選択が難しくなるが，苦労しながら実践した経験が自らのスキルアップに必ずつながる。

2. 冷えに注目する

冷えについては，1-4の「寒の病態と治療」において基本的な考え方を学び，さらにstep2において様々な疾患を寒熱のタイプに分けて診断・治療するアプローチを学んできた。西洋医学において最も不足しているのがこの冷えに対する対応であり，そのために苦しんでいる患者が非常に多い。

冷えだけを訴えている患者に対しては，当帰四逆加呉茱萸生姜湯（とうきしぎゃくかごしゅゆしょうきょうとう）や当帰芍薬散（とうきしゃくやくさん）など，いわゆる冷え症に効果のある方剤を選択すればよい。しかし，冷えによってそれ以外の症状や疾患が悪化したり，治りにくくなったりしているケースには，冷え以外の病態も考慮しながら様々な方剤を使い分ける必要がある。特に，冷えによって増悪する痛みで，鎮痛剤を使っても良くならないケースは，漢方治療の威力を発揮する最大のチャンスである。

冷えは免疫力を低下させると言われるが，風邪を引きやすい患者や，風邪が治りにくい患者もまた漢方治療の良い適応になる。風邪の引きはじめに麻黄附子細辛湯（まおうぶしさいしんとう）が奏効するのはこのタイプである。プライマリケアの現場では，風邪やインフルエンザ，その他の感染症で受診する患者が多いが，普段から冷えを訴えているケースには特別の注意を払って診療することが重要である。

3. 頭痛に注目する

プライマリケア漢方を実践的に習得する際には，患者から学ぶ姿勢が欠かせない。これは私の持論なのだが，最も良い教師になってくれるのは頭痛を訴える患者である。器質的疾患に伴う二次性の頭痛を除外した上で，慢性の機能性頭痛の背後にどのような漢方医学的病態が存在するのかを探索するプロセスがとても勉強になるのだ。

機能性頭痛の大半を占める片頭痛や緊張型頭痛は，対症療法的に鎮痛剤を服用しても頭痛そのものが改善するわけではない。頭痛の程度や頻度はむしろ増悪していくケースが多い。その点，漢方薬には頭痛の原因となっている気・血・水の異常を改善することによって，頭痛が起こりにくくなる効果を期待できる。

目の前の患者が訴えている頭痛がどのような気・血・水の異常によって出現しているのかを的確に診断するためには，step1とstep3で既に学んだ知識を総動員する必要がある。片頭痛と緊張型頭痛では，その原因となる気・血・水の異常に明らかな違いがあるが，実際の臨床では混合型の頭痛が多く，それほど単純ではない。その詳細については次の「頭痛ダイアリーの活用」で紹介する。

2 頭痛ダイアリーの活用

慢性機能性頭痛（片頭痛や緊張型頭痛）の患者が受診してきたら，頭痛ダイアリーをつけるように勧めるとよい（日本頭痛学会のホームページからダウンロードできる）。

この日記をつけていると，天候の変化や月経の周期が頭痛に影響を及ぼしていることに気づけることがある。その場合は，次に述べるように事前に漢方薬を服用しておくことで頭痛を予防したり，その程度を減弱させたりすることが可能である。

1. 天候の変化が頭痛に影響する場合

雨の前日や，台風の接近時に頭痛が起こる患者には，五苓散が特効薬になる。天気予報を見ながら，あらかじめ五苓散を服用しておくだけで，鎮痛剤の使用量を減らせることが多い。ただし，頭痛の程度が強いケースや，頭痛の頻度が多いケースには，普段から利水剤を服用させておくことが必要になる。具体的には，五苓散以外にも，苓桂朮甘湯，真武湯，半夏白朮天麻湯，当帰芍薬散などが適応になる。

このタイプの頭痛の背後には水滞の病態が存在するので，頭痛だけでなくめまいを同時に訴える患者が多く，その場合は，これらの利水剤を継続的に服用することによって頭痛だけでなく，めまいも一緒に改善する可能性が高い。

2. 月経の周期が頭痛に影響する場合

月経前や月経時に頭痛が起こる患者には，桂枝茯苓丸，加味逍遙散，当帰芍薬散といった代表的な駆瘀血剤を月経周期に合わせて処方することによって，頭痛の程度や頻度を改善させることができる。

さらに，桃核承気湯，女神散，温経湯なども適応になるので，**3-1**で解説した「更年期障害に適応となる駆瘀血剤の使い分け」（**189頁**）を参考にするとよい。

このタイプの頭痛の背後には瘀血だけでなく，気鬱の病態も存在することがある。したがって，ストレスが頭痛に及ぼす影響についても十分確認しながら，方剤を選択することが必要になる。適応となる方剤は多岐にわたるが，**3-3**で解説した「気逆による頭痛と気鬱による頭痛」（**247頁**）を参考にするとよい。

3. 天候や月経が頭痛に影響しない場合

頭痛ダイアリーをつけていても，頭痛の発現に何が影響しているのかはっきりしない患者の場合，適応となる方剤は非常に多岐にわたる。

発作性の頭痛であれば，呉茱萸湯が第一選択薬になる。まだ頭痛が軽い段階で呉茱萸湯を服用することによって，鎮痛剤を使わないですむことも多い。

呉茱萸湯(ごしゅゆとう)は比較的深部の脈打つような頭痛に効果を示すことが多いが，比較的表層性で神経痛様の頭痛には川芎茶調散(せんきゅうちゃちょうさん)が効果的である。

頭痛時に呉茱萸湯(ごしゅゆとう)が効く患者で，胃腸が虚弱であれば，普段から桂枝人参湯(けいしにんじんとう)を服用しておくことで，頭痛の発作が起こりにくくなる。

血圧が高く，動脈硬化が疑われる患者には，虚実の程度に応じて，七物降下湯(しちもつこうかとう)，釣藤散(ちょうとうさん)，黄連解毒湯(おうれんげどくとう)，三黄瀉心湯(さんおうしゃしんとう)を使い分けるとよい。

それ以外にも，頭痛に適応となる方剤は数多くあるが，後で述べるようにレパートリーを少しずつ増やしていくことによって，頭痛に対する漢方治療の暗黙知（経験や勘に基づく，言葉では言いがたい知識や技術）が身につく。

コラム　患者の話を聞くスキル

「診察室では思っていることの半分も言えない」というのが普通の患者心理である。極端な場合，自分からはほとんど何も言えず，聞かれたことに答えるだけで，余計なことは一切話さないような患者もいる。少しでも余計なことを言うと，怒られるとでも思っているかのようである。

漢方治療をするためには，このような患者からも色々な話を聞き出すためのスキルが必要である。私は，「何を言っても怒られない」と患者が思えるように，安心・安全の場を作ることを心がけている。具体的には，患者の言うことをジャッジしたり，否定したりしないですべてを受け入れるようにしている。しかし，傾聴ばかりでは診察にならないので，こちらから的確な質問をするスキルも磨く必要がある。

安心・安全の場が形成されていれば，どんな患者であっても，こちらからの質問に抵抗なく答えてくれる。「こんなことを言ってもいいんだ」「何を言っても受け入れてもらえるんだ」と感じてもらえれば，患者の中から本当に重要な情報が出てくるようになる。

step 4

3 多彩な愁訴に対応する方法

漢方治療を希望する患者の主訴はひとつだけとは限らない。主訴が多種多彩で，どこから手を付けてよいのかわからないケースも決してめずらしくはない。具体例をあげてみよう。

ある40代前半の女性患者は，初診時に浮腫，易疲労，気力の低下，足の冷え，片頭痛，生理前のイライラ，生理痛，不眠を主訴に来院した。

また，事前に記入してもらった気・血・水問診票を確認したところ，合計30項目にチェックがついており，足が冷えて顔がのぼせることと，皮膚・口唇が乾燥し，爪が割れやすいという症状も気になっていることがわかった。

漢方医学的な診察所見では，下腹部の圧痛を広範囲に認めた。

現代西洋医学的には自律神経失調症，浮腫，片頭痛，月経前症候群，月経困難症，不眠症といった病名がつきそうだが，血液生化学検査には異状がなく，専門の診療科を受診するほどの状態ではなかった。

漢方治療の良い適応となる患者ではあるが，気虚・気鬱・気逆・血虚・瘀血・水滞それぞれの病態を示唆する症状が複数存在しており，病態を絞り込むことが難しいケースであった。

このような場合に，どのようなアプローチで対応すればいいのか，順を追って具体的に考えてみたい。

1. 症状・所見を気・血・水の病態別に整理する

気虚：易疲労，気力の低下

気鬱：気力の低下，生理前のイライラ，不眠

気逆：冷えのぼせ，片頭痛，生理前のイライラ

血虚：皮膚・口唇の乾燥，爪が割れやすい，不眠

瘀血：生理前のイライラ，生理痛，下腹部の圧痛

水滞：浮腫，雨天・梅雨時期に悪化する頭痛

このように整理してみると，症状が多彩なだけでなく，その背後にあ

る漢方医学的な病態（気・血・水の異常）もまた非常に多彩であることがわかる。

2. 解決すべき病態の優先順位を考える

患者自身が気になっている症状に関連していて，比較的早期に改善を見込めそうな病態を優先的に解決するようにする。その理由は，再診時までに少しでも症状を良くして，早期脱落を防ぐためである。

この患者の場合，浮腫，易疲労，気力の低下，足の冷え，片頭痛が気になる症状の上位であったので，その背後にある水滞・気虚・気逆の病態から治療を考えていくことにした。

このとき，生理前のイライラや生理痛，不眠といった症状の原因となっている気鬱・瘀血・血虚の病態を無視するわけではない。これらの病態も念頭におきながら，心身全体の不調を改善するという最終的なゴールに向かって，段階的に治療していくわけである。

私は，初診時からすべての病態を包括的にとらえて治療することもあるが，漢方の腕を磨くためには，ここで述べた段階的治療アプローチを採用することをお勧めする。

3. ストレスの影響について確認する

多彩な症状を訴えるケースでは，その病態に心理社会的ストレスがどの程度影響しているのかを確かめておく必要がある。

「何かストレスはありますか」といった漠然とした質問をするのではなく，家族構成や仕事の内容について具体的に聞きながら，家庭や職場の人間関係にストレスはないか確認していくようにする。

たとえば，この患者の場合，夫と息子（14歳）の3人家族で，仕事は児童館のパート。家庭や職場のストレスはないが，仕事のある日は疲れ果てて，家事をするのもしんどいということであった。

したがって，生理前のイライラや不眠はあるものの，ストレスによる影響はそれほど強くないと考えられた。

4. 適応となる方剤を絞り込む

浮腫，易疲労，気力の低下，足の冷え，片頭痛といった症状それぞれに適応となる方剤は数多く存在するが，これらの自覚症状の原因となっている水滞・気虚・気逆の病態を同時に改善する方剤は限られている。

私はこの患者に半夏白朮天麻湯を選択したが，苓桂朮甘湯や桂枝人参湯など，その他の方剤も適応になると考えた。

また，このようなケースには，水滞と血虚と瘀血を改善する当帰芍薬散を併用することで，相乗効果を得ることができるという経験が私には豊富にあった。

そこで，半夏白朮天麻湯と当帰芍薬散を合方して煎じ薬で処方したところ，8週間で諸症状はすべて改善した。しかし，このような包括的治療アプローチは，相当に経験を積んでからでないと実践できるようにはならない。

私が初学者に指導するときには，最初から2剤を併用せず，1剤ずつ順番に処方する段階的治療アプローチを勧めている。そのほうが，再診時における症状や病態の変化を理解しやすく，何か問題が発生したときにも対処しやすいからである。

5. 病態治療の経験を積み重ねる

症状ではなく，症状の背後にある病態を治療することを常に意識するという原則に従っていれば，数多くの治療経験を積み重ねることによって「暗黙知」が自然に形成されていく。

暗黙知が形成されると，「何となく，この方剤が効きそうだな」という声が，頭の中に浮かんでくるようになり，その方剤を選択した理由を後から考えるという思考ができるようになる。

そうすると，症状→病態→方剤という論理的な思考プロセスだけでなく，症状→暗黙知→方剤→病態という直観的な思考プロセスも同時に頭の中で働くようになるので，処方選択のスピードが各段に早くなるだけでなく，治療成績も向上する。

本書は，私が長年の経験を積み重ねて修得してきた暗黙知を，読者にもわかるような「形式知」に変換することによって作られている。本書を通して形式知を学習することと，臨床を通して暗黙知を形成することは，車の両輪であることをここでは強調しておきたい。

4 暗黙知を形成するためには

あまり経験のない症状や疾患に対する漢方治療については，暗黙知がまだ形成されていない。そのため，数多くある方剤の中から，目の前の患者に合った方剤を探し出すのに苦慮することがある。そのような場合に私は，次のように説明しながら処方するようにしている。

「あなたの症状には漢方治療が良い適応になります。その症状を改善するための漢方薬もたくさん用意されていますのでご安心下さい。ただし，たくさんある漢方薬の中から本当にあなたに合った漢方薬を選ぶのが難しいので，最初にお出しする漢方薬で良くならなくても，諦めずに通院を続けるようにして下さい。きっと，あなたに合った漢方薬が見つかって，良くなると思います。」

しかし，このような説明にいつまでも頼っているわけにはいかない。できるだけ早く暗黙知を形成するためにはどうすればよいのか，少し掘り下げて考えてみたい。

1．レパートリーを広げすぎない

暗黙知を形成するためには，何回も同じことを繰り返す必要がある。場数を踏むことが重要なのである。

したがって，方剤のレパートリーを広げて，最初から多くの方剤を使い分けようとせず，できるだけ少ない方剤を使いこなすようにしなければならない。私が，ひとつの症状や疾患に対して3つの方剤を使い分けるところからスタートするように指導しているのはそのためである。

ある方剤（A）について暗黙知が形成されたら，その方剤に類縁の方剤（B）をレパートリーの中に組み入れてもよい。そして，方剤（A）が効かなかったときに，方剤(B)を使うようにしていると，今度は方剤(B)についての暗黙知も形成されて，レパートリーが徐々に広がっていく。

2. フィードバックを受け取る

ある患者に対してある方剤を処方した結果，その患者はどうなったのか。そのフィードバックをしっかりと受け取ることが重要である。

step
4

患者は，「良くなりました」とか，「良くなりませんでした」といったフィードバックしか返してくれないことがほとんどであるが，それでは情報が足りない。

そこで，こちらから積極的に質問しなければならない。具体的にどのような質問をすればよいのかについては，**4-2**の「再診後のヒント」(**304頁**)で紹介する。

3. 指導医の臨床現場に陪席する

自分自身の経験だけで暗黙知を形成しようとすると，実際に診療する患者の数にもよるが，相当の年月がかかる。しかし，既に暗黙知を形成している指導医について学ぶことができれば，その期間を大幅に短縮することができる。

一番良い方法は，指導医が実際に診療しているところを見学させてもらうことである。日本東洋医学会では，漢方専門医をめざす医師のための教育プログラムを用意しているので，それを活用することも選択肢のひとつである。

4. 臨場感のある治験録を読む

治験録を読むことによって，臨床場面を彷彿とさせるような漢方治療の経験談に触れることができれば，自分自身が実際に経験したのと同じようなインパクトを脳に与えることができる。

江戸時代～昭和時代に活躍した漢方の名医が残してくれた治験録の中から，自分が好きなものを選んで，少しずつでも読んでいく習慣を身につければ，非常に高いレベルの暗黙知が形成されることであろう。

私が初学者にお勧めする治験録は，大塚敬節先生の『漢方診療三十年』(創元社)である。また，漢方医学関連の学会会場で書籍ブースに立ち寄り，自分が気に入るものを探してみると，思いがけない名著との出会いがあるはずだ。

5 処方が思い浮かばない時には

患者が漢方治療を希望した際に，適当な方剤がまったく思い浮かばずに困ってしまう場合がある。

漢方を専門とする外来でなければ，次回の診察時まで漢方薬を処方せずに，西洋薬だけで経過を観察することもできる。そして再診時までに，その患者に対してどのような漢方薬が適応になりうるのかについて，いろいろと調べておくわけである。

その際にお勧めできる漢方書籍を3冊ほど紹介する。

1. 大塚敬節著『症候による漢方治療の実際』(南山堂)

大塚敬節先生の治療経験を中心に，58の症候を疾患部位別に大別。それぞれの症候の概要と，これに適応する約800種の処方と漢方治療の要諦を懇切に解説したもの(南山堂ホームページを参照)。本書を読めば，困った時に，適当な方剤がいくつか思い浮かぶはずである。

2. 矢数道明著『臨床応用 漢方処方解説』(創元社)

古方・後世方にわたる初めての処方解説の大著。主要処方154方(加減方105方)を挙げ，その応用・目標・方解・主治・鑑別を明らかにし，さらに常用処方107方を略説(創元社ホームページより抜粋)。上記で思い浮かんだ方剤について，本書でいっそうの理解を深めることができる。

3. 寺澤捷年，喜多敏明，関矢信康編『EBM漢方 第2版』(医歯薬出版)

精選されたエビデンスに基づく漢方治療の決定版。各疾患に対する漢方薬処方のエビデンスを，①きわめて高い水準のもの，②高い水準のもの，③参考とすべき水準のものの3分類構成で明記。漢方製剤のエビデンスを精査し，漢方医学の視点から治療戦略を概説(医歯薬出版ホームページより抜粋）。

適当な方剤が思い浮かばない時には，エビデンス水準の高い方剤を選択するところから始めてもよい。

6　服用方法等に関する説明

初診時には，処方した漢方薬を服用する方法等について一通りの説明をしておく必要がある。私の外来では煎じ薬を処方することもあるので，その煎じ方と服用方法については薬局でも詳しく説明してもらえるようになっているが，ここでは漢方エキス製剤の服用方法を中心に，問題となりそうな点をピックアップして考えてみたい。

1．服用する方法

漢方薬は本来，煎じ薬として服用すべきものであり，エキス剤であっても白湯に溶かして服用することが推奨されている。味と匂いにも薬効があると考えられているからである。

しかし，漢方薬の味や匂いが苦手で飲めない患者も少なくない。その場合は無理に強制することはしないで，普通に白湯で服用してもらえばよい。それでも飲みにくい場合は，オブラートや嚥下補助ゼリーを使ってもらうこともある。

また，乳児への飲ませ方としては，少量の白湯に溶いて，口の中に塗りつけるようにするとよい。味覚が発達する前のほうが，嫌がらずに服用してくれる。

出先で白湯がない場合は普通の水で服用するしかないが，寒証用の漢方薬を服用するときには，白湯で服用する方が温める効果は強くなる。風邪の初期（太陽病期）に使う麻黄（まおう）剤は，温めて発汗させる方剤なので，必ず白湯で服用するように指導したほうがよい。

ただし，妊娠悪阻に小半夏加茯苓湯（しょうはんげかぶくりょうとう）を処方する場合や，鼻出血に三黄瀉心湯（さんおうしゃしんとう）を処方する場合など，吐き気が強い時と出血している時には，冷たい水で飲むのが良いとされている。

コラム 不安の強い患者への対応

「私の病気（あるいは症状）は，漢方で良くなりますか？」と質問してくる患者がいる。答えるのが難しい質問であるが，患者はなぜこのような質問をするのだろうか。

このような質問をする患者は，単純に，その答えを知りたいだけではない。不確かな未来に対して不安を感じているので，「大丈夫，良くなりますよ」という保証が欲しいのである。だが，漢方で良くなる保証はどこにもないので，答えるほうは困ってしまう。

しかしながら，「わかりません」と答えるわけにもいかない。こちらが自信のない素振りを見せると，患者はますます不安になってしまって，良くなるものも良くならないという結果になりかねないからである。

そこで私は，漢方医学的に診察した結果や，これから処方する漢方薬の作用などをわかりやすく説明しながら，患者の不安を取り除くようにしている。たとえば，「あなたの今の状態は漢方的には○○という状態なので，○○という作用をもっている漢方薬を処方しますね」といった内容を，患者にもわかるような言葉で説明するわけである。

その上で，「あなたの今の状態に合った漢方薬が見つかれば必ず良くなりますよ」といった言い方で，最初の質問に答えるようにしている。この答えの裏の意味は，「あなたの状態に合った漢方薬が見つからなければ，いつまでたっても良くならない」ということであるが，伝えたいのはもちろんそこではない。

私が伝えたいのは，患者に合った漢方薬を必ず見つけるという，こちらの熱意である。患者の症状が良くならないのは，こちらの腕が未熟だからであり，こちらの側に責任がある。そのような覚悟が伝われば，患者は安心してついてきてくれるものである。

2. 服用する時間

漢方薬は食前または食間の空腹時に服用することになっている。その理由は，食べ物の影響を受けると漢方薬の成分が吸収されにくくなるためだとされている。また，食間だと忘れやすいので，私は処方箋には食前と記載して，患者には次のように説明するようにしている。

「漢方薬は食べ物の影響を受けると吸収されにくいので，食事の20～30分前に服用するようにして下さい。ただし，食前に飲めないときや，飲み忘れたとき，胃に堪えるときには食後になっても大丈夫です」

そして，再診時に服用状況を詳しく聞き取り，食前服用で何らかの問題がある人は食後に変更する。飲まないよりは飲んだほうが良いので，服薬コンプライアンスを優先して，そこまで食前にこだわることはない。

漢方薬を２種類処方する場合には，両者の相性によって同時に服用してもらう場合と，別の時間に服用してもらう場合がある。一般に２つの方剤を同時に服用すると，それぞれの作用が減弱することが多いので，相性がよくわからない時は，メインの方剤を食前にして，サブの方剤を食後にするとよい。

3. 授乳中の服用に関する注意事項

漢方薬の成分が乳汁中に移行して，乳児に影響する可能性はあるが，問題になりそうな生薬は大黄と麻黄くらいである。

大黄の成分であるセンノシドの乳汁移行は有名だが，実際に乳汁中の濃度を測定したところ検出限界以下であったとする報告もある。したがって，気にしすぎるのも良くないが，母親が大黄製剤を服用する際には，乳児の便の状態に注意しておく必要はある。

また，麻黄の成分であるエフェドリンも乳汁移行するので，乳児の睡眠に悪影響を及ぼす可能性があることを母親に伝えておくようにする。

それ以外の生薬はほぼ問題ないと思うが，患者が気にする場合は，漢方薬を服用して２～３時間後が授乳のタイミングにならないように，服用時間を調整するとよい。あるいは，漢方薬を服用する直前に，搾乳しておくという方法もある。

4. 併用と副作用

小柴胡湯(しょうさいことう)とインターフェロン製剤の併用は，薬剤性間質性肺炎のリスクがあるために禁忌になっている。また，麻黄(まおう)を含有する方剤は，交感神経刺激作用のある西洋薬との併用に注意する必要がある。しかし，ほとんどの漢方薬は，西洋薬と併用しても問題はない。

むしろ，他の漢方薬との併用によって，効果が減弱したり，副作用が出やすくなったりすることのほうが問題である。甘草(かんぞう)による偽アルドステロン症がその代表だが，その他の生薬による副作用についても注意しなければならない。

患者の多くは漢方薬の副作用に無頓着なので，処方した方剤の副作用については初診時にきちんと説明しておく必要がある。その際，本書(**13頁**)で解説した甘草(かんぞう)，麻黄(まおう)，附子(ぶし)，大黄(だいおう)，桂皮(けいひ)，黄芩(おうごん)の副作用を参考にするとよい。

7 処方日数と処方量について

1. 処方日数について

漢方薬を処方する日数については，初診時と再診後で違ってくるが，ここでは初診時あるいは新しい漢方薬を処方する際に，その日数をどのように決めればよいのかについて考えてみたい。

一般に，症状や疾患が慢性的に持続している場合，その背後にある漢方医学的な病態も固着してしまっていることが多く，漢方薬が効果を発揮するまでに時間がかかる。短くても2週間，長ければ4週間以上服用しなければ，その効果はわからないことが多い。そこで，最初は2～4週間の処方にして経過を見ることになる。

それに対して，風邪のような急性疾患の場合，その漢方医学的な病態が時々刻々と変化するので，できるだけ短期間の処方で経過を観察することが望ましい。風邪の初期によく使われる葛根湯（かっこんとう）であれば，2～3日以内の処方にして，症状が変化したら早めに受診してもらうようにする。風邪が長引いて咳や痰が続いているようなケースであれば，病態の変化も緩やかになるので，もう少し長めに処方してもよい。

ここでは，効果発現や病態変化の時期に合わせて処方日数を決めるという考え方を紹介したが，それとは別の考え方もある。

4-2の「再診後のヒント」(**304頁**)において詳しく述べるように，初めて処方された漢方薬は，副作用の出現や症状の悪化といった理由で中断されることがある。このような困った事態の発現に備えて，慢性疾患であっても最初は1週間程度の処方で経過を見るという考え方である。

いずれにしても，処方日数を決める厳密なルールは存在しないので，ここで紹介した考え方を参考にしながら，自らの診療スタイルに合わせて臨機応変に対応すればよい。

2. 処方量について

漢方薬の処方量については，病態の重症度，患者の年齢や体重，薬剤に対する過敏性などを総合的に考慮して決めるようにする。

成人であれば，特に何も考えずに常用量を処方してほとんど問題はないが，どんな薬物に対しても過敏に反応する患者が稀にいる。特に，化学物質過敏症や食物アレルギーがある場合は，漢方薬に対しても過剰な反応を呈することがあるので，初診時には少量・短期で処方するほうがよい。

病態の重症度に関しては，軽症であれば常用量の2/3あるいは1/2に減量して処方する。プライマリケアの現場では，比較的軽症の未病の患者を診ることも多いが，そのようなケースに常用量を処方する必要はない。初診時には常用量で処方したとしても，症状の改善に応じて，比較的速やかに減量することが可能である。

乳幼児や小児に対しては，年齢や体重を考慮して処方量を決定する。私は，乳児には1/4量以下，幼児には1/3量，小学生低学年には1/2

量，小学生高学年と中学生には2/3量を目安に処方するが，体重に応じて加減もしている。また，高齢者で体重が少ない患者の場合も，常用量の2/3に減量して処方することが多い。

ここまで減量する場合について述べてきたが，私は常用量を超えて処方することはほとんどない。常用量では効果が不十分であると考えられる場合には，2剤を併用することによって対処するようにしている。2剤の併用方法については，次の**4-2**「再診後のヒント」の中で解説する。

2 再診後のヒント

1 服用できなかったときの対応

初診の次の再診時にまず確かめるのは，初めて処方された漢方薬をきちんと飲めたかどうかである。何らかの理由で飲めなかったとか，途中でやめてしまったということが意外とあるものである。

その代表的な理由と対応について，私の経験にもとづいて紹介するので参考にして頂きたい。

1．味や匂いが苦手

初診時に漢方薬の服用方法，特にオブラートや嚥下補助ゼリーの使い方について丁寧に説明しておくと，味や匂いが苦手で飲めなかったという事態をある程度は防ぐことができる。オブラートに包んで服用する際には，少し水に漬けて，ゼリー状にしてから飲み込むということを知らない人が多いので，そこまで詳しく説明しておく必要がある。

味や匂いが苦手で飲めなかったときの対応として，もっと飲みやすい方剤に変更する場合もあるが，我慢できそうな患者に対しては，「続けていると慣れてきて，平気で飲めるようになることが多いですよ」と言って，継続を促すこともある。

黄連解毒湯（おうれんげどくとう）や三黄瀉心湯（さんおうしゃしんとう）は非常に苦みが強い方剤なので，苦味が苦手な患者には最初からカプセル製剤を処方することが多い。しかし，この苦味が薬効を発揮してくれるので，実熱証タイプで苦味が平気な患者には，あえて顆粒や細粒を処方している。

逆に，甘いのが苦手で飲めなかったというケースもある。その場合，甘味が苦手なだけでなく，服用すると実際に胃もたれするので中止に至ることも少なくない。半夏瀉心湯や平胃散，茯苓飲など，少し苦みのある方剤を考慮するとよい。

桂皮を含有する方剤を処方するときには，「シナモンは大丈夫ですか？」と尋ねるようにしている。シナモンの味が苦手な人は，桂皮でアレルギー反応（発疹・瘙痒・蕁麻疹など）が出やすいので注意する必要がある。

2. 副作用が出現した

漢方薬を服用してから予期せぬ不快な症状が出現したために，副作用だと思って中止してしまうことも多い。しかし，その不快な症状がそれほど重篤なものでなければ，それが本当に処方した漢方薬によるものなのかどうか確かめる必要がある。

確かめる方法としては，少量（たとえば1/3量）から再開して，徐々に量を増やしながら同じような症状が再び出現するかどうかを観察するやり方を採用している。同様の症状が出現するようであれば，それは漢方薬による副作用であると断定できる。今後は，類似する方剤を処方する際，十分に注意する必要がある。同じような症状が出現しなければ，そのまま服用を継続してもらえばよい。

予期せぬ不快な症状が「瞑眩」（**306頁コラム**「瞑眩と副作用と誤治」参照）である可能性についても考慮しておく必要がある。瞑眩であれば，その反応は一時的であり，服用を継続することによって，初めに現れた不快な症状はもちろん，もともとの疾患や症状も良くなるはずである。したがって，服用を再開するときには瞑眩の可能性もあることを患者に詳しく説明した上で，その経過を注意深く観察すべきである。

自覚症状を伴うような副作用であれば，早めに発見して対処することが可能であるが，低カリウム血症や肝機能障害のように検査をしてみなければわからないような副作用については，また別の意味で注意が必要である。**step1**でも述べたが，血圧と血液生化学検査の定期的なチェックを心がける必要がある。

3. 症状が悪化した

漢方薬を開始してから，もともとあった症状がさらに悪くなったために，怖くなって中止してしまうこともある。この場合は，一部の例外を除いて，最初に選択した方剤がその患者には合わなかったのだと素直に考えたほうがよい。これを漢方医学的には，「誤治（ごち）」（**下記コラム**「瞑眩（めんげん）と副作用と誤治（ごち）」参照）と言う。

誤治の場合には，初診時に何かを見落としていた可能性が高いので，

コラム 瞑眩（めんげん）と副作用と誤治（ごち）

瞑眩とは，漢方薬を服用後に一時的に現れる種々の予期せぬ症状のことである。

この症状は，いわゆる好転反応によって出現するものであり，長くは続かない（通常は2～3日，遅くとも1週間以内に消失することが多い）。そして，継続服用することで，瞑眩による症状が消えるとともに，もともとの病気は急速に快方に向かうことから，事後的にしか判定できないものである。

瞑眩による症状の例としては，めまい・吐き気・下痢・胸苦しい感じ・発疹・痒みなどがあるが，その症状を副作用と区別するのは難しい。副作用であれば継続服用することで，その症状はますます増悪するという点に違いがある。もちろん，もともとの病気が快方に向かうこともない。したがって，瞑眩か副作用かはっきりしない症状が2～3日を超えて持続する場合は，副作用の可能性を考慮しながら慎重に対応する必要がある。

副作用のような症状が，漢方医学的な病態（証）に合わない漢方薬を処方したために出現した場合，これを誤治と呼んで副作用とは区別する。副作用の場合，処方された側の「薬」に原因があると考えるのに対して，誤治の場合には，処方した側の「診断」に誤りがあると考えるわけだが，本当は誤治であるにもかかわらず，副作用とみなして薬に責任を負わせるような態度は謹まなければならない。

もう一度，別の角度から診断のプロセスをやり直してみる必要がある。その際，虚実あるいは寒熱を見誤っていた可能性があるのではないかと考えてみると，新しい視点が生まれやすい。

たとえば，腹診をすると大柴胡湯証のように腹力が充実しているにもかかわらず，実際には補中益気湯が適応になるような虚証の病態であったということはめずらしくない。また，表面的には熱証の症状や所見が強いにもかかわらず，「真寒仮熱」と言って，実際には寒証の病態であることもよく経験する。虚実と寒熱の診断は漢方医学の初歩であるが，経験を積んでも見誤ることが多いということを忘れてはならない。

ただし，湿疹や皮膚炎に対して解毒作用や排毒作用のある漢方薬を処方した場合には，一時的に症状が悪化しても，続けていると症状がもとの状態よりも改善してくるケースがよくある。これは誤治ではなく，瞑眩の一種なので知っておくとよい。

2 効果を判定する時期

新たに漢方薬を処方した際に，その効果を判定する時期はどのように考えればいいのであろうか。

こむら返りに対する芍薬甘草湯のように速効性を期待できる方剤もあれば，長期間服用しなければ効いてこない方剤もある。一般に，構成生薬の数が少ない方剤のほうがキレが良く，効果発現も早いとされている。

また，風邪のように漢方医学的な病態が時々刻々と変化するケースもあれば，冷え症のように病態が変化しにくいケースもある。したがって，同じ漢方薬を処方しても，病態が違っていれば，その効果の発現スピードは違ってくる。たとえば，葛根湯を風邪の患者と肩こりの患者に使った場合，前者のほうが早く効く。

このようなことを理解した前提で，私は4週間程度で効果を判定するようにしている。たとえ自信をもって選択した漢方薬であったとしても，8週間服用して症状や所見にまったく改善がなければ，その漢方薬は効いていないと判断することが多い。その際，主訴の変化だけでなく，主訴以外の症状や所見についても詳細に確認することが大切である。

1. 主訴がなかなか改善しなかった症例

ある70代前半の女性患者が，ふらつきを主訴に来院した。

3年前に短時間の失神後にふらつきが出現した。最初の3カ月間は車椅子生活であったが，耳鼻科・脳神経内科・総合内科で異常がなく，原因は不明である。その後，徐々に歩けるようになったが，立つとフワフワして，雲の上を歩いているような感じがする，という。

ふらつき以外には，足の冷え，浮腫，不眠があるが，いずれも軽く，気・血・水問診票を確認しても，それ以外の自覚症状はほとんどない。

雲の上を歩いているような浮遊感と，足の冷え，浮腫を目標に，真武湯（しんぶとう）を煎じ薬で処方したところ，4週間でふらつきにはまったく変化を認めなかった。しかし，詳しく問診したところ，足の冷えが少しだけ良くなっている気がするということであったので，附子（ぶし）を増量して継続したところ，主訴のふらつきも徐々に改善していった。

2. どれくらいで良くなりますか？

患者から，「どれくらいで良くなりますか？」と質問されることがある。

前述のように，漢方薬の効果発現時期は，薬の種類によっても，患者の病態によっても違うので，一律に答えることはできないが，個別のケースであれば，ある程度は予測できる。

上記症例のように，3年間もふらつきが続いていて，漢方医学的な病態もあまりはっきりしない場合には，少し長く続けないと効いてこない可能性がある。そこで，このようなケースには，「漢方医学的にも難しい状態なので，長期間の服用が必要になるかもしれません」といった答え方をしている。

また，漢方薬は長く飲まないと効かないと思い込んでいる患者もいる。そのような患者には，漢方薬の中には速効性を期待できるものもあることや，4週間服用すれば何らかの効果を実感できることが多いということを説明するとよい。

3. 方剤を変更するタイミング

私はできるだけ方剤を変更せずに，その効果をとことん見きわめるという方針なので，方剤を変更するタイミングは非常に遅いほうである。そのため，患者のほうが先に諦めて受診しなくなってしまうこともあり得るが，そうならないための努力もしている。

一番の努力は，少しでも良くなっている所はないかと徹底的に探すことである。それには，初診時の問診票が役に立つ。それほど辛くない症状であっても，問診票でチェックのついている項目に改善の兆しがみられれば，それは漢方薬が効いているサインであると患者に伝えるのである。実際，その後も同じ処方を続けていると，予想通り他の症状や所見にも改善がみられるようになることが多い。

しかし，これ以上同じ処方を続けていても，あるいは，次に述べるようにブシ末やコウジン末などを加えてみても，さらなる改善は見込めないと判断せざるをえないこともある。その場合は潔く，患者の病態に合った方剤を選択できなかったことを認め，他の方剤に変更するようにしている。

3 処方を継続するための工夫

『傷寒論』では，病態の変化に即応して処方を変更することの重要性が詳しく説かれているが，それは風邪やインフルエンザのように時々刻々と病態が変化する「外感病」に対するアプローチであって，生活習慣やストレス，加齢変化が原因で発現する「内傷病」には当てはまらない。

病態がほとんど変化しないまま慢性的に持続している内傷病におい

ては，その病態に合った方剤を選択して処方しているにもかかわらず，なかなか症状の改善につながらないこともある。そのようなケースには，最初に選択した方剤をできるだけ長く続ける必要がある。

その際，薬力が足りない部分を補う意味で，ブシ末やコウジン末，ボレイ末，オウギ末などを追加したりすることは非常に効果的な手段である。

1. ブシ末の追加について

先述の患者に対しては真武湯を煎じ薬で処方したため，構成生薬の附子を増量することができたが，エキス剤で真武湯を処方した場合であっても，ブシ末を追加することによって同じように対応することができる。

附子は副作用の出やすい生薬であり，その使用量には細心の注意が必要である。特に，冷えの病態がそれほど強くないケースには，0.5gずつ増量するようにして，口や舌の痺れ，動悸，のぼせなどが出現したら，それ以上は増量しないようにする。

附子を徐々に増量していると，3カ月くらいしてようやく症状が改善してくるというケースも稀にある。一般に，冷えが強い陰証の病態では，漢方薬の作用発現に時間がかかるものである。

2. コウジン末の追加について

生薬の人参には修治方法によっていくつかの種類があるが，オタネニンジンの根の外皮を剥いで乾燥した「白参」と，外皮を剥がずに圧力釜で蒸してから乾燥した「紅参」が代表的なものである。これらのうち，漢方エキス製剤には白参が使われることが多いが，コウジン末の原材料はもちろん紅参である。

白参と紅参では，含有成分に違いがあることがわかっているので，構成生薬に人参を含む方剤（六君子湯や補中益気湯など）にコウジン末を追加することにも意味がある。また，真武湯のように人参を含まない方剤にコウジン末を追加すれば，補脾益気の効果を増強することができる。

保険診療において，コウジン末と先ほどのブシ末は，他の医療用漢方エキス製剤と一緒でなければ処方できないという制限があることを知っておく必要がある。後述の生薬末（ボレイ末・オウギ末・ダイオウ末）に関しては，そのような制限はない。

3. ボレイ末の追加について

ブシ末とコウジン末については漢方エキスメーカーの製剤があるが，ボレイ末については生薬メーカーの製剤しかない。だが，ボレイ末は臨床的に非常に有用であり，調剤薬局と協力して使用できる環境を整えることをお勧めする（次に紹介するオウギ末も同様である）。

生薬の牡蛎（ぼれい）には精神を安定させる作用があり，桂枝加竜骨牡蛎湯（けいしかりゅうこつぼれいとう）・柴胡加竜骨牡蛎湯（さいこかりゅうこつぼれいとう）・柴胡桂枝乾姜湯（さいこけいしかんきょうとう）・安中散（あんちゅうさん）の構成生薬として使われている。これらの方剤にボレイ末を追加すると，それぞれの効果を増強することができる。

また，ある症状がいつまで経っても良くならないとき，そしてその症状の原因も対処方法もよくわからないとき，そのことに対して患者は不安や恐怖を感じるものである。そのような患者にボレイ末を追加すると，なかなか良くならなかった症状が劇的に改善することがある。

ボレイ末の服用方法はブシ末やコウジン末と同じであり，常用量は1日3g程度である。

4. オウギ末の追加について

近年，慢性腎機能障害で血清クレアチニン値が軽度上昇しているようなケースには，黄耆（おうぎ）を含む方剤（補中益気湯（ほちゅうえっきとう）や七物降下湯（しちもつこうかとう）など）を使うと良いとされているが，それだけでは効果が不十分なことがある。そのような時に，オウギ末を1日3～5g程度追加するようにしている。

軽度腎機能障害に対する黄耆（おうぎ）の効果については，臨床的に多くの報告があり，私もそれを実感している。血清クレアチニン値が1.3mg/dL以下であれば，正常範囲内まで改善することも稀ではない。

黄耆（おうぎ）は補気薬であるが，この場合はあまり漢方医学的な病態に拘泥せず，病名治療的に追加投与しても許されるのではないかと考えている。

5. ダイオウ末の追加について

便秘に対して大黄（だいおう）を含有する漢方薬を処方する場合，最初から常用量を投与することは稀で，1日量の1/3あるいは1/2から開始することが多い。したがって，その効果が不十分な場合には，同じ方剤を増量することで対処することが可能であり，ダイオウ末を追加で使うことはあまりない。

また，常用量まで増量しても効果がない場合，さらにダイオウ末を追加するよりは，その患者の病態を検討し直して，処方を変更することを考えたほうがよい。建中湯（けんちゅうとう）類に変更して便通が良くなることもある。

ダイオウ末を追加で使う場面としては，たとえば生理前だけ便秘が悪化するようなケースで，その時期に合わせてダイオウ末を追加するといった使い方が考えられる。

4 効果が不十分な時には

たとえば，頭痛に対して漢方薬で治療している場合に，頭痛の程度や鎮痛剤の使用回数は減ったが，その効果がまだ不十分でなんとかしたいと思うことがある。また，頭痛だけでなく，めまいや冷え，食欲不振，下痢などの症状もあって漢方治療を始めたところ，頭痛とめまいは良くなったが，冷えや食欲不振，下痢が続いているといったこともある。

このように，処方した漢方薬の効果が不十分な時には，どのように考えて，どのように対処すればよいのであろうか。

1. 他の方剤を追加する

たとえ効果が不十分であったとしても，処方した漢方薬はある程度効いているわけだから，その効果を増強するような手だてを考えればよい。

同じ方剤を増量するというのが最も簡単な手段である。しかし，医療用漢方エキス製剤の場合，保険診療では特別な理由がない限り常用量を超えて処方できないので，最初に常用量で処方している場合には，それ以上増量することが難しい。

そこで，前述のようにブシ末やコウジン末などを追加するというのもひとつの方法である。ここでは，それ以外の方剤を追加する際の考え方と，その方法について解説する。

たとえば発作性の頭痛に対して呉茱萸湯(ごしゅゆとう)の効果が不十分であったケースを想定してみてほしい。鎮痛剤の回数は半分くらいに減ったが，もっと減らしたいような場合である。

このとき，「呉茱萸湯(ごしゅゆとう)では改善しきれなかった病態は何か？」という質問を自分にしてみるとよい。その答えが水滞であれば五苓散(ごれいさん)・苓桂朮甘湯(りょうけいじゅつかんとう)・真武湯(しんぶとう)のような利水剤を追加し，瘀血であれば桂枝茯苓丸(けいしぶくりょうがん)・加味逍遙散(かみしょうようさん)・当帰芍薬散(とうきしゃくやくさん)のような駆瘀血剤を追加し，また，気鬱の病態であれば柴胡(さいこ)剤の中から適当な方剤を選択して追加してみるのである。

2. 類似の方剤に変更する

たとえば雨の前の頭痛とめまいに対しては五苓散(ごれいさん)で効果があったが，冷えや食欲不振，下痢などの症状が残ってしまったケースを想定してみてほしい。このとき，利水作用と補気作用を併せもっている半夏白朮天麻湯(はんげびゃくじゅつてんまとう)に変更すれば，頭痛やめまいだけでなく，冷えや食欲不振，下痢などもすべて良くなることがある。

このように漢方薬で治療する時には，できるだけ単一の方剤で複数の症状を同時に改善するように心がけるとよい。五苓散(ごれいさん)よりも半夏白朮天麻湯(はんげびゃくじゅつてんまとう)のほうがより多くの病態を改善する作用を有しているため，このようなケースに最初から半夏白朮天麻湯(はんげびゃくじゅつてんまとう)を選択することもできる。

ただし，利水作用に関しては半夏白朮天麻湯(はんげびゃくじゅつてんまとう)よりも五苓散(ごれいさん)のほうが強力であるため，最初から半夏白朮天麻湯(はんげびゃくじゅつてんまとう)を処方した場合に，頭痛とめまいに対して五苓散(ごれいさん)と同じように高い効果が得られたかどうかわからない。最初は，訴えの強い頭痛とめまいに的を絞って，五苓散(ごれいさん)で治療するというアプローチは間違っているわけではない。

5 症状が再燃した時には

漢方治療によって一度は良くなった症状が，再燃してくることがある。その原因と対策を，大きく4つの可能性に分けて考えてみたい。

1. 漢方薬の効果が減弱した

長期服用によって薬効が減弱する生薬はあまりなく，問題になるのは大黄（だいおう）くらいである。たとえば，便秘に対して大黄（だいおう）を含有する方剤を処方して，最初は便通が良くなっていたが，途中でまた便秘が再燃してくることがある。

この場合は，方剤の1日量を増やしたり，ダイオウ末を追加したり，瀉下作用の強い方剤に変更したりすることで対応できる。

ただし，大黄（だいおう）の使用量を安易に増やしても，根本的な解決にはならない。問題を先送りしているだけであり，さらなる増量を余儀なくされることも多い。したがって，大黄（だいおう）以外の生薬にも目を向けて，瀉下作用とは異なるメカニズムで便通が改善するように工夫する必要がある。

先に述べたように，建中湯（けんちゅうとう）類に変更して便通が良くなることもある。具体的には，大建中湯（だいけんちゅうとう），小建中湯（しょうけんちゅうとう），当帰建中湯（とうきけんちゅうとう）などは，大黄（だいおう）含有方剤のような速効性はもちろんないが，腸管本来のはたらきを回復させるようなイメージで気長に服用してもらうようにすると，下剤の使用量を減らせることが多い。

2. 漢方薬を飲み忘れていた

漢方治療によって症状が良くなると，それまでは処方通りに忘れず服用していた漢方薬を，うっかり飲み忘れるようになる。飲み忘れても症状が悪化しないのであれば，後で詳しく述べるように，それは減量の時期に来ていることを教えてくれているので問題にはならないが，それによって症状が悪化する場合は問題である。

このとき，患者が飲み忘れていることを正直に報告してくれれば，対処方法は簡単である。「やはりまだ，きちんと飲まないと悪くなるようですね」と言って，自覚を促せばよい。本当に問題になるのは，患者が正直に報告しない場合である。処方した側は，「漢方をきちんと飲んでいるのに，症状が悪化した」と思い込んでしまって，適切な対処ができなくなってしまう。

したがって患者には普段から，「漢方薬を飲み忘れて残ってしまったら，その分だけ減らして処方しますね」と言って，飲み忘れがどれだけあるのかを報告するように教育しておく必要がある。このとき，飲み忘れたことを叱って，患者を怖がらせてはいけない。大切なことは，患者の服薬状況を正確に把握しておくことであり，怖がって正直に報告しないという事態を招かないことである。

3. 外部の環境が変化した

天候などの外部環境が変化したために症状が悪化することがある。たとえば，冷えに対して附子（ぶし）を含有する方剤を春に処方して，夏には良くなっていたが，秋から冬になってまた再燃してくることがある。この場合もまた，方剤の1日量を増やしたり，ブシ末を追加したり，温熱作用の強い方剤に変更したりすることで対応できる。

患者によっては，冬よりもむしろ夏のほうが寒い環境に晒されていることがある。冷え症の女性が，暑がりの男性ばかりの職場で働いていると，エアコンの設定温度が極度に低かったりして，夏でもカイロを貼っているといった話を聞く。そういうケースでは，冷えが悪化する夏場にブシ末を増量することになる。

補剤を使って元気になっていた患者が，夏の暑さに負けて，疲労・倦怠感が再燃することもある。このような場合には，それまで服用していた方剤を夏の間だけ清暑益気湯（せいしょえっきとう）に変更することもあるが，服薬中の方剤を変更せずに，コウジン末を一時的に追加することで対処できることも多い。

気温の変化以外にも，気圧や湿度の変化によって，頭痛やめまいが再燃することも多い。これは，水滞によるものであるから，一時的に利水剤を追加することで対処できる。

季節の変わり目に自律神経の働きが不安定になり，そのために症状が再燃することもある。その場合は，気・血・水の巡りを改善するような方剤を一時的に併用することを考えるとよい。

職場環境や家庭環境の変化もまた，症状を悪化させる要因として重要であるが，これについては次のストレスの項目で考えることにする。

4. ストレスがあった

心理社会的なストレスによって悪影響を受ける症状は多種多彩であり，その影響を受けない症状のほうが稀である。したがって，症状が再燃した際には，ストレスの可能性を必ず念頭におきながら，日常の生活で何か変わったことがなかったか聴取する必要がある。

仕事をしているのであれば，職場環境の変化について具体的に話してもらうようにする。部署が変わって新しい仕事に馴れないとか，上司や部下や同僚の移動で職場の人間関係が悪くなったとか，繁忙期で残業が増えたとか，いろいろな可能性がある。

家庭環境の変化で多いのは，子どもの受験である。子どもの年齢は早い段階で把握しておき，小学6年，中学3年，高校3年の子どもがいる場合は，「受験で大変ではないですか」と質問してみるとよい。春休みや夏休みの時期になると症状が悪化するケースでは，子どもが家にいることがストレスになっていることがある。

他には，子どもが孫を連れて帰省してきたとか，親の介護が必要になったとか，リフォームで職人が作業しているとか，隣の工事がうるさいとか，町内会の役員になったとか，今までの平穏な生活が乱されるようなことがあると，誰でもストレスを感じるものである。

こういう話を傾聴するだけでも患者の気持ちは楽になるが，さらに心身全体の不調を総合的に診断し，その病態に合った漢方薬を処方するのがプライマリケアの漢方である。**3-5**の「ストレス病態に対する漢方治療」（**273頁**）で学んだことをぜひ活かして頂きたい。

コラム ストレスで痛みが再燃した2症例

[症例1] 60歳代後半の女性が，腰と膝が痛いということで来院した。整形外科では，変形性腰椎症・変形性膝関節症と診断されている。

漢方医学的には瘀血と血虚の病態が強かったため，疎経活血湯エキスを1日3回で処方したところ，1カ月後には日常生活に支障がない程度まで痛みが改善し，その後1年以上，状態は安定していた。しかし，ある年の6月に腰痛が悪化し，寝ていても痛くて辛い状態になってしまった。

腰痛が再燃した原因を確かめるために，いろいろと話を聞いたところ，漢方薬はきちんと服用しており，天候の影響も特にないということであった。ただ，その年の4月から5月にかけて仕事が非常に忙しく，それが大変ストレスになっていた。

そこで，抑肝散加陳皮半夏エキスを寝る前に1回追加したところ，腰痛は軽減し，夜もよく眠れるようになった。仕事も通常の忙しさに戻ったこともあって，2カ月後には抑肝散加陳皮半夏エキスを中止しても大丈夫になった。

[症例2] 60歳代前半の女性が，左の肩から上腕が痛いということで来院した。

症例1と同様に疎経活血湯エキスを1日3回で処方したところ，5週間後には痛みが半分以下に軽減し，経過は順調であるかに見えた。しかし，その5週間後には痛みが再燃し，夜間に痛みで目が覚めるようになった。

話を詳しく聞いてみると，要介護状態の兄が近所にいて，朝も晩も，電話で安否を確認しているのがストレスになっているということであった。

そこで，加味帰脾湯エキスを寝る前に1回追加したところ，4週間で痛みが軽減し，夜間に痛みで目覚めることもなくなった。

6 新たな症状が出現した時には

漢方薬を服用して当初の症状が良くなってくると，「実は，○○という症状もあって困っているのです」と告白される場合がある。漢方に対する信頼と期待がアップしてきた証拠であり，喜ばしいことである。

また，漢方薬を服用中に，当初の症状とはまったく関係のないハプニングに見舞われて，新たな症状が出現する場合もある。怪我や事故，脳血管障害，悪性腫瘍の発見など，その原因は多彩である。

このような場合，今まで服用中の漢方薬はどうするのか，新たな症状に対する治療はどうするのか，具体的に考えてみたい。

1．服用中の漢方薬をどうするのか

原則として，処方する漢方薬の種類は少ないほうが良い(多くとも3種類以内にする)。したがって，当初の症状が良くなっているのであれば，服用中の漢方薬は終了して，新たに出現してきた症状に対して別の漢方薬を開始するようにすべきである。それで上手くいけば，それがベストである。

しかし，服用中の漢方薬を終了することに抵抗する患者が，「今の漢方を飲んでいないと，また調子が悪くなってしまうので中止しないで下さい」と懇願してくることがある。このような患者の場合，新たな症状が出現するたびに，漢方薬の種類を安易に増やしていると，すぐに3種類以上になってしまうので注意する必要がある。

具体的には，「漢方薬は種類が増えるとお互いに作用を打ち消す部分が出てきて，それぞれの効果が悪くなってしまうので，できれば2種類まで，多くとも3種類以内にする必要があります」と説明しておくとよい。それでも納得しない患者には，「保険診療の制限があって，3種類以上は処方できないのです」と言うこともある。

2．一時的な症状に対する治療をどうするのか

新たに出現した症状が一時的なものであれば，服用中の漢方薬を継続

しながら対応することも可能である。

特に，発作的な症状に対して頓服で対応できるような場合は，まったく問題がない。こむら返りや生理痛に対する芍薬甘草湯（しゃくやくかんぞうとう），頭痛発作に対する呉茱萸湯（ごしゅゆとう）や五苓散（ごれいさん）などがその代表的な例である。

また，1週間以内に改善するような症状に対しても，新しい漢方薬をその期間だけ追加で処方すればよい。月経前不快気分障害に対する加味逍遙散（かみしょうようさん），打撲傷に対する治打撲一方（ぢだぼくいっぽう）などがその代表的な例である。

1週間以上続くような症状の場合，少し対応が難しくなってくる。3種類以上にならなければ，その期間だけ併用することが多いが，場合によっては処方を変更して対応することも必要になる。花粉症に対する小青竜湯（しょうせいりゅうとう），夏バテに対する清暑益気湯（せいしょえっきとう）などがその代表的な例である。

3. 急性の感染症に対する治療をどうするのか

原則として，風邪や膀胱炎などの急性感染症に罹患した場合，それまで服用していた漢方薬は中断して，急性期の症状に対する漢方治療を優先させることになる。感染症が治ってから，従来の漢方薬を再開するわけである。

急性期を過ぎてからの症状に対して漢方治療を実施する場合は，服用中の漢方薬をそのまま継続してもよいことが多い。風邪が長びいて咳や痰が続いているケースや，膀胱炎が治ってからも頻尿や違和感が続いているケースなどがその代表的な例である。

繰り返しになるが，漢方薬の種類は多くなればなるほど，それぞれの方剤が持っている効果は弱くなってしまうということと，種類によってはお互いの効果を打ち消しあってしまうということを念頭におきながら対処することが重要である。

4. 漢方薬を変更する際の注意点

最初に述べたように，新たに出現した症状が持続的なものであれば，これまで服用中の方剤をできるだけ終了して，新しい方剤を開始することになるが，その場合に注意すべきことがある。

step
4

それは，漢方薬を変更後の変化として，従来の方剤を中止した影響と，新規の方剤を開始した影響が同時に現れるということである。したがって，症状が改善すればそれで良いが，悪化したときには，両方の影響を考慮しながらその原因を考える必要があり，相当に厄介なことになりかねない。

そのような事態にならないために，2つの対策を紹介しておく。

1つ目は，ウオッシュアウト期間を設けるやり方である。漢方薬を変更した際に，すぐに新規の方剤を開始しないで，1～2週間どちらも服用しない期間を作り，その間に症状が悪化しないことを確認した上で，新規の方剤を開始してもらうようにするのである。ウオッシュアウト期間中に症状が悪化するようなら，従来の方剤を中止した影響であると判定できる。

2つ目は，併用期間を設けるやり方である。従来の方剤と新規の方剤をいきなり切り替えるのではなく，両者を1～2週間ほど併用して，悪化することがないことを確認してから，従来の方剤を中止するのである。併用期間中に症状が悪化するようなら，新規の方剤を追加した影響であると判定できる。

このように漢方薬を変更する際には，症状が改善する可能性よりもむしろ，悪化する可能性に配慮しながら慎重に行うことで，治療の行き詰まりを回避することができる。

7 漢方治療を終了するタイミング

「いつまで漢方を飲み続ける必要があるのですか？」と質問してくる患者がいる。その場合には，「良くなってきたら，お薬を減らして，それでも大丈夫であれば，止めることもできますよ」と答えるようにしている。

そこで，漢方薬を減量・終了する時期について，本項の最後に考えてみたい。

1. 漢方薬を減量する時期

一般的な傾向として，症状が改善し，調子が良くなってくると，漢方薬を飲み忘れてしまう。1日3回服用の処方であっても，お昼に飲み忘れて，1日2回しか服用していなかったりする。そうすると，「薬が余っているので処方日数をその分だけ減らして欲しい」と正直に言ってくれる（前述の教育効果である）。

このように薬を飲み忘れても症状が安定しているのであれば，1日3回から2回に服用回数を減らしてもまったく問題はない。もともと2回しか服用していないわけであるから，患者自身が既に減量していたということになり，こちらの処方をそれに合わせただけのことである。

そうは言っても，このように服用回数を減らして処方することには大きな意味がある。なぜなら，患者が飲み忘れによる罪悪感から解放されるからである。処方通りに薬を飲めていないことに対して，患者は少なからず罪悪感を抱いているものである。したがって，患者が薬を飲み忘れるようになってきたときが，減量を考える最も良いタイミングである。

2. 飲み忘れない患者の場合

もちろん，症状が改善し，調子が良くなっても，処方された通りに漢方薬を服用する真面目な患者も多い。そのような患者に対しては，漫然と同じ処方を続けることになりがちである。

高血圧や高コレステロール血症に対する西洋薬であれば，減量あるいは中止すると元の数値に戻ってしまうので，ずっと同じ処方を続ける必要があるが，漢方薬はそれらとは違う。体質的な部分から根本的に改善するので，調子が良くなれば減量・中止できるのである。

そこで，体質的な部分まで本当に改善しているかどうかを見きわめる必要がある。たとえば，冷えの症状が軽快したケースにおいて，冷えの体質まで改善しているかどうかを判定する場合，少なくとも1年間を通して冷えの症状に悪化がなければ，体質的な部分まで改善している可能性が高いので，減量を試みる時期に来ていると考えてよい。

冷えだけでなく，疲労や頭痛もまた，同じように1年間を通して症状に悪化がなければ，体質的な部分まで改善している可能性が高い。「未病3大症状」に注目するアプローチを最初に紹介したが，ここまでくれば漢方治療の最終ゴールも目の前である。

3. 漢方治療を終了する時期

漢方治療の目的あるいは最終ゴールをどこに設定するかについては，様々な見解がある。病状が改善されれば速やかに治療を終了すべきとする考え方もあるが，私は患者の健康を目的にしているので，基本的には患者が希望する限り治療を継続するというスタンスである。

そのためか，自覚症状が改善していても，全体の調子を維持するために漢方治療の継続を希望する患者が多い。「漢方薬を服用していたほうが調子が良い」という実感を持っているので，続けているわけである。そのような患者に対しては，維持療法ということで，比較的少量の漢方薬を継続するようにしている。

したがって，私のほうから漢方治療を終了するように提案することは稀である。患者の側から，「もうすっかり良くなったので，漢方薬を飲まないで様子をみたい」と言われれば，「それでは卒業ですね。おめでとうございます」と言って終了することになる。あるいは，漢方薬を飲まなくても大丈夫ということで，患者自身の判断で通院を終了するケースも少なくない。

プライマリケアの漢方治療はここで終了するわけだが，患者は必ず歳を取る。加齢に伴って心身の不調が出現すれば，そのときはまた漢方治療の良い適応になることを知っているだけで，救われる場面も少なくない。再び悪くなった患者との再会を望むわけではないが，必要なときにはいつでも早めに来院してもらえるような関係を残しておけるのが，プライマリケアの良いところである。

3 養生支援のヒント

1 未病治療と養生の重要性

プライマリケア漢方において，「未病」に対する漢方治療と養生支援は，ただ単に病気の発症を予防するという意味だけでなく，病気を効果的に治療するという意味においても，非常に重要な位置を占めている。

未病に対する漢方治療については，実践的なヒントを既に紹介したので，本項では未病に対する「養生支援のヒント」を紹介することにするが，その前に未病の基本的な考え方を整理しておく。

1．発病する前の状態としての未病

未病という言葉は，中国古代（約2000年前）に成立したと伝えられる医書『黄帝内経（素問・霊枢）』が初出である。『素問』四気調神大論篇には，「是れ故に，聖人は已病を治さずして，未病を治し，已乱に治めずして，未乱に治む」（意訳：聖人は既に病気ができあがってから治療するのではなく，病に至らない間に治療を行い，病を起こさせない）とある。また，『霊枢』逆順篇には，「上工は未病を治して，已病を治さず」（意訳：優れた医療者は，已病ではなく未病を治療する）とある。

ここで言及されている未病は，まだ病気になる前の状態であり，これから病気へと向かう状態であり，病気になりやすい不健康な状態である。「上工は未病を治す」という言葉は，未病という不健康な状態を治療することによって病気を予防することの重要性を教えている。

2．病気を予防するための養生

病気にならないように予防するための養生については，江戸時代の貝原益軒が著した『養生訓』の中にその要点が次のように述べられている。

「養生の道，多くいふ事を用ひず。只飲食をすくなくし，病をたすくる物をくらはず，色慾をつつしみ，精気をおしみ，怒・哀・憂・思を過さず。心を平にして気を和らげ，言をすくなくして無用の事をはぶき，風・寒・暑・湿の外邪をふせぎ，又時々身をうごかし，歩行し，時ならずしてねぶり臥す事なく，食気をめぐらすべし。是養生の要なり」

step 4

ただし，貝原益軒が養生を勧めているのは病気にならないようにすることだけが目的ではない。病気がなければ人生を快く楽しむことができ，長生きすれば人生を久しく楽しむことができる。このように楽しみを失わないことが養生の目的であると考えていたのである。

3. 病人の中の部分としての未病

未病を時間的にとらえると，健康な状態と病気の状態の間に，未病の状態が存在することになるが，未病というものを，時間的にではなく，空間的にとらえる考え方も存在する。たとえば，『金匱要略（きんきようりゃく）』には，「夫れ未病を治す者は，肝の病を見て，肝は脾に伝うるを知りて，当に先ず脾を実すべし」という条文がある。既に病気になってからであっても，病気の部分（肝）ではなく，未病の部分（脾）を治療することの重要性を教えているのである。

漢方医学は，病気の部分を直接的に治療するよりも，未病の部分を治療することによって患者が自らもっている治癒力を引き出すほうが優れたアプローチであると考えている。未病の部分が存在すると治癒力が低下して，病気が治りにくい状態を呈する。そこで，未病の部分を治療することによって，病気が治りやすい状態にもっていくわけである。

4. 未病治療に不可欠な養生の実践

発病前であれば未病の状態を治療することで，病気になりにくい状態にすることができるし，発病後であれば未病の部分を治療することで，病気が治りやすい状態にすることができる。どちらの未病治療においても，患者自身が積極的に養生に取り組む姿勢が欠かせない。

患者は，症状を良くしてもらうこと，病気を治してもらうことに意識が集中しているため，自分にも何かできることがあるということに意識が向かないものである。したがって，漢方治療の早い段階で，「未病治療の目的は不健康な状態や不健康な部分を健康に近づけることであり，そのためには漢方薬による治療だけでなく，患者自身の養生実践が必要不可欠である」ということを患者に伝えておくとよい。

2 冷えに対する養生支援

冷えは，それ自体が辛い症状であり，冷えを主訴に漢方治療を希望して来院する患者がいるほどである。また，「冷えは万病の元」と言われるように，病気になる前の未病の状態として，冷えは最も問題となる症状のひとつである。さらに，痛みを伴うような炎症性疾患において，冷えを訴える患者は陰証の病態を呈することが多く，現代西洋医学的にも難治となりやすい。

このように，冷えを自覚する患者は病気になりやすく，病気が治りにくいため，冷えを温めるような生薬（当帰・乾姜・附子・麻黄など）を含む方剤を使って治療すると同時に，冷えに対する養生を積極的にサポートすることが必要になる。

1．当帰が適応になる患者の養生

手足の先が冷えるような，いわゆる冷え症に対する漢方治療において，末梢の血液循環を促進しながら身体を温める当帰の入った方剤（当帰四逆加呉茱萸生姜湯・当帰芍薬散・当帰建中湯など）が適応になる。

このタイプの患者に対しては，血流を良くすることを重視しながら，具体的な養生法を選択するようにアドバイスするとよい。血流を良くするためには，手足の筋肉を動かすような運動が効果的であることは誰でも理解できるはずである。

いわゆる冷え症の人は一般に運動が苦手であるが，冷えを改善するためには運動が最も効果的な養生法であることを理解すれば，何か自分にできることを工夫して取り組んでくれるようになるものである。

2. 乾姜が適応になる患者の養生

お腹が冷えて，食欲不振や下痢，便秘といった消化器症状を伴う冷え症には，消化器官の働きを賦活しながら内臓を温める乾姜の入った方剤（人参湯・大建中湯・半夏白朮天麻湯など）が適応になる。

このタイプの患者は，冷たい飲食物がお腹に良くないことを体験的に理解していることが多いが，念のために，夏でも氷の入った飲み物やアイス食品などは控えて，常温のものを摂取するようにアドバイスしておく必要がある。

その上で，お腹を積極的に温めるような食養生を勧めることになる。最も手軽にできることは，ショウガをできるだけ料理に使うことであるが，具体的な食養生のアドバイスをするよりも，身体を温める食材と冷やす食材について，自分で調べて工夫してみるように伝えたほうがよい。

3. 附子が適応になる患者の養生

新陳代謝が全般的に低下して，冷やすと痛みが悪化するような患者には，新陳代謝を賦活しながら冷えによる痛みを改善する附子の入った方剤（桂枝加朮附湯・八味地黄丸・大防風湯など）が適応になる。

このタイプの患者には，風呂好きが多いので，38～40℃程度のぬるま湯で20分程度の半身浴をしてみるようにアドバイスすると喜んで実践してもらえる可能性が高い。

だが，もっと効果的な養生法があって，それは温冷浴である。温水浴と冷水浴を交互に繰り返す方法であるが，冷水浴のかわりに冷水シャワーで代用できる。風呂上がりに手足の先に冷水シャワーをかけるところから始めて，徐々に慣らしていくとよい。

4. 麻黄が適応になる患者の養生

冷たい風に当たったり，風邪をひいたりすると，すぐに水様の鼻汁が出るような患者には，体表面の冷えを温める麻黄の入った方剤（小青竜湯・麻黄附子細辛湯など）が適応になる。

このタイプの患者には，皮膚の防衛機能を高める乾布摩擦のような養生法が効果的である。乾布摩擦と聞くと，冬に屋外で上半身裸になって，乾いた布でゴシゴシと擦るといったイメージだが，実は，薄手の服を着たまま柔らかいタオルで優しく擦るだけでよいということがわかってきた。また，上述の冷水シャワーにも同じような効果を期待できる。乾布摩擦や冷水シャワーは，アレルギー体質の改善にも効果がある。特に，花粉症や気管支喘息でくしゃみ，鼻水が出るタイプにお勧めである。

5. インターネットの情報を賢く活用する

インターネットで検索すれば，冷えに対する健康法や養生法がいくらでも出てくるので，何を選べばよいのか迷ってしまうほどである。選択肢がたくさんありすぎると，結局，何も選ばずに終わってしまうこともある。また，何かを選んだとしても長続きせず，他の方法を試してみたくなる。

そこで，自分の冷えがどのようなタイプで，自分のタイプに合った養生法にはどのようなものがあるのかをあらかじめ知っておくことが必要になる。前述のように，冷えを4つのタイプに分けて，適応となる養生法の概略さえわかっていれば，その養生法についてさらに詳しく検索することによって，自分に合った具体的な実践方法を見つけ出すことは比較的容易である。

3 気虚・血虚・腎虚に対する養生支援

慢性的な疲労・倦怠感で悩んでいる患者の中で，ストレスの影響がみられないケースに対しては，気虚・血虚・腎虚に対する漢方治療が良い適応になる。漢方薬を服用するだけで症状が良くなることも多いが，それぞれの病態に合った養生法と組み合わせることによって，相乗効果を期待できる。さらに，生活スタイルの改善によって漢方治療を必要としない状態にまで持っていくことが可能になる。

step
4

1. 気虚を改善するための養生

エネルギーが不足した気虚の病態では，できるだけ栄養のあるものを食べたほうが良いように思われるかもしれないが，実はそうではない。気虚のある人は胃腸が弱っているので，栄養価の高いものよりもむしろ，胃腸に負担をかけないものを食べるようにする必要がある。そこで，胃腸をいたわる3つのポイントを**表1**に示した。

また，気虚の病態を呈する患者の多くが，冷えの病態を伴っている。そのような患者には，前述の「冷えに対する養生支援」がそのまま当てはまるが，特に「乾姜(かんきょう)・附子(ぶし)・麻黄(まおう)が適応になる患者の養生」を参考にしながら支援するとよい。(「当帰(とうき)が適応になる患者の養生」は，気虚ではなく，血虚の患者に当てはまる養生である)

さらに，気虚の患者は，血虚の病態を伴うことが多いという特徴がある。そのような気血両虚の病態を改善するためには，ここで述べた養生と，次に述べる「血虚を改善するための養生」の両方を心がける必要がある。

表1　胃腸をいたわる3つのポイント

3つのポイント	具体的な内容
和食を選ぶ	穀物，大豆，発酵食品，魚，海藻など，季節のものや日本で採れるもの，地産地消できるものを摂ることで，胃腸への負担が少なくなる。漢方的にお勧めの食材は，ヤマイモ（山芋）である。「山薬（さんやく）」という名前で，生薬として使われており，胃腸が虚弱な人でも消化しやすく，栄養豊富で元気をつける効果がある
良く噛んで食べる	咀嚼することで食べ物に唾液が混ざり，胃腸の負担を軽くするので，消化酵素やエネルギーを無駄に使わずにすむ。私は，「ありがとうございます30回咀嚼」を胃腸が弱い患者に勧めている。「あ・り・が・と・う・ご・ざ・い・ま・す」と1文字ごとに1回噛み，それを3回唱えれば，あっという間に30回咀嚼することができる
冷たいものではなく，温かいものを食べる	0℃近くまで冷えたものを食べたり飲んだりすると，胃の中の温度は急激に低下し，再び37℃まで温めるために大量のエネルギーを消費する。胃の中が冷えたままだと，消化酵素の働きが落ち，消化管全体の機能低下にもつながるので，できるだけ温かいもの，もしくは常温のものを身体に入れるように心がける必要がある

2. 血虚を改善するための養生

血虚のある人は，栄養豊富な血液を全身の細胞に供給して，身体をつくる働きが低下しているので，食べ物の質に気をつけるとよい。食べ物の質としては，できるだけ栄養のあるものをバランスよく食べることが推奨されている。具体的には，五大栄養素，すなわち炭水化物（糖質），脂質，タンパク質，ビタミン，ミネラルのうち，どの栄養素が豊富に含まれているのかによって食品を分類し，偏りのない献立を心がけるようにする。

人体の構造は大部分が蛋白質でできているので，血虚を改善するためには，特に蛋白質を多く含む食品が不足しないように気をつける必要がある。その際，肉や魚などの動物性蛋白質に偏ることなく，豆類や大豆の発酵食品などから植物性蛋白質も摂るようにするとよい。

また，栄養素を代謝する肝臓の活動には，酵素やビタミン，ミネラルの存在が欠かせない。肝臓における代謝を考えたときには，消化酵素をたくさん消費する肉類のような食品は好ましくない。逆に，酵素を多く含む発酵食品やローフードがお勧めである。ビタミンやミネラルが豊富に含まれている食品としては，野菜と果物を摂るようにするとよいが，最近の野菜や果物は栄養価が昔に比べて著しく低下していることが問題になっている。できるだけ化学肥料や農薬を使っていない良質なものを選ぶようにする。

3. 腎虚を改善するための養生

若さを維持する「腎」の働きに深く関与している抗利尿ホルモンと成長ホルモン（**330頁コラム**「抗利尿ホルモン・成長ホルモンと腎虚」参照）は，いずれも睡眠の質が良くないと分泌量が減ってしまう。したがって，腎虚を改善するための養生として一番大切なことは，質の良い睡眠を確保することである。

睡眠の質を良くするための方法はいろいろあるが，何より大切なのは「1日24時間の生活のリズムを整えること」である。朝起きる時間，食

step 4

事をする時間，寝る時間を決めて，毎日規則正しい生活をすることで，体内時計が正常に動き出す。さらに，朝起きたら太陽の光を浴びることと，日中は適度な運動をして，なるべく身体を動かすようにすることで，自然な眠りを取り戻すことができる。

加齢に伴う腎虚の病態を，現代医学的にはフレイルやサルコペニアと呼んで警鐘を鳴らしている。そこで推奨されているのがバランス能力の低下を防ぐ「片脚立ち」と，下半身の筋力低下を防ぐ「スクワット」である[1)]。転倒による骨折を防止するために，これら2種類の運動を日常生活に取り入れるとよい。

【文献】

1）日本整形外科学会 ロコモティブシンドローム予防啓発公式サイト：ロコトレ．〔https://locomo-joa.jp/check/locotre〕

コラム 抗利尿ホルモン・成長ホルモンと腎虚

綺麗な水（津液）を全身の細胞に供給する腎臓の活動は，抗利尿ホルモンの分泌によってコントロールされている。このホルモンは，腎臓における水の再吸収を促進して，尿量を減らす方向に作用するが，寝ている間に分泌が増加するという特徴がある。だが，腎虚の病態では，抗利尿ホルモンの夜間分泌量が減少し，結果的に夜間の尿量が増えると同時に，全身の細胞に供給される水の量は減ってしまうのである。

細胞の分裂・増殖を活性化する成長ホルモンの分泌もまた，睡眠中に増加するという特徴がある。「寝る子は育つ」という言葉の通り，子どもは寝ている間に成長するのだが，大人になっても睡眠中に分泌される成長ホルモンの刺激によって新しい細胞が誕生し，古くなった細胞と入れ替わることで若々しさを維持している。しかし，腎虚の病態では，夜間分泌される成長ホルモンの量が減少し，結果的に古い細胞が入れ替わることなく，身体組織はどんどん老朽化してしまうのである。

4 気鬱・気逆に対する養生支援

慢性疲労と同時に多彩な身体症状や精神症状を訴える患者に対しては，前述の気虚・血虚・腎虚よりもむしろ，気鬱の病態に対する漢方治療が良い適応になる。また，動悸や頭痛，不安，興奮のように，多彩な身体症状や精神症状が発作的に出現するようなケースでは，気鬱ではなく，気逆の病態を考慮した漢方治療が必要になる。

いずれにしても，適切な漢方薬によって治療するだけでなく，心理・社会的なストレスを緩和するような養生法を取り入れることで，病状の改善がより確かなものとなる。

1．憂慮過多タイプの気鬱を改善するための養生

気鬱の病態は，比較的長期化したストレスに対する抵抗反応として形成されることが多く，**3-4（270頁）**で述べたように憂慮過多タイプの気鬱と緊張過多タイプの気鬱に大きく分けることができる。両タイプで適応となる方剤がまったく違うように，適応となる養生法にも違いがある。

憂慮過多タイプの気鬱では，ストレスを与えた相手よりも，ストレスを受けて傷ついた自分に関心を向ける傾向が強く，憂いや悲しみの感情，憂うつな気分が主になる。したがって，自分の気持ちを誰かに聞いてもらい，理解してもらうことが最善のストレス解消法になる。しかし，訴えが執拗で，かつ心気症的なところがあるため，同じような話を繰り返し聞かされる側は，嫌になって逃げていってしまうことが多い。

そこでお勧めなのが，自分の気持ちや辛い症状を日記に書くことである。何となく考えていることや，思っていることを紙に書き出すためには，頭の中をそれなりに整理する必要があり，主観的な気持ちを客観視することにつながる。こうして，自分の気持ちを第三者の視点で見ることができれば，それだけで気持ちが楽になることもあるし，自分にばかり向いていた関心が周りの人にも向くようになって，考え方が変わってくることもある。

2. 緊張過多タイプの気鬱を改善するための養生

緊張過多タイプの気鬱では，ストレスを与えた相手のほうに強い関心を向ける傾向が強く，怒りや不満の感情，イライラした気分が主になる。したがって，自分の気持ちを相手にぶつけて，やり込めることができればストレスも解消されるのだが，それができないからストレスが長期化しているわけであり，もっと効果的な養生法を考える必要がある。

そこでお勧めなのが，寝る前に感謝できることを3つ書き出すことである。毎日，その日にあった出来事を思い出して，少しでも感謝できることがあったら，それを書き出していく。3つ書き出すことができれば十分である。寝る前に嫌なことを思い出して，そのことに意識をフォーカスするのではなく，感謝できることに意識をフォーカスする習慣をつくることができれば，夜の睡眠にも良い影響を及ぼしてくれる。

3. 気逆を改善するための養生

気逆の病態は，突然のストレスに対する闘争・逃走反応として形成されることが多く，交感神経優位の状態を呈するため，**3-3（237頁）**で述べたように血圧が上がって顔がのぼせたり，脈が速くなって動悸がしたりする。精神的にも，興奮して頭に血がのぼったり，逆に，恐怖と不安で顔が青ざめたりする。したがって，発作的に出現する症状を和らげたり，不安定な心身の状態を安定化したりするような養生法が適応になる。

そこでお勧めなのが，腹式呼吸である。ここでは，腹式呼吸の基本的なやり方を簡単に紹介する。まず下腹に手を当て，鼻から息を吸い，お腹を膨らませ，そして息を口から吐いてお腹を凹ませる。ポイントは長く息を吐くようにすることと，吐く方に意識を集中することであるが，息を吸うときには膨らむお腹を意識するとよい。雑念が湧いてきて，他のことに意識が向いてしまったら，もう一度，呼吸とお腹に意識を戻すようにする。練習すれば，誰でもうまくなる。

心身ともにリラックスするための方法は，森林浴，自然に身を置く，温泉，アロマの香り，音楽，動物とのふれあいなど，他にもたくさんあるので，自分が好きなものを選んで日常の生活に取り入れるとよい。

5 瘀血・水滞に対する養生支援

体内の有害物質や毒素を解毒・排出する健康法として，デトックスという言葉が注目を集めているが，漢方医学的に見ると，瘀血による血毒や，水滞による水毒を改善する養生法ということになる。そこで，瘀血と水滞に分けて，それぞれの病態に対する養生の基本的な考え方と，具体的な方法について紹介する。

1. 瘀血を改善するための養生

瘀血の病態では，全身の細胞から肝臓に戻る血液の流れが滞ると同時に，肝臓で処理しきれない毒が体内にどんどん溜まっていくという問題が発生している。したがって，瘀血を改善するための養生としては，特に表2に示した3つのポイントを意識するようにするとよい。

表2　瘀血を改善する3つのポイント

3つのポイント	具体的な内容
食品添加物，化学薬品，アルコールを控えること	食品添加物や化学薬品のような人工的に作られたものはすべて肝臓で分解・解毒する必要があり，瘀血のある人が摂取すると肝臓の処理能力をオーバーして体内の毒が増えてしまう。食品は，できるだけ自然なもの（有機食品やオーガニック食品）を摂るように心がける。アルコールもまた肝臓にとって毒なので，瘀血がある人は控えたほうがよい
身体を動かすこと	身体を動かすことによって，血の巡りが良くなるので，瘀血のある人は，特に意識して身体を動かすように，何か好きな運動を習慣化するとよい。あれこれ一気にやるのではなく，小さなことをひとつ選び，それを続けていく習慣づくりから始める。たとえば，なるべく階段を使うということでもかまわない
便秘を解消すること	肝臓で解毒された有害物質の一部は，胆汁と一緒に十二指腸に排泄され，最後は便と一緒に体外に排泄される。しかし，便秘になると，停滞した腸管内容物中の毒素が再吸収されて，瘀血の病態が悪化してしまう。そこで，便秘がある人は，便通を良くするための養生に取り組むことが絶対に必要となる。その際に，腸内細菌の状態を良くすることも同時に考えると，より健康的なライフスタイルを構築することができる

表3　水滞を改善する3つのポイント

3つのポイント	具体的な内容
人工塩を控え，適量の天然塩を摂る	純度の高い塩化ナトリウム（人工塩）が多く含まれている味付けの濃い加工食品や外食を控えることで腎臓の負担を軽減することにつながる。天然の塩を適量使って，できるだけ素材を活かす味付けを工夫するとよい
下半身の冷えを温める	冷えと水滞との間には密接な関係があり，相互に悪循環を招いていることも少なくない。その症状は，特に下半身に現れるので，足湯や半身浴で下半身を温めるようにすると，冷えだけでなく，水滞の改善にも効果的である
リンパの流れを良くする	入浴すると水圧によってリンパの流れがそれだけでも改善するが，リンパの流れる方向（末端から身体の中心方向）に軽くマッサージするとさらに効果的である。リンパの流れは，筋肉を動かすことによっても改善されるので，意識して運動する時間をつくることが大切である

2. 水滞を改善するための養生

細胞の活動によって産生される老廃物や有害物質の多くは，腎臓で尿と一緒に排泄されるわけだが，塩分を摂りすぎたり，身体を冷やしたり，リンパの流れが悪かったりすると，水の巡りが悪くなって水滞の病態が悪化する。そこで，水の巡りを良くして水滞を改善するためには，表3に示した3つのポイントに気をつけて養生するとよい。

6　肥満に対する養生支援

「痩せる漢方薬」を患者から希望されることがあるが，もちろん漢方薬を飲んだだけで簡単に痩せるものではない。その患者の病態に合った漢方薬を服用してもらうと同時に，食事や運動などの養生にも取り組んでもらう必要がある。

その際に，肥満患者に対して医療者が「上から目線」で食事療法や運動療法を指導するというアプローチは残念ながらうまくいかない。目の前の患者の体質や病態にあった養生を提案したり，患者自身が主体的に取り組めるように動機づけたりする必要がある。ここでは，そのポイントを4つに分けて紹介する。

1. 実熱タイプと虚寒タイプに分ける

実証あるいは熱証の病態で肥満を呈する実熱タイプの患者は，体内に蓄積した血毒が問題となる。防風通聖散（ぼうふうつうしょうさん）が適応になるような病態であるが，養生としては，体内の毒を解毒しながら便と一緒に排泄するような取り組みが効果的であり，前述の「瘀血を改善するための養生」がそのまま当てはまる。

それに対して，虚証あるいは寒証の病態で肥満を呈する虚寒タイプの患者は，体内に停滞した水毒が問題となる。防已黄耆湯（ぼういおうぎとう）が適応になるような病態であるが，養生としては，身体を温めながら体内の毒を尿や汗と一緒に排泄するような取り組みが効果的であり，前述の「冷えに対する養生支援」と「水滞を改善するための養生」が参考になる。

2. 食習慣の「ずれ」や「くせ」を理解させる

肥満症患者には，特徴的な食習慣の「ずれ」や「くせ」があることが知られている[1)]。たとえば，「満腹でも，好きなものなら別のところに入る」という満腹感覚のずれや，「料理があまるともったいないので食べてしまう」という食行動の悪いくせがあるために，ダイエットとリバウンドの悪循環からなかなか抜け出せないことも多い。

「食行動質問票」[1, 2)]によって，このような食習慣の「ずれ」や「くせ」の実態を数値化して示すことができる。この質問票を使って，患者が自分自身の食習慣のどこにどのような問題があるのかを具体的に知るだけで，多くの気づきを得ることができる。「言われてみれば，確かにそうだ」と患者自身が気づくことが重要なのである。この「ずれ」や「くせ」が，実際の食事場面以外のところにも存在していることを，患者に気づかせ理解させるのである。

【文献】
1) 吉松博信：日内会誌．2011；100(4)：917-927．
2) 富士フイルム富山化学株式会社：あなたの食習慣を知るために．
〔https://pharmaceutical-jp.fujifilm.com/karoyaka/improve/question.html〕

step
4

3. 動機づけ面接の手法を取り入れる

動機づけ面接[1]とは,「変化への動機を強化する協働的な面接スタイル」であると定義されており,患者と医療者の協働作業によって進行するプロセスである。医療者が患者に対して一方向的に情報や指示を与えるような面接スタイルとはまったく異なっており,患者の話によく耳を傾ける姿勢と思いやりの雰囲気の中で始める必要がある。

最終的には,目標に向かって患者の動機と行動を引き出していくわけだが,そのためには患者の不健康な行動や考え方を正したいという医療者の反応(命令・説得・警告・批判など)を我慢して抑える必要がある。まずは,患者をあるがまま認めて受容する態度を示しながら,患者自身が変化に向かって前向きな意識をもつように関わることである。

コラム 動機づけ面接の手法

「変わりたいけど,変われない」という状況に陥っている患者を支援するためには,変化への抵抗を示すような「維持トーク」を減らし,より前向きな「チェンジトーク」を引き出す必要がある。ここでは,動機づけ面接において,そのために使われている手法を3つ紹介する。

①増幅された聞き返し:維持トークをオーバーに聞き返すことによって,患者が自らの言葉をより正しく伝えるように誘導する。たとえば,「今はまだ,日常の生活で問題になるようなことは特にありませんから」というトークに対して,「今はまだ,まったく問題がないということですね」と返したりする。あるいは,単なるオウム返しであっても,相手のことを知りたいという素直な気持ちで聞き返すことができれば,本人の気づきを促すことにつながる。

②矛盾を拡大する:現在の行動と本来の価値との間に存在する矛盾を拡大して見せる。患者が個人的に大切にしている価値に根ざした目標を

患者の心の中では，現状を変えたい欲求と，現状を維持したい欲求との間に葛藤が存在する。それが，顕在意識と潜在意識の間における葛藤であれば，本人は「わかっているけど，できない」という状況に陥ることになる。この葛藤状態から抜け出すための様々な手法が，動機づけ面接には用意されている（**下記コラム**「動機づけ面接の手法」[1]参照）。

【文献】
1）磯村　毅：失敗しない！　動機づけ面接．南山堂，2019．

4. リソースを探す

もっと痩せて健康になるという目標を達成するためには，患者自身の内外にあるリソース（資源）を探し出して，それらを最大限に活用することが必要になる。本人の長所や特技，能力，努力，頑張りなどはリ

明確にした上で，その目標に反するような行動をとっていることを本人が気づくようにする。たとえば，「仕事が忙しくて運動する時間がない。その一方でこのまま運動しないで病気になったら，自分にとって大切な仕事もできなくなってしまう」といった気づきを引き出すのである。その際に，医療者がその矛盾を指摘するのではなく，上述のような聞き返しをしながら，その矛盾に患者が自ら気づくような対話を心がける。

③喚起的な質問：専門科として何かアイデアを提案する場合には，そのアイデアが答えになるような質問をする。たとえば，「野菜を中心に食べる」という提案をするかわりに，「何を中心に食べることにしますか？」と質問する。あるいは，「一駅早く降りて歩く」という提案をするかわりに，「通勤時に運動する工夫をするとしたら？」と質問する。このように，アイデアは本人から引き出すのが基本であるが，どうしても具体的なアイデアが出てこない場合には，最低でも3つ以上のアイデアをまとめて提示し，その中から主体的に選んでもらうようにする。

ソースとしてわかりやすいが，それ以外にも，過去の成功体験や未来への希望，恵まれている環境，協力してくれる家族や仲間なども重要なリソースである。

患者はどうしても「できない理由」に意識を向けてしまうことが多いが，目標を達成するために使えるリソースがあることに目を向けるだけで，意識が前向きに変わってくる。「自分が持っているリソースを使って何かできることはないだろうか？」という質問を自らに問いかけることができれば，そこから実践可能なアイデアが生まれてくるものである。

7 健康意識を高める考え方

一般に，漢方治療を希望する患者は，健康に対する関心が高い傾向にあるが，それは将来の健康に対する不安の裏返しであるかもしれない。もっと健全な形で，健康づくりに対する意識を高めていく必要がある。そこで，健康づくりにおいて特に重要な3つの考え方を紹介する。

1. 健康は大切な資源である

最初に紹介するのは，「健康とは，幸せな人生を創造するための大切な資源である」という考え方についてだが，実は，このように長期的な視点で健康づくりに取り組むことが最も重要なのである。

私たちの脳の古い部分は，目の前の苦痛を避けて快楽を求めるようにプログラムされているが，そのプログラムに従って生きている限り，不健康な行動や生活習慣から抜け出すことは難しい。苦しくて辛い運動は避けて，甘くて美味しいものを求め続けてしまうからである。脳の新しい部分が，古い脳の働きを頑張って抑制しても，そのような我慢は大抵三日坊主で終わってしまう。

健康づくりが難しい理由はここにあるのだが，自分にとって本当に幸せな人生を長期的に展望することができれば，無理に我慢しなくても，行動を自然に変えていくことができる。「自分にとって本当に大切なものは何か？」，「自分を本当に幸せにしてくれるものは何か？」と改めて問い直すことが，健康意識を高めることにつながるのである。

2. 自分の健康は自分でつくる

次に紹介するのは，「自分の健康は自分でつくる」という考え方であるが，このように考えるためには，「現在の自分の状態は，過去に自分が選択してきた行動の結果である」という自己責任論的な考え方を受け入れる必要がある。しかし，病気で苦しんでいる患者にとって，これを受け入れるのは難しいことかもしれない。なぜなら，「今の苦しみがすべて自分の責任である」と認めることになるからである。

ここでもまた，病気ではなく未病や不健康状態に注目する漢方医学の視点が役に立つ。患者に対して，病気になってしまったことの責任を問うのではなく，過去に選択してきた不健康な行動が，未病という不健康な状態をつくりあげてきたことを認めるように促すことができるからである。

このようにして，「過去の不健康な行動が，現在の不健康な状態をつくった」と認めることができれば，「今ここで，より健康的な行動を選択すれば，未来の自分はより健康になれる」と思えるようになる。その結果，主体的かつ自律的に人生を創造することができるようになるのである。

3. 実践の前にヘルスリテラシーを高める

最後に紹介するのは，「実践の前にヘルスリテラシーを高める」という考え方である。ヘルスリテラシーとは，健康に関する情報を収集し，評価し，選択し，活用する能力のことである。健康づくりを実践する前にこの能力を高めておくことができれば，自分に合った有益な健康情報にもとづいて，効果的な健康づくりに取り組み，その成果を手にすることができるようになる。特に，健康情報の評価・選択の段階において，漢方医学にもとづく養生の考え方が非常に役に立つ。

そこで私は，患者と地域住民を対象にした講習会の中で，漢方医学の考え方にもとづいた養生の実際について紹介し，ヘルスリテラシーを高めてもらうための活動をしている。さらに，その内容を書籍[1]や動画[2]でも伝えるようにしているが，その際に，前述の2つの考え方も一緒に紹介しながら，患者の意識と考え方が自然に変化するように心がけている。

【文献】
1）喜多敏明：病気はチャンス 治る力を引き出す漢方．クリエイトブックス，2018．
2）Dr.喜多 公式チャンネル．〔https://www.youtube.com/@Dr-Kita〕

8 養生支援者の心得

本項の最後に，養生を支援する医療者が心得ておくべきことを3つの視点から考えてみたい。

1. 医療者自身が養生を実践する

「医者の不養生」という言葉があるが，不養生で不健康な者が患者の養生を支援することができるであろうか。もちろん，できるはずがない。自分は煙草を吸いながら，患者に禁煙を勧めることはできないし，暴飲暴食をしながら，食養生を勧めることもできない。医療者自身が日々の養生を実践して初めて，患者の養生を支援できるようになるのである。

しかし，いつも忙しく働いている医療者にとって，日々の養生を実践することは容易ではない。「時間がない」，「医療者だって人間だから」といった言い訳がどうしても出てきてしまう。このように，養生を実践すればするほど，できない言い訳を探している自分に気づかされることになる。

確かに，医療者は聖人君子ではない。普通の弱い人間である。しかし，だからこそ，同じように弱い人間である患者に寄り添いながら支援できるのである。上から目線で患者に指導するのではなく，共に養生を実践する同志として接する謙虚さを忘れてはならない。

2. 生命の力を信じる

35億～40億年前に，原始の海の中で生命が誕生し，長い進化のプロセスを経て人類の誕生につながったとされている。その途中で多くの種が，様々な危機的状況を乗り越えることができずに絶滅してしまったが，そのような絶滅の危機を乗り越えることができた種のひとつが，私たち人類である。私たちは，この途方もない生命の力によって，今ここに生かされているわけである。

近年，科学技術の進歩によって，遺伝子を操作する力を人類は手に入れた。生命の力に対する畏敬の念は薄れ，科学の力を信奉するようになってしまった。「生命の力を信じる」といった言葉は，神頼みのようにしか思えないかもしれない。科学技術の進歩だけが，病気を撲滅し，人類に健康と長寿をもたらすのだと信じてしまうのも無理はない。

しかし，科学を生み出したのは私たちの脳であり，そこまで脳を高度に進化させたのは生命の力である。科学技術の進歩もまた，生命の力の現れなのである。生命の神秘を解き明かすことが科学の使命だが，だからこそ，生命の力に対する畏敬の念を常に心にとどめておくべきである。

3. 良くなる可能性を信じる

患者の中に存在する生命の力は，自らを治そうとして死ぬまで働き続けている。決して，途中で諦めることはない。医者に見放された患者が，なぜか回復して元気になることがあるのは，そのためである。末期がんで余命を宣告された患者が，奇跡的に回復した事例も少なからず報告されている[1)]。

本項では，病気になる前の未病の段階で，漢方と養生によって健康を取り戻すことの重要性を強調してきたが，それと同時に，病気になってからであっても，未病の部分に注目すれば，漢方薬で治療することもできるし，養生によって健康を回復することもできるのだと述べてきた。

現代西洋医学は，局所の疾患に的を絞って治療を考えるため，病気が進行して治療の手段がなくなった段階で，積極的な治療を諦めざるをえない。しかし，漢方医学的には，病人全体の不調に対してアプローチする手段はたくさん残されており，実際に漢方と養生によって良くなる可能性がある。そのことを信じて実践すれば，患者が実際に良くなる経験を通して，それが事実であると確信することができるであろう。

step
4

【参考図書】

1）ケリー・ターナー：がんが自然に治る生き方．プレジデント社，2014．

おわりに

西洋医学と漢方医学の相互補完的関係

西洋医学と漢方医学の関係を一言で表現するとすれば，「相互補完的」という言葉がぴったりである。相互補完的という言葉には，お互いに足りないところを補い合うことによって，より完全なものに近づくという意味がこめられている。西洋医学には長所と短所があり，漢方医学にもまったく異なる長所と短所がある。お互いの短所を，相手の長所によって補い合えるので，相乗効果がえられるところが重要なポイントである。

それでは，西洋医学と漢方医学の相互補完的関係はどのレベルに存在するのであろうか。個体レベルなのか，器官・系統レベルなのか，それとも細胞レベルなのか。答えは，これら3つのレベルすべてにおいて相互補完的関係が存在するのである。ここでは，それぞれのレベルにおける西洋医学と漢方医学の相互補完的関係について紹介しながら，プライマリケアにおける漢方医学のはたす役割について最後に考えてみたい。

個体レベルにおける相互補完的関係

一昔前まで医学の歴史の本流にあったのは，感染症との戦いであった。西洋医学は，この感染症との戦いに大きな勝利をおさめてきたと言える。その勝因は，敵である病原体の正体をつきとめることで感染症の原因を明らかにし，その病原体をやっつけるための武器を次々と開発したことにある。ワクチンや抗菌薬，抗ウイルス薬の開発によって，多くの感染症を克服することに成功してきたのである。

感染症との戦いの歴史から西洋医学が学んだことは，発病のプロセスを原因と結果に分けて理解するというアプローチであった。どんな疾患にも，その疾患に特有の原因，すなわち病因が存在するはずであり，その病因をつきとめることができれば，適切な治療方法を開発することができると信じたのである。このアプローチでは，同じ疾患に罹患している病人に対して，原則として同じ治療方法が適応となるため，診断・治療の普遍性を担保できる。

ここで問題になるのは，病人が示す個人差である。同じ疾患であっても，発病後の経過は病人によって千差万別と言ってもいいほど違っている。このような個人差が生じるのは，人間に備わっている生体恒常性を維持しようとする働きのためである。感染症などの炎症性疾患の場合には免疫系を中心に，非炎症性疾患の場合には自律神経系や内分泌系を中心に生体恒常性維持システムが働く。そのために，特別な治療を受けなくても自然に治ってしまう病人もいれば，適切な治療をしても治らない病人もいるのである。

疾患の発病における因果関係には普遍性があり，発病後の経過には個人差が存在するのであれば，普遍性と個人差の両方を同時に考慮することが最も望ましいと言える。しかし，普遍性を重視する西洋医学は，個人差に対処することが苦手である。ここで役に立つのが，個人差を重視する漢方医学的アプローチである。感染症などの炎症性疾患の場合には六病位アプローチによって発病後の経過を6つのステージに分けながら，非炎症性疾患の場合には気・血・水アプローチによって心身全体の不調を気・血・水の異常として診断しながら，病人の個人差を考慮した治療を行える。

以上をまとめると，発病プロセスにおける因果関係に注目し，普遍性を重視するのが西洋医学であるのに対して，発病後の経過と心身全体の不調に注目し，個人差を重視するのが漢方医学である。このように両医学は互いにまったく異なる視点をもっているからこそ，相互補完的な関係にあり，相乗効果を発揮できるのだと言える。

臓器・系統レベルにおける相互補完的関係

西洋医学の疾患分類は臓器・系統別になっており，医師の多くは特定の臓器・系統を専門とするスペシャリストである。総合病院を受診すると，循環器，呼吸器，消化器，泌尿器，生殖器，骨・関節，皮膚，眼，耳・鼻・咽喉，脳・神経系，代謝・内分泌系などの専門科に分かれているのはそのためである。そこでは，出現している身体症状の部位によって，どの科を受診すればよいのかを決めるわけである。もしも症状が精神的なものであれば，精神科を受診することになる。

西洋医学が臓器・系統別に専門分化してきた背景には，疾患の診断・治療に関する情報量が飛躍的に増大してきたために，1人の医師がすべての疾患について高レベルの診断・治療を行うことが不可能になってしまったという事情が存在する。したがって，専門分化することには，医師と患者双方にとって大きなメリットが存在する。医師は各自が専門とする特定の臓器・系統に発生する疾患について，詳しい知識と高度な技術を習得し，豊富な経験を積み重ねることができる。その結果として患者は，先進的で高レベルな医療を享受することができる。

ここで問題になるのは，先進的で高レベルな医療を必要とする器質的疾患を重視することで，検査をしても異常がないような機能的疾患は生命には危険がないという理由で軽視してしまう風潮である。そのような風潮は好ましくないが，現実には，生命に危険が及ぶ器質的疾患に対して限られた医療資源を重点的に配分せざるをえないというのが日本の保健医療の実情である。その結果，先進的で高レベルな医療を実践するのがスペシャリストであり，そのような医療を必要としない優先順位の低い疾患を診療するのが総合医あるいはプライマリケア医の役割であると遺憾ながら位置づけられてしまっている。

総合医やプライマリケア医の本来の役割は，スペシャリストにはできない全人的医療を実践するところにある。そこで役に立つのが，心身一如の視点で病人全体を診療する漢方医学的アプローチなのである。生体恒常性を維持する自律神経系や内分泌系，さらには免疫系にも働きかける気・血・水アプローチによって，特定の臓器・系統に限局しない機能的疾患や全身性疾患，心理・社会的ストレスが関与する複雑な病態にも対処できるようになる。また，免疫系を中心にしながら生体恒常性維持システム全体に働きかける六病位アプローチによって，最もありふれた疾患である感冒に対して高レベルの医療を提供できるようになる。

このように，臓器・系統レベルにおいても西洋医学と漢方医学の間には相互補完的関係が存在する。特に，高度先進医療の現場よりもプライマリケアの現場において，漢方医学のはたす役割は大きいと言える。

細胞レベルにおける相互補完的関係

西洋医学は，細胞病理学説を土台にして体系化されてきた。病気とは，細胞の機能あるいは構造の異常であるという考え方が基本になっている。顕微鏡で観察して細胞の構造に異常があれば，病理学的に疾患を診断することができる。また，分子生物学の進歩によって，細胞内における代謝プロセスと情報伝達プロセスが解明され，細胞の機能的な異常についても分子レベルで理解できるようになってきた。このまま西洋医学が発展すれば，難治性疾患の多くが根治可能になるのではないかと期待されている。

ところで，病気を治すことにおいて，医学的な治療はどの程度の割合で貢献しているのであろうか。実は，病気の多くは，特別な治療をしないでも自然に治っているのである。死因の第1位を占める悪性新生物（がん）でさえ，発生初期にはほとんどが免疫系の働きによって自然に治っていると言われている。そこに働いているのは，「自然治癒力」であるという事実に我々医療人はもっと謙虚にならなければならない。

人体は約60兆個の細胞から構成されており，60兆の自然治癒力の集積によって病気を自ら治しているのである。それだけの能力をもっているにもかかわらず，なぜ人間は病気になってしまうのであろうか。それは，人体を構成する細胞が生息する環境に問題があるからである。

人体を構成する細胞は，間質液の中で生息している。この間質液は，血管内に移動すると血液となり， 細胞内に移動すると細胞内液となって， 全身を移動しながらすべての細胞に浸透していく。したがって，個々の細胞は独立して生命活動を営んでいるように見えるが，体液に問題が発生するとすべての細胞が同時に悪影響を被るわけである。細胞にとって必要な物質が体液中に不足したり，細胞にとって有害な物質が体液中に過剰になったりすると病気になる以前に細胞がもっている自然治癒力の働きが損なわれてしまうのである。

それでは，細胞内の代謝および情報伝達プロセスと細胞外の体液環境のどちらを重視すればいいのだろうか。疾患そのものの病態を理解するためには細胞内のプロセスに注目する必要があり，疾患発生の背景に存在する自然治癒力の低下を理解するためには細胞外の環境に注目する必要がある。したがって，細胞内と細胞外の両方を同時に考慮することが最も望ましいと言えるが，細胞内のプロセスに注目する西洋医学は，細胞外の環境に目を向けることが苦手である。

ここで役に立つのが，細胞外の体液環境と自然治癒力を重視する漢方医学の気・血・水アプローチと六病位アプローチである。西洋医学は疾患そのものを治す効果に優れているが，自然治癒力の働きをかえって損なってしまうことがある。それに対して，漢方医学はそれ自体が疾患を治す効果が弱いにもかかわらず，自然治癒力の働きをうまく活性化することによって，西洋医学で治せなかった病人を治せることがある。自然治癒力が働く細胞レベルにおいても，両医学は相互補完的関係にあるのだと言える。両医学の長所と短所をよく知った上で，相乗効果を発揮するように漢方医学を活用することがプライマリケア漢方の真髄である。

付録

Dr.喜多の「プライマリケア漢方」動画講座

筆者は，プライマリケアに必要な漢方の知識を漢方ビギナーにもわかりやすく解説した動画を公開しております。動画を見る際に，本書を併用するとより理解が深まるかと思います。是非ご活用下さい。

（本書該当ページは動画内での説明順となっております。また，OS・ブラウザによってはプラグインが必要です。）

step 1

▶ここでは「病人全体を診て不足を補う」という漢方医学が得意とする基本的な考え方を修得して頂きます。

▶気・血・水の働きとそれぞれの不足病態（＝虚）や，冷え（＝寒）の病態について理解を深めると同時に，運動器疾患に適応となる方剤を使えるようになることが目標です。

https://www.jmedj.co.jp/book/pck2_step0101/

		本書該当ページ
step1-1	プライマリケア漢方の基本知識	
	▶漢方薬にもエビデンスがある	p3-4
	▶漢方薬はなぜ効くのか?	p4-6
	▶漢方医学の特質1：全体の不調に注目する	p7-8
	▶漢方医学の特質2：健康生成過程に注目する	p52-54
	▶漢方医学の特質3：異病同治と同病異治	p96-97
	▶step1で修得する2種類の治療方法	該当ページなし
step1-2	気を補う漢方診療の秘訣	
	▶気・血・水とは?	p21-25
	▶気虚の病態とは?	p25-32
	▶気虚の治療1：胃気のパワー低下と六君子湯	p7
	▶気虚の治療2：神気のパワー低下と補中益気湯	p33-34
	▶気虚の治療3：衛気のパワー低下と黄耆建中湯	p35
	▶広義の気虚の病態とは?	p25-28，p30-32
	▶腎虚の治療：八味地黄丸	p36-37

step1-3	血と水を補う漢方診療の秘訣	
	▶血の働きと血虚の病態	p38-39
	▶血虚の治療方針	p38-41，p10-14
	▶気血両虚の治療方針	p42-43
	▶水の働きと津虚の病態	p44-45
	▶津虚の治療方針	p45-51，p15-18
step1-4	冷えを温める漢方診療の秘訣	
	▶寒証タイプと熱証タイプの違い	p55-57，p96-98
	▶いわゆる冷え症に対する漢方治療	p57-63
	▶冷えに伴う運動器の痛みに対する漢方治療	p58-59，p107-113
	▶冷えに伴う慢性胃腸障害に対する漢方治療	p58-59，p64-65
step1-5	運動器疾患に対する漢方診療の秘訣	
	▶変形性膝関節症に対する漢方治療	p96-106
	▶高齢者の腰下肢痛に対する漢方治療	p107-113
	▶関節リウマチの一例	該当ページなし
	▶各種運動器疾患の第一選択薬	該当ページなし
step1-6	症例演習で学ぶ漢方診療の秘訣（step1）	該当ページなし

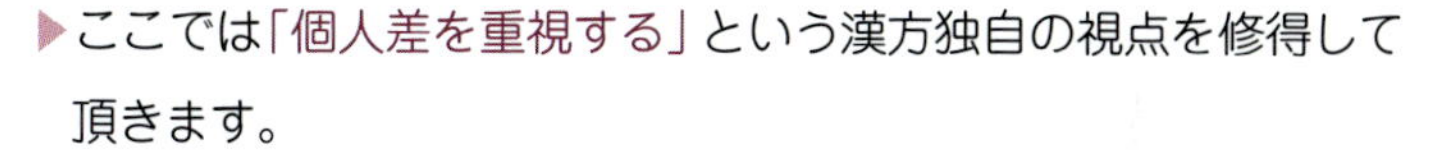

▶ここでは「個人差を重視する」という漢方独自の視点を修得して頂きます。

▶虚実・寒熱の病態における個人差について理解を深めると同時に，プライマリケアで日常的に遭遇する呼吸器系や消化器系の疾患や症状に適応となる方剤を使えるようになることが目標です。

https://www.jmedj.co.jp/book/pck2_step0201/

step2-1	プライマリケア漢方の応用知識	
	▶病人全体の不調を認識する2種類のアプローチ	該当ページなし
	▶外感病に対する陰陽病態論のアプローチ	該当ページなし
	▶陽証と陰証をどのように見分けるのか?	該当ページなし
	▶陽証の外感病に対する六病位アプローチ	p133-136
	▶陰証の外感病に対する六病位アプローチ	p137-138
step2-2	急性上気道炎に対する漢方診療の秘訣	
	▶風邪といえば…葛根湯	該当ページなし
	▶葛根湯の作用メカニズム	該当ページなし
	▶葛根湯は解熱薬ではなく温熱薬である	p142-143
	▶太陽病には葛根湯と桂枝湯	p137-141
	▶少陽病には柴胡剤	p133-135，p144-149
	▶小児の風邪	p220-221

step2-3	実技で学ぶ脈・舌・腹診の実際	
	▶四診の概要	該当ページなし
	▶腹診	該当ページなし
	▶舌診	該当ページなし
	▶脈診	該当ページなし
step2-4	慢性の咳・痰に対する漢方診療の秘訣	
	▶貝原益軒に学ぶ薬の使い方	該当ページなし
	▶咳・痰に対する臨床疫学的エビデンス	p19-20，p152-153，p169
	▶咳・痰に効く12方剤	p158
	▶激しい湿性咳嗽	p159，p152-155
	▶激しい乾性咳嗽	p159-160，p150-152
	▶力のない湿性咳嗽	p160-164
	▶力のない乾性咳嗽	p164
step2-5	消化器疾患に対する漢方診療の秘訣	
	▶食欲不振の第一選択薬：六君子湯	p3-6
	▶六君子湯の効果が不十分な場合の対応	p276-277
	▶六君子湯の次の一手（1）：意欲低下を伴う場合	p260-261
	▶六君子湯の次の一手（2）：下痢傾向を伴う場合	p114-115，p9，p64-67
	▶IBSの下痢には啓脾湯	該当ページなし
	▶IBSの第一選択薬：桂枝加芍薬湯	p123
	▶便秘に対する漢方治療	p120-130
step2-6	症例演習で学ぶ漢方診療の秘訣（step2）	該当ページなし

▶ここでは「心身全体のバランスを重視する」という漢方特有の治療スタイルを修得して頂きます。

▶気・血・水の流れが失調した病態（＝気逆・気鬱・瘀血・水滞）について理解を深めると同時に，ストレスに関係した疾患や症状に適応となる方剤を使えるようになることが目標です。

https://www.jmedj.co.jp/book/pck2_step0301/

step3-1	プライマリケア漢方の実践知識	
	▶プライマリケアの理念と漢方医学	該当ページなし
	▶ストレス病態と不定愁訴	p273-276，p255
	▶未病とQOLの低下	該当ページなし
	▶気・血・水の異常とQOLの低下	該当ページなし
	▶気・血・水アプローチと改善プロセス	p278
	▶気の流れとその失調病態	該当ページなし
	▶血水の流れとその失調病態	該当ページなし

索引

こ

さ

し

す

せ

そ

著者紹介

喜多敏明(きた としあき)
辻仲病院柏の葉 漢方未病治療センター センター長

1985年 富山医科薬科大学医学部卒業
1993年 医学博士取得
1996年 富山医科薬科大学附属病院和漢診療部 助手
1999年 富山医科薬科大学和漢薬研究所漢方診断学部門 客員助教授
2003年 千葉大学環境健康フィールド科学センター 准教授
2004年 千葉大学柏の葉診療所 所長(兼任)
2013年 現職

- 日本東洋医学会元理事・専門医・指導医
- 日本未病学会理事・未病医学認定医
- 日本東洋医学会北陸支部奨励賞受賞
- 第30回「漢方研究」イスクラ奨励賞受賞

プライマリケア漢方 第2版

定価(本体4,800円+税)
2015年11月10日 第1版発行
2023年12月31日 第2版発行

著 者 喜多敏明
発行者 梅澤俊彦
発行所 日本医事新報社 www.jmedj.co.jp
〒101-8718 東京都千代田区神田駿河台2-9
電話(販売)03-3292-1555 (編集)03-3292-1557
振替口座 00100-3-25171
印 刷 ラン印刷社
デザイン 大矢高子

ISBN978-4-7849-4263-3 C3047 ¥4800E

電子版のご利用方法

巻末袋とじに記載されたシリアルナンバーを下記手順にしたがい登録することで，本書の電子版を利用することができます。

1 日本医事新報社Webサイトより会員登録（無料）をお願いいたします。

会員登録の手順は弊社Webサイトの
Web医事新報かんたん登録ガイドを
ご覧ください。

https://www.jmedj.co.jp/files/news/20191001_guide.pdf

（既に会員登録をしている方は**2**にお進みください）

2 ログインして「マイページ」に移動してください。

3「未登録タイトル（SN登録）」をクリック。

4 該当する書籍名を検索窓に入力し検索。

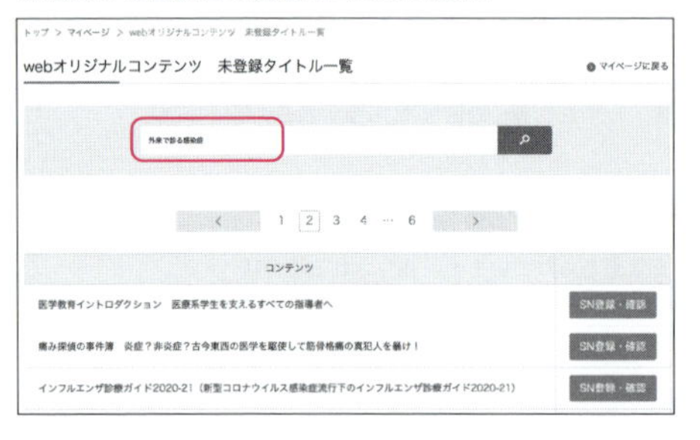

5 該当書籍名の右横にある「SN登録・確認」ボタンをクリック。

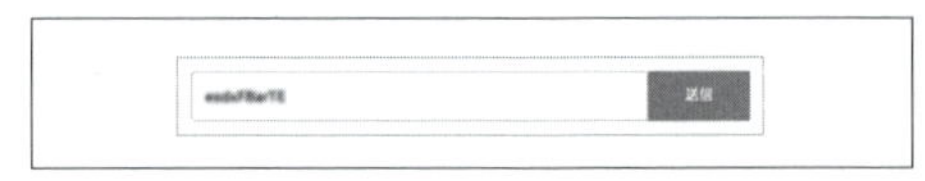

6 袋とじに記載されたシリアルナンバーを入力の上，送信。

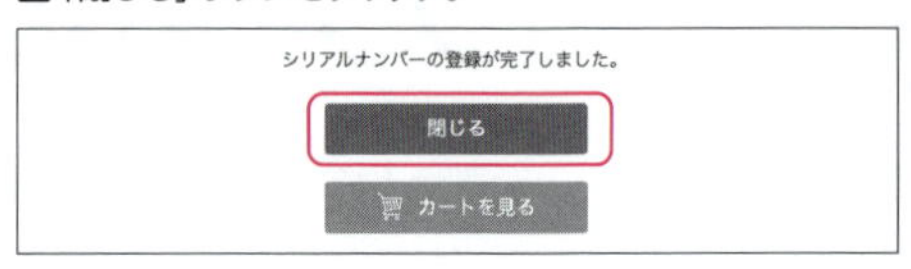

7「閉じる」ボタンをクリック。

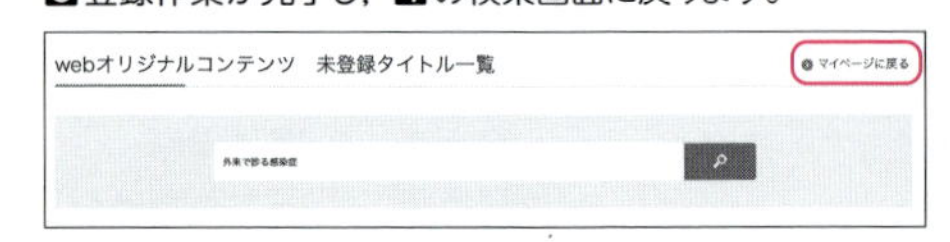

8 登録作業が完了し，**4**の検索画面に戻ります。

【該当書籍の閲覧画面への遷移方法】

①上記画面右上の「マイページに戻る」をクリック
➡**3**の画面で「登録済みタイトル（閲覧）」を選択
➡検索画面で書名検索➡該当書籍右横「閲覧する」ボタンをクリック

または

②「書籍連動電子版一覧・検索」*ページに移動して，書名検索で該当書籍を検索➡書影下の「電子版を読む」ボタンをクリック

https://www.jmedj.co.jp/premium/page6606/

＊「電子コンテンツ」Topページの「電子版付きの書籍を購入・利用される方はコチラ」からも遷移できます。